SERMONS

SUR LE CANTIQUE

ŒUVRES COMPLÈTES

XII

SOURCES CHRÉTIENNES

N° 452

BERNARD DE CLAIRVAUX

SERMONS SUR LE CANTIQUE

Tome 3

(Sermons 33-50)

TEXTE LATIN DES *S. BERNARDI OPERA* PAR

J. LECLERCQ, H. ROCHAIS ET CH. H. TALBOT

INTRODUCTION, TRADUCTION ET NOTES

par

Paul Verdeyen, s.j.
Professeur à l'Université d'Anvers

Raffaele Fassetta, o.c.s.o.
Moine de Notre-Dame de Tamié

*Ouvrage publié avec le concours
du Centre National du Livre
et de la Fondation Singer-Polignac*

LES ÉDITIONS DU CERF, 29, Bd Latour-Maubourg, PARIS 7ᵉ
2000

La publication de cet ouvrage a été préparée avec le concours de l'Institut des « Sources Chrétiennes » (UMR 5035 du Centre National de la Recherche Scientifique).

AVANT-PROPOS

Dans cette édition du troisième tome des *Sermons sur le Cantique* de Bernard de Clairvaux, l'introduction et l'annotation reviennent au P. Paul VERDEYEN, s.j., et la traduction au Père Raffaele FASSETTA, o.c.s.o. Avec l'aide de Sr Marie-Imelda HUILLE, o.c.s.o., de l'abbaye Notre-Dame d'Igny, M. Jean FIGUET a mis au point l'apparat biblique et rédigé les notes bibliques (signalées par un astérisque). Le P. Bernard de VREGILLE, s.j., a revu la traduction. Le P. VERDEYEN a assuré la relecture de l'ensemble. Le P. Jean-Pierre SONNET, s.j., a rédigé la postface que nous publions avec l'aimable autorisation de la *Nouvelle Revue Théologique*.

Sources Chrétiennes

NOTE SUR L'ÉDITION
DES ŒUVRES COMPLÈTES
DE BERNARD DE CLAIRVAUX

Mise en œuvre à la demande du Centre des Textes Cisterciens, qui dépend de la conférence des Pères abbés et Mères abbesses francophones de l'Ordre Cistercien de la Stricte Observance, la présente édition des Œuvres de Bernard de Clairvaux, avec traduction française, est réalisée sur les bases suivantes.

Le texte original est repris de l'édition critique des *Sancti Bernardi Opera,* procurée par dom Jean Leclercq, assisté de MM. Henri Rochais et Charles H. Talbot, et publiée en huit tomes par le Saint Ordre de Cîteaux, de 1957 à 1977, à Rome, aux Éditions Cisterciennes. A partir du volume n° 393 de la Collection des Sources Chrétiennes, le latin est imprimé sur la base de la saisie informatique réalisée par le Centre de Traitement Électronique des Documents (CETEDOC) de Louvain-la-Neuve.

Depuis sa parution, ce texte a bénéficié de corrections. Une première série d'errata, colligés par l'auteur lui-même, est à la disposition du public dans le tome 4 du *Recueil d'études sur saint Bernard et ses écrits* de dom Jean Leclercq (Rome 1987, p. 409-418). Une seconde série, moins longue, a été établie par le CETEDOC en vue de la préparation du *Thesaurus sancti Bernardi Claraevallensis,* paru chez Brepols, à Turnhout, en 1987. Pour certaines œuvres, en particulier les traités, un dernier apport provient des notes critiques dues à dom Denis Farkasfalvy et parues pour la plupart dans le tome 1 de l'édition en langue allemande des *Sämtliche Werke* de Bernard de Clairvaux (Innsbruck 1990), en appendice à chaque œuvre traduite. L'édition des Sources Chrétiennes profite de ces amendements. La pagination de l'édition critique est indiquée dans la marge du texte latin; la linéation est nouvelle.

L'apparat critique n'est pas reproduit, les principes d'édition étant rappelés dans l'introduction à chacune des œuvres; les variantes les plus intéressantes sont éventuellement indiquées dans l'annotation. En revanche, un apparat des citations scripturaires a été mis au point sur des bases nouvelles; dans la mesure du possible, on a précisé les sources de ces citations : Vulgate, Pères de l'Église, liturgie, Règle de saint Benoît. Certaines notes, marquées d'un astérisque, explicitent les références scripturaires. Elles sont l'œuvre de M. Jean Figuet.

A la fin de chacune des œuvres sont donnés les index habituels : index des citations scripturaires, index des noms de personnes et de lieux, et index des mots; celui-ci, étant donné le caractère exhaustif des relevés du *Thesaurus sancti Bernardi Claraevallensis,* se limite à un choix de thèmes avec lemmes en français.

On trouvera sur la page ci-contre le plan d'édition des *Œuvres complètes* de Bernard de Clairvaux aux *Sources chrétiennes.* Quelques modifications ne peuvent manquer de survenir, concernant les années prévues pour les parutions. Dans la colonne «Paru» est indiqué en coefficient, après la date, le numéro du tome paru cette année-là.

LA SÉRIE BERNARDINE DANS LA COLLECTION «SOURCES CHRÉTIENNES»

Nº SC	Nº série bernardine	Ouvrages	Date envisagée	Paru
380	I	Introduction générale		1992
425	II-IX	Lettres	2001-2005	1997[1]
414, 431	X-XV	Sermons sur le Cantique	2001-2003	1996[1]-1998[2]-2000[3]
–	XVI-XIX	Sermons pour l'année	2001-2005	–
390	XX	A la louange de la Vierge Mère	2000	1993
XXI		Aux clercs, sur la conversion. Le Précepte et la Dispense		–
–	XXII-XXIV	Sermons divers	2001-2003	–
–	XXV-XXVII	Sentences. Paraboles	2002-2004	–
–	XXVIII	Les Degrés de l'humilité et de l'orgueil. Sermons variés	2002	–
393	XXIX	L'Amour de Dieu. La Grâce et le Libre Arbitre		1993
–	XXX	L'Apologie. Office de saint Victor. Prologue de l'Antiphonaire	2002	–
367	XXXI	Éloge de la nouvelle chevalerie. Vie de saint Malachie. Épitaphe. Hymnes		1990
–	XXXII	La Considération	2004	–

SIGLES ET ABRÉVIATIONS

Œuvres de Bernard de Clairvaux[1]

Abb	Sermon aux abbés (S. pour l'année)	*SBO* V
AdvA	Sermons pour l'Avent (S. pour l'année)	IV
AdvV	Sermon pour l'Avent (S. variés)	VI-1
Alt	Sermons pour l'élévation et l'abaissement du cœur (S. pour l'année)	V
AndN	Sermons pour la fête de saint André (S. pour l'année)	V
AndV	Sermon pour la vigile de saint André (S. pour l'année)	V
Ann	Sermons pour l'Annonciation (S. pour l'année) ...	V
Ant	Prologue à l'Antiphonaire	III
Apo	Apologie à l'abbé Guillaume	III
Asc	Sermons pour l'Ascension (S. pour l'année)	V
AssO	Sermon pour le dimanche après l'Assomption (S. pour l'année)	V
Assp	Sermons pour l'Assomption (S. pour l'année)	V
Ben	Sermon pour la fête de saint Benoît (S. pour l'année)	V
Circ	Sermons pour la Circoncision (S. pour l'année)	IV

1. En ce qui concerne les œuvres de Bernard de Clairvaux, la présente liste reprend celle du *Thesaurus SBC*, p. XXIII, avec quelques minimes simplifications : suppression d'une abréviation spéciale pour les trois lettres 42, 77 et 190, suppression des astérisques marquant les différences avec la liste de LECLERCQ, *Recueil*, t. 3, p. 9-10 ; en outre *Con+* et *Par+* ont été normalisés en *Conv** et *Par**.

Ouvrages, revues, instruments plus fréquemment utilisés

AB	*Analecta Bollandiana*, Bruxelles
ACist	*Analecta Cisterciensia*, Rome, continuation de *ASOC*
AnMon	*Analecta Montserratensia*, Montserrat
ASOC	*Analecta Sacri Ordinis Cisterciensis*, Rome
ASS	*Acta Sanctorum*, Bruxelles
AUBERGER, *L'Unanimité*	J.-B. AUBERGER, *L'unanimité cistercienne primitive, mythe ou réalité?*, Achel 1986
BdC	COLLOQUE DE LYON-CÎTEAUX-DIJON, *Bernard de Clairvaux: histoire, mentalités, spiritualité* (Sources Chrétiennes 380), Paris 1992
Bernard de Clairvaux	Commission d'Histoire de l'ordre de Cîteaux, *Bernard de Clairvaux*, Paris 1953
BOUTON-VAN DAMME	J. de la C. BOUTON et J. B. VAN DAMME, *Les plus anciens textes de Cîteaux*, Achel 1974
BREDERO, *Études*	A.H. BREDERO, *Études sur la Vita prima de saint Bernard*, Rome 1960 (nous suivons la pagination de ce volume et non celle des articles parus dans les *ASOC*)
CANIVEZ, *Statuta*	J.-M. CANIVEZ, *Statuta capitulorum generalium ordinis cisterciensis ab anno 1116 ad*

	annum 1786, 8 t., Louvain 1933-1941
CistC	*Cistercienser-Chronik*, Mehrerau
Cîteaux	*Cîteaux in de Nederlanden,* Achel, continué par *Cîteaux, Commentarii cistercienses,* Cîteaux
COCR	*Collectanea Ordinis Cisterciensium Reformatorum*, Scourmont, continués sous le titre suivant
CollCist	*Collectanea Cisterciensia*, Mont-des-Cats
Gesta Friderici	OTTON DE FREISING, *Gesta Friderici I, Imperatoris* (éd. par F. J. Schmale, Ausgewählte Quellen zur deutschen Geschichte des Mittelalters, 17), Darmstadt 1974
JACQUELINE, *Épiscopat*	B. JACQUELINE, *Épiscopat et papauté chez saint Bernard de Clairvaux* (Atelier de reproduction des thèses), Lille 1975
LECLERCQ, *Recueil*	J. LECLERCQ, *Recueil d'études sur saint Bernard et ses écrits*, 5 t., Rome 1962-1992
Mélanges A. Dimier	*Mélanges à la mémoire du Père Anselme Dimier*, 3 t. de 2 vol., sous la direction de B. Chauvin, Pupillin 1982-1988
Opere di san Bernardo	SAN BERNARDO, *Opere*, sous la direction de F. Gastaldelli (Scriptorium claravallense), Milan; t. 1, *Trattati*, 1984; t. 6/1 et 6/2 *Lettere*, 1986-1987

RB	Règle de saint Benoît (*SC* 181-182)
RHE	*Revue d'Histoire Ecclésiastique*, Louvain
Saint Bernard théologien	*Saint Bernard théologien* (Actes du Congrès de Dijon, 15-19 septembre 1953), in *ASOC* 9 (1953)
SBO	*Sancti Bernardi Opera*, 8 t. (éd. par J. Leclercq, H.-M. Rochais et C.H. Talbot, Editiones Cisterciennes), Rome 1957-1977
SC	Sources Chrétiennes
Thesaurus SBC	*Thesaurus Sancti Bernardi Claraevallensis* (Série A, Formae, CETEDOC, sous la direction de P. Tombeur), Turnhout 1987
VACANDARD, *Vie*	E. VACANDARD, *Vie de saint Bernard, abbé de Clairvaux*, 2 t., Paris 1895

Autres abréviations

BA	*Bibliothèque Augustinienne*, Paris
CCL	*Corpus Christianorum Series Latina*, Turnhout
CCM	*Corpus Christianorum Continuatio Medievalis*, Turnhout
CSEL	*Corpus Scriptorum Ecclesiasticorum Latinorum*, Vienne

DSp	*Dictionnaire de Spiritualité*, Paris
JÉRÔME, *Nom. hebr.*	JÉRÔME, *Liber Interpretationis Hebraicorum Nominum*, éd. P. de Lagarde, *CCL* 72 (1959), p. 57-161
Lit.	Origine liturgique des citations bibliques
Patr.	Origine patristique des citations bibliques
PL	*Patrologie Latine*, Migne
RBén	*Revue Bénédictine*, Maredsous
Vg	Vulgate
Vl	Vieille latine
≠	Divergence entre Bernard et la Vulgate

INTRODUCTION

I. Date des sermons 33 à 50

Dans le deuxième tome des *Sermons sur le Cantique*[1], nous avons suggéré que les sermons 26 à 32 auraient été achevés pendant les années 1139-1140. Depuis lors, nous avons remarqué que Bernard cite le 33e *Sermon sur le Cantique* dans ses *Sermons sur le psaume « Qui habitat »*[2]. Or ces derniers sermons ont sans doute été prononcés pendant le carême de 1139[3]. Il s'ensuit qu'il faut avancer quelque peu la composition des *Sermon sur le Cantique* 26 à 33. Ils étaient sans doute achevés avant le carême de 1139.

Quant aux *Sermons sur le Cantique* 34 à 50, il est impossible de préciser la date exacte de leur parution. On peut donner l'année 1139 comme *terminus post quem*. Le *terminus ante quem* nous semble être l'année 1143. En effet, c'est en 1143 qu'Evervin, abbé de Steinfeld, a adressé à Bernard la lettre sur les mouvements hérétiques dans les pays rhénans[4]. Bernard mentionne ces hérésies dans les *Sermons sur le Cantique* 65-66.

1. *SC* 431, p. 23.

2. *SBO* IV, 411, l. 4.

3. Cf. Leclercq J., « Les sermons sur le psaume *Qui habitat* », dans *Bernard de Clairvaux*, p. 444-445.

4. Cf. *PL* 182, 676-680.

II. Différence entre l'amour affectif
et l'amour effectif (Sermon 50)

> Le discernement est moins une vertu qu'un modérateur
> et un conducteur des vertus, un ordonnateur des senti-
> ments et un instructeur des comportements. (*SCt* 49, 5)

L'abbé de Clairvaux aurait pu se contenter de cette
première définition; le discernement doit ordonner les
sentiments et instruire les comportements *(discretio ordi-
natrix affectuum et morum doctrix)*. Mais non, Bernard
explicite longuement la différence entre la vie affective
et la vie morale. Tout le 50ᵉ *Sermon sur le Cantique* est
consacré à ces deux aspects de la vie humaine. Pour
quelle raison? Parce que le rôle et l'importance de la vie
affective étaient très discutés en milieu cistercien et même
dans sa propre communauté. Il y régnait une grande
méfiance à l'égard de la sensibilité humaine. Ces moines
travailleurs et réalistes avaient choisi la vie religieuse pour
son ascèse et ses pénitences, et non pas pour cultiver
de beaux sentiments. Ils espéraient bien gagner le ciel,
mais ils gardaient les pieds sur terre. Ils étaient dans l'ensemble peu cultivés – plusieurs étaient d'anciens guer-
riers – et peu instruits en ce qui concerne les différents
aspects de la vie affective. Aussi Bernard commence-t-il
par une affirmation de bon sens :

> La loi [de la charité] donnée aux hommes... concerne
> la charité des œuvres. Car pour la charité d'affection,
> qui pourrait la posséder autant qu'elle nous est com-
> mandée? La première charité [celle des œuvres] est donc
> commandée en vue du mérite, la seconde est donnée
> en récompense. (*SCt* 50, 2)

Sans aucun doute, les moines claravalliens se sont
senti rassurés par ces paroles. La charité effective envers
les frères et, plus généralement, la charité envers le prochain, voilà le grand enseignement du Christ dans les
Évangiles.

On pourrait penser que Bernard entend reléguer la vie affective au ciel. Il n'en est rien :

> Je ne dis pas cela pour que nous soyons sans affection et que, le cœur sec, nous n'engagions que nos mains dans les œuvres (*SCt* 50, 4).

Les trois sortes d'affections

Afin de parler correctement, l'abbé définit et distingue trois sortes d'affections : l'affection engendrée par la chair, une autre gouvernée par la raison et la troisième assaisonnée par la sagesse.

La première affection n'est pas soumise à la loi de Dieu ni ne peut l'être (cf. *Rom.* 8, 7). Elle est douce, mais honteuse. Elle s'oppose aussi bien à l'affection raisonnable qu'à l'amour de Dieu. Sans aucun doute Bernard vise ici l'affection charnelle et mondaine qui s'infiltre par les sens : l'âme s'abandonne alors entièrement à des satisfactions terrestres.

Le seconde affection est en accord avec la loi de Dieu parce qu'elle est bonne. Elle est sèche, mais forte. C'est par elle que se réalisent les œuvres et c'est en elle que réside la charité active. Bien qu'elle ne nous rassasie pas encore d'un amour doux et suave, elle ne laisse pas d'allumer en nous un amour ardent de cet amour-là.

La troisième affection goûte et savoure combien le Seigneur est doux. Cet amour d'affection est assaisonné par l'expérience de Dieu. Aussi cette affection est-elle moelleuse et douce.

> Si tu es tout embrasé de l'amour divin lui-même, reçu dans la plénitude de l'Esprit, alors oui, tu savoures Dieu. Non pas certes tel qu'il en serait digne en lui-même, car cela est impossible à toute créature, mais selon ton pouvoir de le savourer. (*SCt* 50, 6)

L'Époux divin ordonne la charité

L'Époux ordonne aussi bien la charité active que la charité affective, mais selon un ordre inverse. C'est une trouvaille originale et intéressante de Bernard. La charité active donne la priorité aux réalités d'ici-bas, la charité affective aux réalités d'en haut. Nul doute qu'un esprit touché par l'amour place l'amour de Dieu avant l'amour de l'homme. Et pourtant, dans une action bien ordonnée, on trouve souvent, ou même toujours, l'ordre inverse. Le souci du prochain est pour nous le plus urgent, celui qui nous absorbe davantage... Il y a donc une opposition entre la charité affective d'un cœur amoureux de Dieu et sa charité active envers le prochain. Bien que la première ait toujours eu droit à la première place, elle cède souvent le pas à la seconde. La loi de l'humanité nous oblige souvent à regarder plutôt les nécessités du prochain que la gloire de Dieu.

Bernard n'hésite pas à donner des exemples concrets de l'ordre inverse, même dans le milieu privilégié du monastère :

> Que de fois, sur l'ordre de la charité, nous sommes détournés et arrachés de cet entretien [celui de la prière] à cause de ceux qui ont besoin de notre aide active ou de notre parole ! Que de fois un pieux loisir doit faire place, pour une pieuse raison, au tumulte des affaires ! Que de fois, avec bonne conscience, on dépose un livre pour aller suer au travail manuel ! Que de fois, pour gérer les biens terrestres, nous devons renoncer en toute justice à la célébration même de la messe ! C'est l'ordre à l'envers ; mais nécessité n'a pas de loi. (*SCt* 50, 5)

Ce dernier exemple évoque le travail dur et prolongé de tous les moines pendant la période des moissons. A ces moments-là, il faut donner plus de temps au pain matériel qu'au pain des anges.

La charité bien ordonnée

« Charité bien ordonnée commence par soi-même », dit le proverbe. Bernard serait d'accord à condition que cette charité primordiale trouve sa source en Dieu. « Tu te savoureras tel que tu es, si tu as découvert que tu n'es rien, un rien nullement digne d'être aimé, fût-ce par toi-même, sinon à cause de Dieu. Car sans lui, tu n'es rien ». Ces affirmations reprennent le quatrième degré de l'amour de Dieu, tel que Bernard l'avait déjà exposé dans son traité *L'amour de Dieu* [1].

La même perspective est développée pour situer l'amour du prochain : « Tu ne t'aimes toi-même que parce que tu aimes Dieu. Par conséquent, tous ceux qui l'aiment pareillement, tu les aimes comme toi-même. » L'amour de Dieu est ainsi conçu comme la source et la norme de tout autre amour.

Le portrait du parfait amant de Dieu

L'abbé de Clairvaux résume une dernière fois les différents échelons de la charité bien ordonnée. Il commence par l'amour général du prochain et même des ennemis. Vient ensuite l'amour sincère des parents, des personnes qui ont donné et nourri la vie naturelle. Suit l'amour des maîtres spirituels, qui ont donné et nourri la vie de la grâce. Un tel amour méprise la terre et regarde vers le ciel : d'instinct il peut discerner entre ce dont il faut user et ce dont il faut jouir. Un tel amant s'occupe en passant des choses passagères *(transitoria transitorie curat)*, et seulement de celles qui sont nécessaires, et pour autant qu'elles sont nécessaires.

Bernard ne révèle-t-il pas ici un point important de ses examens de conscience ? Il s'est occupé de beaucoup de

---

1. *SC* 393, p. 129.

choses passagères. Et pourtant, il a essayé de distinguer, de faire le tri de ses devoirs monastiques et des appels extérieurs. Si le texte n'est pas une apologie, il demande pourtant l'indulgence bienveillante de ses moines.

Comparaison avec l'*Exposé* de Guillaume de Saint-Thierry

Avant de citer quelques passages typiques, il faut signaler que Guillaume commente deux versets du Cantique dont Bernard parle séparément. Il s'agit du texte : «Le Roi m'a introduit dans la cave au vin; il ordonna en moi la charité» (2, 4). Guillaume désigne la cave au vin comme la demeure de la sagesse, très supérieure à la science. Le vin lui-même devient le symbole de l'amour qui enivre l'esprit, d'un amour excessif et désordonné qui révolutionne toutes les puissances de l'âme. Il ne semble pas que Guillaume condamne la nouveauté et le désordre de cet amour triomphant.

> L'épouse est donc introduite dans la maison du vin, dans la joie du Seigneur son Époux. Mais à la première expérience du bonheur, incapable de souffrir mesure ni raison, elle est, par abus de vin, mise en désordre *(exordinatur)*, jusqu'à l'ivresse d'une ferveur excessive, jusqu'à la langueur de l'infirmité humaine[1].

> Quand l'homme corruptible entend la parole biblique : «L'homme ne pourra me voir et vivre» (*Ex.* 33, 20), il se met à haïr violemment sa vie qui le retarde et l'empêche de vivre de la vision de Dieu. Mourir, il le voudrait bien, mais il ne le peut. Mourir pour le Christ, mais cela lui est refusé. Mourir dans le Christ, mais c'est pour plus tard... Il dit, il crie : «Seigneur, que voulez-vous que je fasse?»; mais on ne lui répond pas. «Que voulez-vous que je devienne?» et on l'abandonne à lui-même... On lit son ordonnance au malade; il n'écoute

---

1. *Exposé* 120 (*SC* 82, p. 259).

pas. On lit sa loi à l'amour; il ne la saisit pas. On lit sa règle au déréglé; il ne s'en aperçoit pas. On lui impose d'aimer son Seigneur de tout son cœur, de toute son âme, de tout son esprit, de toutes ses forces, et son prochain comme soi-même (*Matth.* 22, 37-39). Mais l'impétuosité de l'amour le domine entièrement (*ubique impetu amoris praevalente*) [1].

Il est évident que Guillaume se complaît à décrire la force incontrôlée de certaines expériences amoureuses. Il décrit un itinéraire qui part de l'ivresse propre à la cave au vin. Cette ivresse ne peut souffrir mesure ni raison. Elle peut devenir tellement excessive qu'elle dépasse les forces de la nature humaine, qu'elle rend l'âme infirme et languissante. Cette description précise de phénomènes psychologiques sera reprise et développée par plusieurs béguines et religieuses du XIIIe siècle.

Il faut bien comprendre que ces analyses concernent l'*entrée* de la cave au vin, c'est-à-dire le début de la vie nettement spirituelle, les premières touches de l'Esprit. Il s'agit d'un état qui ne peut durer indéfiniment. Il faut dépasser l'éblouissement des premières expériences et continuer son chemin vers une communion spirituelle plus stable et plus ordonnée.

L'épouse est d'abord introduite dans la cave au vin; puis la charité est ordonnée en elle. A peine entrée, non ordonnée encore, et sous le coup de l'ivresse, elle s'efforce de faire plus qu'elle ne peut. Elle entreprend d'exécuter à la perfection, comme d'un seul élan d'amour, toutes les volontés de Dieu. Mais défaillante, elle languit, jusqu'au moment où, le Roi ordonnant en elle la charité, elle se mette en outre à vouloir ce que Dieu veut. C'est alors que, par similitude de volonté, l'homme devient un seul esprit avec Dieu. L'homme ivre devient sobre; de languissant, il devient plein de santé; de fougueux il

---

1. *Exposé* 121 (*SC* 82, p. 263).

devient ordonné. Ivre, il court au sommeil; languissant, il court au lit fleuri; fougueux il court à l'étreinte. C'est ainsi que s'accomplit la très agréable union de l'Époux et de l'épouse[1].

Que pouvons-nous conclure de cette comparaison entre Guillaume et Bernard? Le sermon 50 est un exemple remarquable donnant une doctrine sûre et équilibrée. Le texte de Bernard est instructif et directif; celui de Guillaume est descriptif et phénoménologique. Bernard ne parle pas d'un amour qui puisse être désordonné et languissant. Il propose l'idéal et néglige la réalité souvent désordonnée.

Le texte de Guillaume est plus personnel, plus proche de l'expérience directe. Son texte est moins normatif; il ne veut pas exposer une doctrine mais décrire les multiples aspects de son chemin vers Dieu. Résumons : Bernard s'adresse en abbé à tous les frères de Clairvaux. Guillaume profite du saint loisir de Signy pour chanter les délices de sa propre aventure amoureuse. On ne saurait nier que le sermon de Bernard ait trouvé une réception plus générale et plus enthousiaste. Guillaume a dû attendre le milieu du XXe siècle pour s'imposer comme témoin d'une voie nettement affective et mystique.

---

1. *Exposé* 130 (*SC* 82, p. 276).

LE TEXTE LATIN

Le texte latin est repris de l'édition critique des *SBO* I,
p. 233-255 et ensuite des *SBO* II, p. 3-83. En 1987, dom
Jean Leclercq a publié une liste de corrections (*Recueil*,
t. 4, p. 410-411). Nous avons nous-même ajouté quelques
autres corrections. Voici l'ensemble des *errata* des *Sermons
sur le Cantique* 33 à 50 :

SBO	Au lieu de	Sermon *SCt*	Leçon corrigée
237, 23	faetorum	33, 6	foetorum
242, 27	Hic	33, 13	Hinc
243, 26	patentia	33, 14	patientia
245, 14	HOEDOS	34, 1	*haedos*
245, 16	adspirabat	34, 1	aspirabat
246, 4	attolitur	34, 1	attollitur
4, 14	2.	36, 2	II. 2.
6, 29-30	repetit, 5. advertisne	36, 4	repetit, advertisne
7, 1	IV.	36, 5	IV. 5.
26, 8	subosbcuram	40, 3	subobscuram
35, 2	peccatum	42, 3	peccatum retines
35, 2	peccare	42, 3	et peccare
37, 23	ME, QUIA	42, 7	*me quia*
43, 22	subtilior interior	43, 4	sublimior interim
55, 11	aeternae?	45, 9	aeternae!
59, 11	non sunt	46, 6	sunt
65, 23	illum plane	47, 7	lilium plane
68, 24	a regione	48, 3	e regione
74, 3	Discipuli	49, 2	discipuli
75, 30	abque	49, 5	absque
77, 14	alicui	49, 7	aliqui

Capitula et divisions du texte

On sait que les *SBO* I et II font précéder les *Sermons sur le Cantique* par des *capitula* ou chapitres trouvés dans le manuscrit O (Oxford, Merton College 46). Ces titres sont parfois obscurs et déficients. Pour cette raison nous préférons les remplacer par les titres tels qu'on les trouve dans le manuscrit du Séminaire de Bruges 21-68. Nous avons repris aussi la division en paragraphes numérotés en chiffres arabes, tels que Mabillon les a faits pour son édition.

TEXTE ET TRADUCTION

SERMO XXXIII

I. Quae sunt tria illa quae anima Dei curiosa inquirit.

1. *Indica mihi, quem diligit anima mea, ubi pascas, ubi
cubes in meridie*[a]. Et alius quidem : *Indica*, inquit, *mihi
cur me ita iudices*[b]. Ubi non sane sententiam causatur, sed
scrutatur causam, erudiri flagellis petens, non erui. Item
5 alius precatur, dicens : *Vias tuas, Domine, demonstra mihi,
et semitas tuas edoce me*[c]. Quas dixerit semitas, manifestat
alibi : *Deduxit me*, inquiens, *super semitas iustitiae*[d]. Ergo
234   tria ista anima curiosa Dei non cessat inquirere, *iustitiam,
et iudicium, et locum habitationis gloriae*[e] sponsi, tamquam
10 *viam in qua ambulet*[f], cautelam qua ambulet, et ad quam
ambulet mansionem. De qua mansione sic habes in Propheta : *Unam petii a Domino*, inquit, *hanc requiram, ut*

---

1. a. Cant. 1, 6   b. Job 10, 2   c. Ps. 24, 4 ≠   d. Ps. 22, 3
e. Prov. 1, 3; Ps. 25, 8   f. Ps. 142, 8 ≠

SERMON 33

I. Quelles sont les trois choses que recherche l'âme attentive à Dieu. – II. Quel est le lieu à la fois du pâturage et du repos. La distance entre les deux pâturages. – III. Quel est le matin de ce jour où l'Époux se repose à midi. – IV. Quel est ce midi. Quels sont les pâturages où paît l'épouse. – V. Les hérétiques et les philosophes qui se font passer pour compagnons de l'Époux. Comment le démon de midi cherche à nous tromper. – VI. Les quatre sortes de tentations dont doivent se garder ceux qui progressent vers le bien, chacun pour sa part. – VII. Comment ces quatre tentations se rapportent à l'Église, qui est le corps du Christ.

I. Quelles sont les trois choses que recherche l'âme attentive à Dieu.

1. «Montre-moi, toi le bien-aimé de mon âme, où tu mènes paître ton troupeau, où tu te reposes à midi[a].» Et, dit un autre : «Montre-moi pourquoi tu me juges de la sorte[b].» Par ces paroles, il ne conteste certes pas la sentence, mais il cherche à en pénétrer la cause; il demande à être instruit, non pas détruit, par les coups de fouet. De même, un autre prie en disant : «Montre-moi tes voies, Seigneur, et enseigne-moi tes sentiers[c].» Il révèle ailleurs de quels sentiers il parlait, lorsqu'il dit : «Il m'a conduit sur des sentiers de justice[d].» L'âme attentive à Dieu ne cesse donc de rechercher ces trois choses : «la justice, le jugement et le lieu où réside la gloire[e]» de l'Époux, c'est-à-dire «la voie où elle doit marcher[f]», les précautions à prendre en marchant et la demeure vers laquelle elle doit diriger cette marche. De la demeure, voici ce que dit le Prophète : «J'ai demandé une seule chose au Seigneur, et je la lui demanderai encore : c'est

inhabitem in domo Domini[g]; et iterum : *Domine, dilexi decorem domus tuae et locum habitationis gloriae tuae*[h].
15 Porro de reliquis duobus : *Iustitia et iudicium,* ait, *praeparatio sedis tuae*[i]. Merito tria ista mens devota inquirit, utpote sedem Dei, et sedis praeparationem. Et pulchre in sponsae praerogativam concurrunt pariter omnia ad consummationem virtutum, ut de forma iustitiae sit formosa,
20 de iudiciorum notitia cauta, de desiderio praesentiae seu gloriae sponsi casta. Talem prorsus decet esse sponsam Domini, pulchram, eruditam, et castam. Ergo petitio quam ultimam posui, istius est loci. Petit siquidem ab eo, *quem diligit anima sua, indicari sibi ubi pascat et ubi cubet in*
25 *meridie*[j].

2. Et primo adverte quam eleganter amorem spiritus a carnis discernat affectu, dum dilectum exprimere magis ipsa affectione quam nomine volens, non simpliciter : «quem diligo», sed : O, inquit, *quem diligit anima mea*[a],
5 spiritualem designans dilectionem.

II. Quis sit locus pascuae simul et accubitus, vel quae distantia pascuae huius et illius.

Deinde quidnam eam *in loco pascuae*[b] adeo delectet diligenter attende. Sed nec illud praetereat te de hora meridiana[c], et quod is potissimum exploratur locus, in

---

g. Ps. 26, 4   h. Ps. 25, 8   i. Ps. 88, 15   j. Cant. 1, 6
2. a. Cant. 1, 6   b. Ps. 22, 2   c. Cf. Cant. 1, 6

1. * Allusion fort discrète au dicton patristique *Anima iusti sedes est sapientiae.* Seul le mot «siège» est dit – il est même répété –, les autres composants sont évoqués par des équivalents. Mais la fréquence d'emploi du texte dans les *SBO* (12 fois) lève presque l'hésitation ; la présence du verset 15 du *Ps.* 88 immédiatement avant, verset souvent associé à ce dicton, achève de convaincre. Dans son commentaire de ce verset du *Cantique,* «où tu reposes...», Bernard en vient d'ailleurs à l'habitation de Dieu dans l'âme. Cf. *SC* 431, 268, n. 2 sur *SCt* 25, 6.
2. *Pulchra, erudita et casta,* «Belle, instruite et chaste». Bernard décrit ici

d'habiter dans la maison du Seigneur[g]. » Et ailleurs : « Seigneur, j'ai aimé la beauté de ta maison et le lieu où réside ta gloire[h]. » Quant aux deux autres points, il dit : « La justice et le jugement sont l'appui de ton trône[i]. » L'esprit fervent a raison de rechercher ces trois choses, puisqu'elles sont le trône de Dieu et l'appui de ce trône[1]. Et c'est avec bonheur que, par un privilège de l'épouse, toutes trois concourent également à la consommation de ses vertus. Ainsi elle devient belle par la beauté de la justice, prudente par la connaissance des jugements, chaste par le désir de la présence et de la gloire de l'Époux. Telle doit être précisément l'épouse du Seigneur : belle, instruite et chaste[2]. Ici donc se place la demande que j'ai mise en dernier lieu. Car elle demande « au bien-aimé de son âme de lui montrer où il mène paître son troupeau et où il repose à midi[j] ».

2. Remarque d'abord avec quelle finesse elle distingue l'amour spirituel de la passion charnelle[3]. Voulant désigner son bien-aimé plutôt par l'affection qu'elle éprouve que par son nom, elle ne dit pas simplement : « Toi que j'aime », mais : « O toi, le bien-aimé de mon âme[a] », signifiant ainsi la dilection spirituelle.

II. Quel est le lieu à la fois du pâturage et du repos. La distance entre les deux pâturages.

Considère ensuite avec soin ce qui lui plaît tant « dans le lieu de ce pâturage[b] ». Mais ne laisse pas non plus de côté cette allusion à l'heure de midi[c], et pourquoi l'épouse

l'idéal de l'humanisme chrétien. La vie monastique, tout orientée qu'elle soit sur la rencontre avec le Bien-Aimé, n'exclut ni la beauté ni la culture humaines.

3. La distinction entre l'amour spirituel *(amorem spiritus)* et la passion charnelle *(carnis affectus).* Bernard ne fait que rarement allusion au sens profane ou charnel que peut avoir le Cantique. Pourtant au sermon 61, 2, il signale le danger d'une interprétation purement charnelle : « N'en restons pas aux premières images, de peur de paraître nous intéresser aux manigances de honteuses amours » *(SCt* 61, 2, *SBO* II, 149, 12-13). Pour les sens érotique et spirituel du Cantique, cf. la Postface, p. 365-386.

quo qui pascit, cubat simul, quod est magnae securitatis
10 indicium. Arbitror enim ob hoc additum «cubat», quod
eo loci necesse sit minime stare et vigilare super
custodiam gregis [d], quando grex, etiam cubante pastore
et pausante sub umbris, libere nihilominus discurrat in
pascuis. Felix regio, in qua pro libitu oves *ingrediuntur*
15 *et egrediuntur*[e], *et non est qui exterreat*[f]! *Quis mihi*
tribuat[g] videre vos meque pariter in montibus pasci, una
cum illis nonaginta novem quae illic relictae leguntur,
cum Pastor earum dignanter ad unam descendit quae
erraverat[h]? Secure procul dubio cubat propter, qui et
20 longe recedere minime dubitavit, quia in tuto eas relinqueret. Merito sponsa illo suspirat, merito inhiat loco
pascuae simul et pacis, sed quietis, sed securitatis, sed
exsultationis, sed admirationis, sed stuporis. Nam et me
235 miserum, heu! longe agentem, et *de longe salutantem*[i],
25 en ipsa eius recordatio ad lacrimas provocat, plane iuxta
affectionem et vocem dicentium : *Super flumina Babylonis*
illic sedimus et flevimus, dum recordaremur Sion[j]. Libet
exclamare et mecum sponsa pariter et cum Propheta :
Lauda Deum tuum, Sion, quoniam confortavit seras por-
30 *tarum tuarum, benedixit filiis tuis in te*[k]. Quis non illic
vehementer cupiat pasci, et propter pacem, et propter
adipem, et propter satietatem[l]? Nihil ibi formidatur, nihil
fastiditur, nihil deficit. Tuta habitatio paradisus, dulce
pabulum Verbum, opulentia multa nimis aeternitas.

---

d. Cf. Lc 2, 8   e. Jn 10, 9 ≠   f. Nah. 2, 11   g. Job 19,
23   h. Cf. Matth. 18, 12   i. Hébr. 11, 13 ≠; cf. Lc 15, 20
j. Ps. 136, 1 (Lit.)   k. Ps. 147, 1-2   l. Cf. Ps. 147, 14

---

1. * Dans les 2 citations de ce texte que font les *SBO*, on lit *dum*,
avec le Psautier Romain et avec plusieurs pièces liturgiques (offertoire
Super flumina; répons *Si oblitus fuero*); des manuscrits de *Vg* des XIIᵉ-
XIIIᵉ s. ont aussi *dum*.

s'enquiert surtout de ce lieu, où celui qui mène paître le troupeau se repose en même temps, ce qui est la marque d'une grande sécurité. Je pense que ce mot « il-se-repose » a été ajouté parce qu'en ce lieu il n'est point nécessaire de se tenir debout et de veiller à la garde du troupeau[d]. Car le troupeau, même si le berger se repose et s'étend à l'ombre, ne s'en ébat pas moins librement dans les pâturages. Heureuse contrée, où les brebis « entrent et sortent[e] » à leur gré, « sans que personne les effraye[f] » ! « Qui me donnera[g] » de vous voir tous et de me voir moi-même paissant sur les montagnes, avec ces quatre-vingt-dix-neuf brebis dont on lit que leur Pasteur les y a laissées, tandis qu'il daignait descendre à la recherche d'une seule qui s'était perdue[h] ? Sans aucun doute il se repose en sécurité auprès d'elles, lui qui n'hésita pas à partir au loin, car il les laissait en lieu sûr. Avec raison l'épouse soupire après ce lieu, avec raison elle aspire au lieu de pâturage et de paix, de repos et de sécurité, d'exultation, d'admiration et d'émerveillement. Hélas ! que je suis malheureux d'en être si éloigné, et « de ne le saluer que de loin[i] » ! Voici que son seul souvenir m'arrache des larmes ; je fais miens le sentiment et la voix de ceux qui disaient : « Au bord des fleuves de Babylone nous nous sommes assis et nous avons pleuré, nous souvenant de Sion[j][1]. » J'ai envie de m'écrier moi aussi, avec l'épouse et avec le Prophète : « Loue ton Dieu, Sion, car il a renforcé les barres de tes portes, il a béni chez toi tes enfants[k]. » Qui ne souhaiterait ardemment paître là, pour trouver la paix, pour manger la fleur du froment et en être rassasié[l] ? Là aucune crainte, aucun dégoût, aucun manque. Cette sûre demeure est le paradis[2] ; cette douce pâture est le Verbe ; cette profusion surabondante est l'éternité.

---

2. *Tuta habitatio paradisus,* « Cette sûre demeure est le paradis. » Le désir du paradis remplit Bernard d'une sainte nostalgie. Les fleuves de Babylone désignent notre exil sur terre.

3. Habeo et ego *Verbum,* sed in *carne*ᵃ; et mihi apponitur *veritas*ᵇ, sed in sacramento. Angelus *ex adipe frumenti*ᶜ saginatur, et nudo saturatur grano; me oportet interim quodam sacramenti cortice esse contentum, carnis furfure,
5 litterae palea, velamine fidei. Et haec talia sunt *quae gustata afferunt mortem*ᵈ, si non de *primitiis Spiritus*ᵉ quantulumcumque accipiant condimentum. Prorsus *mors* mihi *in olla*ᶠ, nisi ex Prophetae farinula dulcoretur ᵍ. Denique absque Spiritu sacramentum ad iudicium sumitur, et *caro non prodest*
10 *quidquam*ʰ, et *littera occidit*ⁱ, *et fides mortua est*ʲ. Sed *Spiritus est qui vivificat*ᵏ, ut vivam in eis. At quantalibet sane abundantia Spiritus pinguescant ista, non pari omnino iucunditate sumitur cortex sacramenti *et adeps frumenti*ˡ, fides et speciesᵐ, memoria et praesentia, aeternitas et tempus, vultus
15 et speculumⁿ, *imago Dei*ᵒ et *forma servi*ᵖ. Nempe in his omnibus fides locuples mihi, intellectus pauper. Numquid vero par sapor intellectui fideique cum sit in meritum ista, ille in praemium? Vides ergo distare inter pabula quantum et inter loca, et *sicut exaltantur caeli a terra*�q, ita habitantes
20 in eis bonis potioribus abundare.

---

3. a. Jn 1, 14 ≠   b. Jn 14, 6   c. Ps. 80, 17   d. Job 6, 6 ≠
e. Rom. 8, 23 ≠   f. IV Rois 4, 40 ≠   g. Cf. IV Rois 4, 41
h. Jn 6, 64   i. II Cor. 3, 6   j. Jac. 2, 26 ≠   k. Jn 6, 64
l. Ps. 147, 14 ≠   m. Cf. II Cor. 5, 7   n. Cf. I Cor. 13, 12
o. Col. 1, 15   p. Phil. 2, 7 ≠   q. Is. 55, 9

---

1. *Prorsus mors mihi in olla,* «Oui, la mort m'attend dans la marmite.» Allusion à un fait divers de la vie d'Élisée. «Dès que (les autres prophètes) eurent mangé du potage, ils poussèrent des cris et dirent : La mort est dans la marmite!» Élisée ajouta un peu de farine et il n'y resta plus rien de nocif (*IV Rois* 4, 40-41). * Bernard évoque, au long ou en passant, 6 fois ce récit biblique. Cinq fois, il emploie, non pas le terme *farina* de ce récit selon la *Vulgate,* mais *farinula,* «un peu de farine», qui se trouve de fait dans un récit tout autre, en *III Rois* 14, 17. Les Pères avaient raconté à l'envi le récit de *IV Rois :* le poison rendu inoffensif; ils l'avaient fait souvent en employant *farinula,* et cela dès les premiers siècles de l'Église latine et au long des siècles

3. Moi aussi, je possède «le Verbe, mais dans la chair[a]»; à moi aussi se présente «la vérité[b]», mais dans le sacrement. L'ange se repaît «de la fleur du froment[c]» et se rassasie du grain nu; moi, il faut me contenter pour l'instant de l'écorce du sacrement, du son de la chair, de la paille de la lettre, du voile de la foi. Et ces choses sont de telle nature «qu'elles causent la mort, si on en goûte[d]» sans les assaisonner tant soit peu des «prémices de l'Esprit[e]». Oui, «la mort» m'attend «dans la marmite[f1]», si on n'adoucit pas son contenu avec une petite pincée de la farine du Prophète[g]. Car sans l'Esprit, on ne reçoit le sacrement que pour être condamné, et «la chair ne sert de rien[h]», et «la lettre tue[i]», «et la foi est morte[j]». «C'est l'Esprit qui vivifie[k]», pour que par ces moyens je trouve la vie. Pourtant, quelle que soit l'abondance de l'Esprit qui les féconde, ce n'est point avec la même joie qu'on reçoit l'écorce du sacrement «et la fleur du froment[l]», la foi et la vision[m], le souvenir et la présence, l'éternité et le temps, le visage et le miroir[n], «l'image de Dieu[o]» et «la forme du serviteur[p]». Car en toutes ces choses, ma foi est riche, mon intelligence pauvre. Y aurait-il donc une égale saveur dans l'intelligence et dans la foi, alors que celle-ci fait notre mérite, celle-là notre récompense[2]? Tu vois dès lors qu'il y a entre les nourritures la même distance qu'entre les lieux : «autant les cieux sont élevés au-dessus de la terre[q]», autant sont meilleurs les biens dont regorgent les habitants des cieux.

(*v.g. Verba seniorum* 59, *PL* 73, 871 D; Geoffroy d'Auxerre, *Entretien de Simon-Pierre avec Jésus* 52, l. 29, *SC* 364, 266). Les 5 emplois de *farinula* dans les *SBO* se situent dans 5 des 6 évocations par Bernard de «la mort dans la marmite». De plus, l'unique citation détaillée de *IV Rois* 4, 38 à 41 est faite, elle, avec *farina* (*Div* 95, 1, *SBO* VI-1, 353, 8-13).

2. «Y aurait-il une égale saveur dans l'intelligence et dans la foi?» Bernard reprend ici la distinction origénienne entre la foi nue et la gnose qui donne un avant-goût des réalités célestes.

4. Festinemus proinde, filii, festinemus ad locum tutiorem, ad pastum suaviorem, ad uberiorem et fertiliorem agrum. Festinemus ut habitemus sine metu, abundemus sine defectu, epulemur sine fastidio. *Tu* enim, *Domine Sabaoth, qui cum tranquillitate iudicas omnia*[a], etiam cum securitate aeque omnia ibi pascis, idem ipse et Dominus exercituum, et *pastor ovium*[b].

III. Quid sit mane illius diei cuius in meridie cubat sponsus.

Ergo et pascis, et cubas pariter, sed non hic. Denique stabas, cum *e caelo prospiceres*[c] unam ex tuis oviculis, Stephanum loquor[d], a lupis circumdari super terram. Et propterea, quaeso, *indica mihi ubi pascas, ubi cubes in meridie*[e], hoc est tota die : etenim illa meridies tota est dies, et ipsa nesciens vesperam. Et ideo *melior dies* illa *in atriis tuis super millia*[f], quia nescit occasum. At matutinum forsitan habuit, cum primum videlicet dies sanctificatus illuxit nobis, *per viscera* utique *misericordiae Dei nostri, in quibus visitavit nos Oriens ex alto*[g]. Vere tunc *suscepimus, Deus, misericordiam tuam in medio templi tui*[h], cum *in medio umbrae mortis*[i] exortus matutini *lux orta est nobis*[j], *et mane vidimus gloriam Domini*[k]. *Quanti reges et prophetae voluerunt videre, et non viderunt*[l]! Quare, nisi quia *nox erat*[m], et necdum venerat illud exspectatum mane, cui fuerat repro-

---

4. a. Sag. 12, 18 (Patr.)   b. Jn 10, 2 ≠   c. Ps. 52, 3 ≠ d. Cf. Act. 7, 55   e. Cant. 1, 6   f. Ps. 83, 11 ≠   g. Lc 1, 78   h. Ps. 47, 10   i. Ps. 22, 4   j. Is. 9, 2 ≠   k. Ex. 16, 7 ≠   l. Lc 10, 24 ≠   m. Jn 13, 30 ≠

---

1. * Le texte assez particulier de ce verset (*Dominus Sabaoth* – ajout de *omnia*) se retrouve 11 fois dans Bernard, dont 6 fois dans *SCt*. Cf. *SC* 414, 140, n. 1 sur *SCt* 6, 2; autres occurrences : *SCt* 19, 3, l. 28, *SC* 431, 112; 19, 6, l. 14, *ibid*. 118.

2. «Le jour qui ne connaît pas de soir». Citation du chant de

4. Hâtons-nous donc, mes fils, hâtons-nous vers le lieu plus sûr, vers le pâturage plus agréable, vers le champ plus plantureux et plus fertile. Hâtons-nous, afin d'y trouver une demeure sans crainte, une abondance sans manque, un régal sans dégoût. Car «toi, Seigneur Sabaoth, qui régis toutes choses avec sérénité[a]», tu y nourris également toutes choses dans la sécurité[1]. Tu es à la fois le Seigneur des armées et «le berger des brebis[b]».

III. Quel est le matin de ce jour où l'Époux se repose à midi.

Ainsi, tu mènes paître ton troupeau et tu te reposes en même temps, mais non pas ici-bas. Car tu te tenais debout, lorsque «du ciel tu regardais[c]» l'une de tes petites brebis, je veux dire Étienne[d], cernée par les loups sur la terre. Aussi, je t'en prie, «montre-moi où tu mènes paître ton troupeau, où tu te reposes à midi[e]», c'est-à-dire, tout le jour : en effet, ce midi est le jour entier, qui ne connaît pas de soir[2]. Voilà pourquoi ce «jour passé dans tes parvis en vaut plus que mille[f]» : car il ne connaît pas de couchant. Mais peut-être a-t-il eu un matin : lorsque ce jour sanctifié a commencé à luire sur nous, «par les entrailles de miséricorde de notre Dieu, grâce auxquelles nous a visités l'Astre levant venu d'en haut[g]». C'est alors vraiment, «ô mon Dieu, que nous avons reçu ta miséricorde au milieu de ton temple[h]», lorsqu'«au milieu de l'ombre de la mort[i]» «la lumière» de l'aube «s'est levée sur nous[j]» «et qu'au matin nous avons vu la gloire du Seigneur[k]». «Que de rois et de prophètes ont voulu la voir et ne l'ont pas vue[l]!» Pourquoi, sinon parce qu'«il faisait nuit[m]» et que ce matin attendu, auquel la miséricorde avait été promise, n'était pas

l'*Exsultet,* un des sommets de la liturgie de la nuit de Pâques. Les paragraphes 5 et 6 rappellent la distinction entre la lumière tamisée de la vie terrestre et la pleine lumière du Soleil ressuscité.

missa misericordia? Unde et orabat quis : *Auditam fac mihi mane misericordiam tuam, quia in te speravi* [n].

5. Fuit namque quaedam huius aurora diei, ex quo *Sol iustitiae* [a] per archangelum Gabrielem nuntiatus est terris, et Virgo Deum in utero de Spiritu Sancto concepit et peperit Virgo, ac deinceps, quoad *in terris visus est et cum hominibus conversatus* [b]. Nam usque adeo per totum id temporis lux pusilla et tamquam lux revera aurorae apparuit, ut diem esse interim apud homines pene universitas ignoraret. Denique *si cognovissent, numquam Dominum gloriae crucifixissent* [c]. Et utique ipsis paucis discipulis dicebatur : *Adhuc modicum lumen in vobis est* [d], eo quod aurora esset et initium, vel potius indicium diei, dum Sol adhuc absconderet radios suos, et minime eos spargeret super terram. Paulus quoque dicebat quoniam *nox praecessit, dies autem appropinquavit* [e] : significans esse tunc adhuc adeo modicum lumen, ut propinquasse quam venisse diem dicere maluerit. Quando autem hoc dicebat? Profecto quando Sol reversus ab inferis, iam se ad alta caeli sustulerat. Quanto magis cum adhuc *similitudo carnis peccati* [f] instar densae nubis operiret auroram, iuxta omnes nimirum nostri corporis passiones, ita ut neque amara mors nec crux probrosa defuerit, quanto magis, inquam, tunc exigua tenuisque admodum lux fuit, et quae de aurorae magis quam de Solis prodire praesentia videretur.

6. Erat ergo aurora, et ipsa subobscura satis, tota illa videlicet Christi conversatio super terram, usque dum occumbens et rursum exoriens, solaris suae praesentiae lumine clariori fugavit auroram, et mane facto

---

n. Ps. 142, 8 ≠
5. a. Mal. 4, 2   b. Bar. 3, 38   c. I Cor. 2, 8   d. Jn 12, 35
e. Rom. 13, 12 ≠   f. Rom. 8, 3 ≠

encore venu? De là cette prière : «Fais-moi entendre dès
le matin ta miséricorde, car j'ai espéré en toi[n].»

5. Il y eut en effet une certaine aurore de ce jour, dès
que «le Soleil de justice[a]» fut annoncé à la terre par l'ar-
change Gabriel, et que la Vierge conçut Dieu en son sein
par l'opération du Saint-Esprit et l'enfanta tout en restant
vierge; et ensuite, tant que ce Soleil «fut vu sur la terre
et vécut parmi les hommes[b]». Durant tout ce temps, sa
lumière parut bien faible et vraiment comme une lumière
d'aurore, si bien que presque tous ignoraient encore que
le jour s'était levé sur les hommes. Car «s'ils l'avaient
connu, jamais ils n'auraient crucifié le Seigneur de gloire[c]».
Et certes, même au petit nombre des disciples il était dit :
«Il n'y a encore que peu de lumière parmi vous[d]», parce
que c'était l'aurore et le commencement, ou plutôt le pres-
sentiment, du jour. Le Soleil cachait encore ses rayons,
et ne les répandait point sur la terre. Paul, lui aussi, disait
que «la nuit est avancée, le jour est tout proche[e].» Il
donnait à entendre qu'il y avait alors encore si peu de
lumière, qu'il préférait parler de l'approche du jour plutôt
que de sa venue. Mais quand disait-il cela? Sans aucun
doute, lorsque le Soleil, revenu des Enfers, s'était déjà
élevé au plus haut du ciel. A plus forte raison pourrait-
on le dire quand «la ressemblance d'une chair de péché[f]»
voilait encore l'aurore, comme une nuée épaisse, et avec
elle toutes les souffrances de notre corps, si bien que ni
la mort amère, ni la croix infâme ne furent évitées; à plus
forte raison, dis-je, la lumière était-elle encore faible et
tamisée. Elle semblait procéder plutôt de la présence de
l'aurore que de celle du Soleil.

6. C'était donc une aurore, et même une aurore assez
sombre, que toute la vie du Christ sur la terre, jusqu'à
ce que, parvenu à son couchant, puis à son nouveau
lever, il eût chassé l'aurore par la lumière plus éclatante
de sa présence solaire. Alors le matin apparut et la nuit

5 *absorpta est* nox *in victoria*[a]. Denique habes : *Et valde mane, una sabbatorum, veniunt ad monumentum, orto iam sole*[b]. An non mane fuit, quando ortus est Sol? Attulit autem novum de resurrectione decorem, et sereniorem solito lucem, quoniam *etsi noveramus eum secundum* 10 *carnem, sed nunc iam non novimus*[c]. Est scriptum in Propheta : *Decorem induit, induit fortitudinem et praecinxit se*[d], quod carnis infirma tamquam nubila quaedam excusserit, *stolam gloriae induens*[e]. Sane ex tunc *elevatus est sol*[f], et sensim demum infundens suos radios super 15 terram, coepit paulatim clarior apparere fervidiorque sentiri.

IV. Quae sit illa meridies, vel quibus in pascuis sponsa pascit.

Verum, quantumlibet incalescat, invalescat, multiplicet et dilatet radios suos per omne huius nostrae mortalitatis curriculum – *erit* enim *nobiscum usque ad consumma-*

---

6. a. I Cor. 15, 54 ≠   b. Mc 16, 2   c. II Cor. 5, 16 ≠
d. Ps. 92, 1 (Lit.)   e. Sir. 45, 9 ≠   f. Hab. 3, 11 ≠

---

1. * On a ici, non pas un jeu de mots proprement dit, mais la substitution d'un mot *(mors)* par un mot de sonorité voisine *(nox)*, procédé bien moins fréquent chez Bernard. Il a usé de la même substitution dans le même texte biblique en *NatV* 3, 2 (*SBO* IV, 212, 24) et aussi de la substitution de *nox perpetua* à *mors perpetua*, leitmotiv de la liturgie des défunts, en *SCt* 33, 9, l. 14, p. 56. En *SCt* 48, 2, l. 11 s., p. 312, c'est un jeu de mots pour initiés que tisse Bernard : faisant une claire allusion à *Matth.* 6, 28. 30 par une série de mots *(considera lilia agri, quomodo crescunt : non laborant neque nent... Deus sic... quanto magis)*, il écrit dans l'intervalle *(lilia) vigent et nitent*, «les lis prennent force et éclat, beauté»; *vigent* correspond pour le seul sens à *crescunt* de *Matth.* tandis que *nitent* évoque *nent* par le son, tout en reliant par le sens «acquérir de l'éclat» à «filer [afin d'être beaux]». On trouvera en *SCt* 48, 8, l. 19 s., p. 326, deux «jeux de mots ordinaires» : *perspicua et perpetua visio* et *suavitas gutturi et satietas ventri;* de plus, le *non modo... sed et* du second fait pendant au *sicut... ita* du premier. Bernard attire ainsi l'attention sur deux points essentiels de la vision béatifique :

«fut engloutie dans la victoire[a1]». Aussi peux-tu lire : «De
grand matin, le premier jour de la semaine, elles viennent
au tombeau, le soleil une fois levé[b].» N'était-ce pas le
matin, lorsque le Soleil se leva? Il tira une nouvelle splendeur
de sa résurrection, et une lumière plus pure qu'à l'ordinaire. «Même si nous l'avions connu selon la chair, maintenant nous ne le connaissons plus ainsi[c].» Il est écrit dans
le Prophète : «Il s'est revêtu de splendeur, il s'est revêtu
de force et s'en est ceint[d2]», parce qu'il a repoussé comme
des nuages les infirmités de la chair et qu'«il a revêtu la
robe de gloire[e]». Oui, depuis lors «le soleil est monté[f]»
et, répandant enfin de proche en proche ses rayons sur
la terre, il a peu à peu commencé de paraître plus éclatant
et de faire sentir une chaleur plus vive[3].

IV. Quel est ce midi. Quels sont les pâturages où paît l'épouse.

Mais qu'il s'enflamme et se fortifie tant qu'il voudra ;
qu'il multiplie et déploie ses rayons sur tout le cours de
notre vie mortelle – car «il sera avec nous jusqu'à la

«claire aussi bien qu'éternelle» (littéralement : «pénétrante» et «perpétuelle»); de plus, il signale que cela est préparé par deux biens du
parcours terrestre, de l'*interim,* exprimés fort symboliquement : *la
douceur pour le palais* et *le rassasiement pour l'estomac.*

2. * Dans 7 citations et 3 allusions, Bernard emploie l'actif, *induit,*
et non le passif de *Vg, indutus est.* C'est le texte de l'alléluia de la
seconde messe de Noël et d'une antienne de laudes des dimanches
ordinaires.

3. «Depuis que le soleil est monté, il a peu à peu commencé... de
faire sentir une chaleur plus vive» (*Hab.* 3, 11). On trouve ce texte
VI chez AUGUSTIN, *Civ. Dei* 18, 32 (*CCL* 48, 625, 64); JÉRÔME, *In Abacuc*
2, 3 (*CCL* 76 A, 637, 718); QUODVULTDEUS, *Liber promissionum* 1, 25 (*CCL*
60, 43, 32); FULGENCE, *De remissione* 1, 21 (*CCL* 91 A, 669, 761);
GRÉGOIRE LE GRAND, *Hom. Ev.* 29, 10 (*PL* 76, 1218 D); *Mor.* 17, 16 (*CCL*
143 A, 864, 9). Tous ces Pères écrivent : *elevatus est sol, et stetit luna
in ordine suo,* que cite Bernard, *Ep* 142, 1 (*SBO* VII, 340, 8); Bernard
a le même texte court qu'ici en *Asc* 3, 1 (*SBO* V, 131, 9).

tionem saeculi[g] –, non tamen ad meridianum perveniet
20 lumen, nec in illa sui plenitudine videbitur modo, in qua
videndus est postea, ab his dumtaxat quos hac visione
ipse dignabitur. O vere meridies, plenitudo fervoris et
lucis, solis statio, umbrarum exterminatio, desiccatio
paludum, foetorum depulsio! O perenne solstitium,
25 quando *iam* non *inclinabitur dies*[h]! O lumen meridianum,
o vernalis temperies, o aestiva venustas, o autumnalis
ubertas, et, ne quid videar praeteriisse, o quies et feriatio
hiemalis! Aut certe, si hoc magis probas, sola tunc *hiems
abiit et recessit*[i]. Hunc locum, inquit, tantae claritatis, et
30 pacis, et plenitudinis, indica mihi, ut quemadmodum Iacob
adhuc in corpore manens *vidit Dominum facie ad faciem
et salva facta est anima eius*[j], vel certe sicut *Moyses vidit
eum, non per figuras et aenigmata* seu per *somnia* uti
Prophetae[k] alii, sed modo plane praecellenti atque inex-
35 perto ceteris, sibi noto et Deo, vel sicut Isaias revelatis
oculis cordis *vidit eum super solium excelsum et elevatum*[l],
vel etiam quomodo Paulus *raptus in paradisum audivit
verba ineffabilia*[m] et *Dominum suum Iesum* Christum
vidit[n], ita ego quoque te in lumine tuo[o] et *in decore
40 tuo*[p] per mentis excessum[q] merear contemplari pascentem
uberius, quiescentem securius.

238

---

g. Matth. 28, 20 ≠   h. Lc 24, 29 ≠   i. Cant. 2, 11 ≠
j. Gen. 32, 30 (Lit.)   k. Nombr. 12, 8. 6 ≠   l. Is. 6, 1 ≠
m. II Cor. 12, 4 (Patr.)   n. I Cor. 9, 1 ≠   o. Ps. 35, 10
p. Is. 33, 17 ≠   q. Cf. Act. 11, 5

---

1. *per mentis excessum,* «en extase». Bernard reprend ici l'expression
de saint Pierre racontant sa vision dans la ville de Joppé (*Act.* 11, 5).
Il semble demander ici une expérience visionnaire du même genre.

2. * Ici et en 3 autres lieux, les *SBO* écrivent pour ce verset *Dominum,*
avec le répons *Vidi Dominum* du 2ᵉ dimanche de carême, au lieu du
Deum de *Vg.*

3. * A son ordinaire, Bernard remplace *arcana (verba)* de la *Vg* par
inenarrabilia (v.), après de nombreux Pères. Cf. *Ep* 68, 2 (*SBO* VII,
167, 3).

consommation des siècles[g]» –, jamais il ne parviendra à
la lumière du midi. Jamais on ne le verra maintenant
dans cette plénitude où il sera vu plus tard, du moins
par ceux que lui-même jugera dignes de cette vision. O
véritable midi, plénitude d'ardeur et de lumière, immo-
bilité du soleil, extermination des ombres, assèchement
des marais, expulsion des miasmes! O solstice éternel,
où «le jour sera sans déclin[h]»! O lumière du midi, tiédeur
printanière, charme de l'été, fécondité de l'automne et,
pour ne rien omettre, repos et loisir de l'hiver! Ou bien,
si tu préfères, seul «l'hiver est passé et s'en est allé[i]».
Indique-moi, dit l'épouse, ce lieu d'une clarté, d'une paix
et d'une plénitude si extraordinaires, pour que, moi aussi,
je mérite de te contempler en extase[q1] dans ta lumière[o]
et «ta beauté[p]», paissant ton troupeau dans de plus gras
pâturages et te reposant dans une plus grande sécurité.
Ainsi Jacob, étant encore dans son corps, «vit le Seigneur face à face et il eut la vie sauve[j2]». Ainsi «Moïse
le vit-il, non pas comme les autres Prophètes, en figure
et en énigme ou en songe[k]», mais d'une manière bien
plus excellente et dont les autres n'avaient pas l'expérience, manière connue de lui et de Dieu. De même
Isaïe, après que les yeux de son cœur se furent ouverts,
«vit Dieu sur un trône élevé et majestueux[l]»; et aussi
Paul, «ravi dans le paradis, entendit des paroles ineffables[m3]» et «vit son Seigneur Jésus-Christ[n4]».

---

4. Bernard évoque quatre personnages bibliques qui ont été gratifiés
d'une vision exceptionnelle de Dieu. Il ne dit pas que la Bible hésite
à se prononcer sur le caractère direct ou facial de ces visions. Il est
dit de Moïse : «Je lui parle bouche à bouche, en me faisant voir, et
non par énigmes, et il contemple la figure du Seigneur» (*Nombr.* 12,
8). A une autre occasion, le Seigneur répond à Moïse : «Tu ne pourras
voir ma face, car l'homme ne peut me voir et rester en vie» (*Ex.* 33,
20). Bernard ne reprend que les messages positifs de l'Ancien Testament, qui ouvrent la porte à l'expérience mystique.

7. Nam et hic pascis, sed non in saturitate; nec cubare licet, sed stare et vigilare oportet[a] *propter timores nocturnos*[b]. Heu! nec clara lux, nec plena refectio, nec mansio tuta; et ideo *indica mihi ubi pascas, ubi cubes in meridie*[c]. *Beatam* me dicis, cum *esurio et sitio iustitiam*[d]. Quid hoc ad illorum felicitatem, qui *repleti sunt in bonis domus tuae*[e], qui *epulantur* et *exsultant in conspectu* Domini, *et delectantur in laetitia*[f]? Sed et *si quid patior propter iustitiam*, nihilominus *beatam*[g] pronuntias. Et pasci certe, ubi timeas pati, iucunditatem habet, sed non securitatem. Porro autem pati et pasci simul, nonne molesta iucunditas est? Omnia mihi hic cedunt citra perfectum, plura praeter votum, et tutum nihil. Quando *adimplebis me laetitia cum vultu tuo*[h]? *Vultum tuum, Domine, requiram*[i]. Vultus tuus meridies est. *Indica mihi ubi pascas, ubi cubes in meridie.* Scio satis ubi pascis non cubans: indica mihi ubi pascas, et cubes. Non ignoro ubi aliis temporibus pascere soleas; sed scire velim ubi in meridie pascas. Nam in tempore quidem mortalitatis meae et *in loco peregrinationis meae*[j], consuevi sane sub tua custodia pasci et pascere, *in Lege et Prophetis et Psalmis*[k], necnon et evangelicis pascuis, et apud Apostolos *similiter requievi*[l]; frequenter etiam de gestis sanctorum, et verbis et scriptis eorum, victum mihi atque attinentibus mihi mendicavi ut potui; frequentius autem, quoniam is magis ad manum fuit,

---

7. a. Cf. I Cor. 16, 13   b. Cant. 3, 8   c. Cant. 1, 6
d. Matth. 5, 6 ≠   e. Ps. 64, 5 ≠   f. Ps. 67, 4 ≠   g. I Pierre
3, 14 ≠   h. Ps. 15, 11   i. Ps. 26, 8 (Lit.)   j. Ps. 118, 54
k. Lc 24, 44 ≠   l. Sir. 24, 15

---

1. * Bernard écrit, 3 fois en tout, *vultum* en suivant l'introït du mardi après le 2ᵉ dimanche de carême ou celui du dimanche après l'Ascension. Mais il écrit 9 fois *faciem* avec le Psautier Gallican chanté à l'office choral.

2. Bernard conseille de prendre comme lecture spirituelle «Loi, prophètes et psaumes». Il mentionne aussi les Évangiles et les Épîtres des apôtres et finalement les vies et les écrits des saints.

7. Ici-bas aussi tu mènes paître ton troupeau, mais sans le rassasier; et il n'est pas permis de se reposer, mais il faut se tenir debout et veiller[a], «à cause des frayeurs nocturnes[b]». Hélas! pas de lumière éclatante, ni de repas complet, ni de demeure sûre; c'est pourquoi, «indique-moi où tu mènes paître ton troupeau, où tu te reposes à midi[c]». Tu me déclares «bienheureuse, lorsque j'ai faim et soif de justice[d]». Qu'est-ce que cela auprès du bonheur de ceux qui «sont comblés des biens de ta maison[e]», qui «festoient et jubilent en présence du Seigneur, et qui exultent de joie[f]»? Mais «même si je souffre un peu pour la justice, tu me proclames encore bienheureuse[g]». Et il y a certes du plaisir à se repaître, là où l'on craint de souffrir; mais il n'y a là aucune sécurité. Or, souffrir et se repaître en même temps, n'est-ce pas un fâcheux plaisir? Tout ce qui m'échoit ici-bas, reste en deçà de la perfection; je reçois bien des choses au-delà de mon désir, mais aucune n'est sûre. Quand «me combleras-tu de joie par ton visage[h]»? «Je chercherai ton visage, Seigneur[i1].» Ton visage est le plein midi. «Indique-moi où tu mènes paître ton troupeau, où tu te reposes à midi.» Je sais bien où tu pais sans te reposer; indique-moi où tu pais en jouissant du repos. Je n'ignore pas où tu as coutume de paître ton troupeau à d'autres heures; mais je voudrais savoir où tu le mènes à midi. En effet, dans le temps de ma vie mortelle et «dans le lieu de mon exil[j]», j'ai coutume de me repaître et de paître les autres, sous ta garde bien sûr, «dans la Loi et les Prophètes et les Psaumes[k]», et aussi dans les pâturages évangéliques; et chez les Apôtres «pareillement j'ai trouvé le repos[l]». Souvent aussi j'ai mendié, comme j'ai pu, de la nourriture pour moi et pour les miens dans les vies des saints, dans leurs paroles et leurs écrits[2]. Mais plus souvent, puisqu'il a été plus à la portée de ma main,

239   25   *manducavi panem doloris* [m] et *vinum compunctionis* [n] bibi,
et *factae sunt mihi lacrimae meae panes die ac nocte, dum
dicitur mihi quotidie : Ubi est Deus tuus* [o]? Nisi quod de
mensa tua – siquidem *parasti in conspectu meo mensam
adversus eos qui tribulant me* [p] – de ipsa, inquam, tuae
30   quidem beneficio miserationis accipio, in quo utcumque
respiro, quotiens *tristis est anima mea et* quotiens *conturbat
me* [q]. Haec pascua novi et frequentavi, *te secuta pastorem* [r];
sed indica mihi, quaeso, etiam quae non novi.

V. De haereticis vel philosophis qui se faciunt sponsi sodales, et quomodo nos fallere tentat daemonium meridianum.

8. Sunt quidem et alii pastores, qui dicunt *se esse*
sodales tuos *et non sunt*, habentes greges [a] suos et fines
suos pabulo mortis refertos, in quibus pascunt nec tecum
nec per te, quorum utique terminos non intravi, nec
5   appropinquavi eis. Ipsi sunt qui dicunt : *Ecce hic est
Christus, ecce illic est* [b], promittentes sapientiae et scientiae
uberiora pascua; et creditur eis, et confluunt ad eos multi,
et faciunt eos filios gehennae duplo quam se [c]. Cur hoc,
nisi quia non est meridies et perspicua lux, ut liquido
10   veritas cognoscatur, facileque pro ea recipitur falsitas
propter veri similitudinem, quae non facile in obscuro a
vero discernitur, praesertim quia *aquae furtivae dulciores*

---

m. Ps. 126, 2 ≠   n. Ps. 59, 5 ≠   o. Ps. 41, 4 (Patr.)
p. Ps. 22, 5   q. Ps. 41, 6 ≠   r. Jér. 17, 16 ≠
8. a. Apoc. 2, 2 ≠; cf. Cant. 1, 6   b. Mc 13, 21 ≠   c. Matth.
23, 15 ≠

---

1. * Après Augustin, Bernard écrit d'ordinaire *factae sunt,* et non
fuerunt (Vg).
2. * *Sodales,* que Bernard emploie 25 fois, évoque toujours
chez lui les «compagnons» de l'épouse de *Cant.* 1, 6. Par une sorte

«j'ai mangé le pain de la douleur[m]» et bu «le vin du regret de mes péchés[n]». «Mes larmes sont devenues mon pain jour et nuit, tandis qu'on me dit tous les jours : Où est ton Dieu[o1]?» A moins que, par un bienfait de ta miséricorde, je ne reçoive quelque mets de ta table – car «tu as préparé devant moi une table, face à ceux qui me tourmentent[p]». C'est ce qui me permet de respirer un peu, toutes les fois que «mon âme est triste et qu'elle me trouble[q]». Je connais ces pâturages et je les ai fréquentés, «en te suivant comme mon pasteur[r]»; mais, je t'en prie, indique-moi aussi ceux que je ne connais pas.

V. Les hérétiques et les philosophes qui se font passer pour compagnons de l'Époux. Comment le démon de midi cherche à nous tromper.

8. Il est aussi d'autres bergers, qui se disent tes compagnons[2] «et ne le sont pas». Ils ont leurs troupeaux[a] et leurs domaines pleins d'un fourrage de mort, où ils ne paissent ni avec toi, ni en ton nom; jamais je n'en ai franchi les bornes, ni ne m'en suis approchée. Ce sont eux qui disent : «Le Christ est ici, le Christ est là[b]»; ils promettent des pâturages plus riches de sagesse et de science. On leur fait crédit, et une foule de gens afflue vers eux, «et ils en font des fils de la géhenne deux fois pires qu'eux-mêmes[c]». Pourquoi cela, sinon parce qu'il n'y a pas de midi ni de claire lumière qui fasse connaître la vérité avec évidence? Ainsi, on reçoit facilement à sa place la fausseté, à cause d'un semblant de vérité qui dans l'obscurité ne se distingue pas facilement du vrai, d'autant plus que «les eaux dérobées sont plus

d'imprégnation, les «compagnons» sont nommés 21 fois dans les *SCt*, dont 12 fois dans ce volume-ci.

sunt, et panis absconditus suavior [d]. Et propterea quaeso, ut indices mihi *ubi pascas, ubi cubes in meridie,* id est
15 in manifesto, *ne* seducta *incipiam vagari post greges sodalium tuorum* [e], quemadmodum et ipsi vagi sunt, nulla stabiles certitudine veritatis, *semper discentes, et numquam ad scientiam veritatis pervenientes* [f]. Haec sponsa propter philosophorum et haereticorum varia et vana dogmata.

9. Mihi vero videtur non solum propter ea, sed et propter dolos invisibilium potestatum, sicut sunt seductorii spiritus, *sedentes in insidiis* [a] et *parantes sagittas suas in pharetra, ut sagittent in obscuro rectos corde* [b] : propter
5 hos, inquam, et maxime, videtur mihi illa meridies optanda etiam nobis, ut clara luce deprehendamus astutias diaboli [c], atque *angelum Satanae* illum, qui *se transfigurat in angelum lucis* [d], ab nostro angelo facillime discernamus.
240 Non enim aliter nos custodire sufficimus *ab incursu et*
10 *daemonio meridiano* [e], nisi in meridiano aeque lumine. Quod quidem daemonium idcirco meridianum dictum

---

d. Prov. 9, 17   e. Cant. 1, 6 ≠   f. II Tim. 3, 7
9. a. Ps. 9, 29 ≠   b. Ps. 10, 3 ≠   c. Cf. II Cor. 2, 11 (Patr.)
d. II Cor. 11, 14 ≠   e. Ps. 90, 6

---

1. «A cause des doctrines variées et vaines des philosophes et des hérétiques». Allusion à peine voilée aux écrits de Pierre Abélard et des Albigeois. Aux yeux de Bernard, la philosophie d'Abélard se rapprochait de l'hérésie.

2. * On compte 23 emplois de ce texte, dispersés dans l'œuvre de Bernard : 4 avec *cogitationes eius, Vg,* «ses pensées»; 15 avec *astutias eius, Vl,* «ses astuces, ses ruses», et 4 qui rassemblent les deux, comme en *SCt* 44, 1, l. 29 s., p. 240. Cf. *Circ* 3, 6 (*SBO* IV, 287, 9). Ici et dans 4 autres passages des *SCt,* dont *SCt* 33, 13, l. 8 s., p. 64, Bernard profite d'un mot (ici, le midi et sa pleine lumière) pour adresser aux «parfaits» une mise en garde contre les manœuvres venant du «prince des *ténèbres*».

3. «L'ange de Satan se transforme en ange de lumière.» Ignace de Loyola décrit avec plus de précision le comportement de l'ange de Satan : «C'est le propre de l'ange mauvais, qui se transforme en ange de lumière, d'aller d'abord dans le sens de l'âme fidèle et de l'amener

douces, et le pain clandestin plus agréable[d]». C'est
pourquoi, je te prie de m'indiquer «où tu mènes paître
ton troupeau, où tu te reposes à midi», c'est-à-dire en
pleine lumière, «de peur que, trompée, je ne commence
à suivre en vagabonde les troupeaux de tes compagnons[e]». Car ceux-ci sont des vagabonds qui ne s'ap-
puient sur aucune certitude de la vérité, «toujours à s'instruire sans jamais parvenir à la connaissance de la vérité[f]».
Telles sont les paroles de l'épouse, à cause des doctrines
variées et vaines des philosophes et des hérétiques[1].

9. Mais, à mon sens, ce n'est pas seulement à cause
d'elles que nous devons nous aussi désirer ce midi. C'est
également à cause des ruses des puissances invisibles,
tels que les esprits séducteurs, «qui sont assis à l'affût[a]»
et «préparent leurs flèches dans le carquois, pour tirer
dans l'ombre sur les cœurs droits[b]». Oui, c'est surtout à
cause de ces ruses, me semble-t-il, que nous aussi, nous
devons désirer ce midi : pour démasquer en pleine lumière
les astuces du diable[c2], et pour distinguer à coup sûr
entre notre ange et cet «ange de Satan, qui se transforme en ange de lumière[d3]». Car nous ne sommes pas
capables de nous défendre «de l'assaut du démon de
midi[e4]» en dehors de la lumière du midi. Et j'estime que
ce démon est appelé «de midi» pour cette raison : dans

---

finalement dans le sien. C'est-à-dire qu'il propose des pensées bonnes
et saintes, en accord avec l'âme juste, et ensuite, peu à peu, il tâche
de l'amener à ses fins en entraînant l'âme dans ses tromperies secrètes
et ses intentions perverses» (*Exercices Spirituels,* trad. F. Courel, p. 175).
Il semble bien qu'Ignace ait été influencé par le texte bernardin.
* Après plusieurs Pères, Bernard emploie 11 fois «ange de Satan» au
lieu de «Satan» *(Vg).* Cf. *SC* 431, 122, n. 1 sur *SCt* 19, 7.

4. *Daemonium meridianum,* «Le démon de midi». Les Pères du
désert ont vu dans le démon du *Ps.* 90, 6 la personnification de l'*acedia,*
c'est-à-dire du dégoût, de la tristesse et de la paresse spirituelle.
Cf. CASSIEN, *Inst.* 5, 1. Bernard oppose ce démon du midi à la lumière
de midi, qui est un don de l'Astre levant venu d'en haut.

existimo, quia sunt aliqui de numero malignorum, qui
cum merito tenebrosae obstinataeque voluntatis suae nox
et nox perpetua sint, diem tamen se ad fallendum simulare
15 noverunt, nec modo diem, sed meridiem : sicut eorum
princeps, non contentus *esse aequalis Deo*[f], etiam *adver-
satur, et extollitur supra id quod dicitur aut quod colitur
Deus*[g]. Itaque nisi cordi illius, quem forte aliquod
istiusmodi daemonium meridianum tentandum acceperit,
20 *Oriens ex alto*[h] illuxerit velut meridies, qui falsum
convincat et prodat, non poterit omnino caveri, sed ten-
tabit et supplantabit sine dubio sub specie boni, pro bono
scilicet malum incauto et improvido persuadens. Et tunc
meridies, id est maior claritas, apparet tentans, cum quasi
25 boni maioris imaginem praefert.

10. Quotiens, verbi causa, suggessit anticipare vigilias,
quo ad solemnia fratrum illuderet dormitanti! Quotiens
produci ieiunia, ut divinis obsequiis eo inutilem redderet,
quo imbecillem! Quotiens bene proficientibus in coenobiis
5 invidens, quasi obtentu maioris puritatis eremum petere
persuasit, et cognoverunt miseri tandem quam verus sit
sermo quem frustra legerant : *Vae soli, quoniam si ceciderit,*

---

f. Phil. 2, 6 ≠   g. II Thess. 2, 4 ≠   h. Lc 1, 78

1. * Cette citation paulinienne peut être un exemple de la complexité
habituelle d'un texte biblique chez Bernard, des incertitudes qui demeurent
et de l'intérêt réel, mais très spécialisé d'une telle «microanalyse»;
cf. LECLERCQ, *Recueil*, t. 3, p. 213-248. Bernard emploie 6 fois ce texte.
En *SCt* 33, 16, l. 20 s., p. 70, on trouvera le même texte, mais avec l'ad-
jonction du verset 8. Autres occurrences : *NatV* 4, 9 (*SBO* IV, 226, 17);
EpiO 4 (*SBO* IV, 312, 16); *QH* 6, 7 (*SBO* IV, 410, 13); *Nov1* 3, 1 (*SBO* V,
312, 8). Voici les variantes : *(supra) id (quod), 2* fois; *creditur* à la place
de *dicitur, 2* fois; nombreuses inversions, *Deus* étant rejeté à la fin du
texte. De plus, les *SBO* proposent plusieurs variantes, surtout «réac-
tionnelles». L'édition critique de la *VI* ne donne aucun *id*, aucun *creditur*,
mais *quod creditur* est une expression fréquente dans les *SBO*, parfois
allusion-limite à notre verset (cf. finale de *QH* 6, rédaction «L»,

le nombre des esprits mauvais, il en est plusieurs qui, n'étant que nuit et nuit perpétuelle à cause de leur volonté obstinément ténébreuse, savent pourtant simuler le jour pour nous tromper, et non seulement le jour, mais le plein midi. De même que leur prince, non content de «s'égaler à Dieu[f]», «s'oppose encore à lui, et s'élève au-dessus de ce qui est appelé Dieu ou adoré comme Dieu[g][1]». Si donc «l'Astre levant venu d'en haut[h]» n'a pas brillé comme le plein midi dans le cœur de l'homme, que l'un de ces démons de midi a entrepris de tenter, et s'il n'a pas convaincu de fausseté et démasqué ce démon, l'homme ne pourra pas du tout se protéger. Nul doute que le démon, sous l'apparence du bien, le tentera et le fera tomber, cet homme malavisé et imprévoyant, lui faisant prendre le mal pour le bien. C'est alors que le tentateur apparaît comme un plein midi, c'est-à-dire comme une clarté plus grande, car il présente, pour ainsi dire, l'image d'un plus grand bien.

10. Combien de fois, par exemple, a-t-il suggéré à quelqu'un de devancer les vigiles, pour se moquer de lui quand il sommeille, lors des offices célébrés par les frères! Combien de fois lui a-t-il fait prolonger les jeûnes, pour le rendre inutile au service divin, parce que trop affaibli! Combien de fois, envieux de ceux qui progressaient vers le bien dans les monastères, les a-t-il amenés à chercher le désert, sous prétexte d'une plus grande pureté[2]! Et ces malheureux ont enfin reconnu toute la vérité de ces paroles qu'ils avaient lues en vain : «Malheur à celui qui est seul, parce que, s'il vient à tomber, il n'a

---

avec *illusori*, «le Trompeur» (*SBO* IV, 412, 8). La *Vl* offre des exemples nombreux et divers d'inversion, en particulier pour *Deus*.

2. Notre auteur ne favorisait pas la vie érémitique qui se pratique hors de toute règle et de toute institution. Par contre il avait d'excellentes relations avec les chartreux, qui mènent une vie semi-érémitique dans des monastères gouvernés par un supérieur.

non habet sublevantem [a]! Quotiens ad opus manuum plus
quam opus fuerat incitavit, et fractum viribus ceteris regu-
10 laribus exercitiis invalidum reddidit! Quam multis *exerci-*
tationem corporis, quae iuxta Apostolum *ad modicum*
valet [b], non modicam persuasit et pietate fraudavit!
Denique ipsi experti estis, quomodo quidam – *ad vere-*
cundiam illorum *dico* [c] – qui ante inhiberi non poterant,
15 ita *in spiritu vehementi* [d] ad omnia ferebantur, post ad
tantam ignaviam devenerunt ut, secundum illud Apostoli,
cum spiritu coeperint, nunc carne consummentur [e] : quam
turpe iniere foedus cum corporibus suis, quibus crudele
ante indixerant bellum! Videas, proh pudor! importune
20 superflua quaeritare qui prius necessaria obstinatissime
recusabant. Quamquam si qui in sua forte obstinatione
241 invicti perdurant, indiscretius abstinentes, et singularitate
notabili conturbantes eos, cum quibus *habitare* debent
unius moris in domo [f], haud scio sane an se existiment
25 pietatem retinere cum huiusmodi. Mihi videntur et longius
abiecisse. Nam *qui sapientes in oculis suis* [g] decreverunt
apud se nec consilio acquiescere nec praecepto, videant

10. a. Eccl. 4, 10 ≠   b. I Tim. 4, 8 ≠   c. I Cor. 6, 5 ≠   d. Ps.
47, 8   e. Gal. 3, 3 ≠   f. Ps. 67, 7 ≠   g. Is. 5, 21 ≠

1. * Ce verset de l'*Ecclésiaste,* 4 fois utilisé en tout par Bernard, peut
donner une idée de la situation de la «Vulgate de Bernard» vis-à-vis
des familles de manuscrits de la *Vg.* En omettant (4 fois) *se* après *suble-*
vantem, Bernard se situe, avec les Φ et le texte critique, contre les Θ,
les Ω et la *Vulgate Clémentine.* Il écrit (4 fois) *ceciderit* avec presque
tous les mss (dont les Φ, Θ, Ω et *VgC*) contre de rares manuscrits et
le texte critique (*ruerit*). Seul contre tous, il écrit toujours *si,* et non
cum. Ainsi, une réelle diversité, mais des faits sans surprise.

2. * Allusion rapide à un verset paulinien que Bernard a souvent
utilisé «en passant» et avec le même *valet* qu'ici, à la place de *utilis*
est, Vg. L'«exercice corporel» est, quant à lui, exprimé par des mots
assez variables. Enfin, les allusions se font volontiers très brèves, peu
à peu indiscernables. Aucun *valet* n'est signalé par la *Vetus latina* pour
ce verset et nous n'en avons pas trouvé dans les trois siècles qui ont

personne qui le relève[a1].» Combien de fois a-t-il poussé
tel frère au travail manuel plus qu'il n'aurait fallu! Ainsi,
il a épuisé les forces de cet homme et l'a rendu inapte
aux autres observances régulières. Combien en a-t-il amené
à pratiquer «un exercice corporel» immodéré, alors que
celui-ci, selon l'Apôtre, «n'a qu'une modeste valeur[b2]»!
Ainsi, il les a dépouillés de leur piété. Enfin, vous en
avez fait l'expérience vous-mêmes : certains – «je le dis
à leur honte[c]» – qu'on ne pouvait pas d'abord retenir,
si «violent était l'esprit[d]» qui les entraînait en toutes
choses, sont ensuite tombés dans une telle indolence que,
selon la parole de l'Apôtre, «après avoir commencé par
l'esprit, ils finissent maintenant par la chair[e]». Quelle honteuse alliance ont-ils conclue avec leurs corps, auxquels
ils avaient d'abord déclaré une guerre cruelle! Eux qui
naguère refusaient le nécessaire avec une obstination
farouche, tu peux les voir, quelle honte!, réclamer le
superflu sans aucune gêne. Pourtant, si certains persistent
sans fléchir dans leur obstination, je ne sais s'ils peuvent
vraiment croire qu'ils conservent la piété avec une telle
conduite. Car ils pratiquent des abstinences sans aucun
discernement, et par leur singularité éclatante ils troublent
ceux avec qui ils doivent «habiter dans la même maison,
vivant la même vie[f3]». A mon avis, ces gens-là ont rejeté
la piété, et fort loin. En effet, «ceux qui, sages à leurs
propres yeux[g]», ont résolu en eux-mêmes de n'acquiescer
ni au conseil, ni au précepte, qu'ils prennent garde! Que

---

précédé Bernard. Il semble possible que celui-ci, qui évite les répéti-
tions de mot, ait remplacé l'un des deux *utilis est* de *Vg* par *valet,* puis
conservé ce seul *valet.* Seuls demeurent un *utilis est* sans *valet,* dans
la *Sentence* III, 4 (*SBO* VI-2, 66, 6) et deux cas où nous avons *utilis
est* plus *valet*: *Apo* 13 (*SBO* III, 93, 17-19) et *Assp* 2, 6 (*SBO* V, 236,
12-13).

   3. Tout le paragraphe 10 explique bien en quoi consiste la discrétion
typique de la règle bénédictine.

quid respondeant, non mihi, sed dicenti : *Quoniam quasi*
peccatum ariolandi est repugnare, et quasi scelus idola-
30 *triae nolle acquiescere* [h]. Praemiserat autem, quia *melior*
est oboedientia quam victima, et auscultare magis quam
offerre adipem arietum [i], id est abstinentiam contumacium.
Unde Dominus per Prophetam : *Numquid manducabo,*
ait, *carnes taurorum, aut sanguinem hircorum potabo* [j]?
35 significans minime sibi accepta fore ieiunia superborum
vel immundorum.

11. Sed sane vereor ne, damnantes superstitiosos,
videamur frena laxare gulosis, et audiant illi ad periculum
sui quod ad remedium his dicitur.

VI. De quatuor tentationum generibus, quae singulis bene proficientibus sunt cavenda.

Quamobrem audite utraque pars, quatuor esse tenta-
5 tionum genera et ipsa nobis ita prophetico sermone des-
cribi. *Scuto*, inquit, *circumdabit te veritas eius : non timebis*
a timore nocturno, a sagitta volante in die, a negotio per-
ambulante in tenebris, ab incursu et daemonio meri-
diano [a]. Attendite nihilominus et vos alii, quod omnibus
10 spero profuturum. Illud omnes in nobis sentimus et sen-
simus qui conversi sumus ad Dominum [b], quod sancta
Scriptura dicit : *Fili, accedens ad servitutem Dei, sta*
in timore et praepara animam tuam ad tentationem [c].
Itaque primordia nostrae conversionis, iuxta communis
15 quidem experientiae rationem, primus exagitat timor, quem
intrantibus statim horror vitae ingerit artioris et insuetae

---

h. I Sam. 15, 23   i. I Sam. 15, 22 ≠   j. Ps. 49, 13
11. a. Ps. 90, 5-6   b. Cf. I Thess. 1, 9   c. Sir. 2, 1 ≠

---

1. Pour bien situer cette digression sur les quatre sortes de tentations, il faut se rappeler que le psaume 90 était récité tous les jours
pendant les Complies. Il est donc normal que Bernard veuille en
expliquer le sens.

vont-ils répondre, non pas à moi, mais à celui qui dit :
«Car c'est comme un péché de divination que de
regimber, et comme un crime d'idolâtrie que de ne pas
vouloir acquiescer[h].» Et il avait dit juste avant : «L'obéissance est meilleure que le sacrifice, et écouter vaut mieux
qu'offrir la graisse des béliers[i]», c'est-à-dire l'abstinence
des opiniâtres. Aussi le Seigneur dit-il par le Prophète :
«Vais-je manger la chair des taureaux, ou boire le sang
des boucs[j]?» Il donne à entendre par là que les jeûnes
des orgueilleux ou des impurs ne lui seront point
agréables.

11. Mais je crains fort, tandis que je blâme ceux qui
exagèrent les abstinences, de paraître lâcher la bride aux
gloutons : ceux-ci pourraient entendre à leurs risques et
périls ce qui est dit pour servir de remède aux autres.

VI. Les quatre sortes de tentations dont doivent se garder ceux qui progressent vers le bien, chacun pour sa part.

C'est pourquoi, entendez ceci, les uns et les autres : il
y a quatre sortes de tentations, et elles nous sont ainsi
décrites par la parole du Prophète. «Sa vérité, dit-il, te
couvrira d'un bouclier : tu ne craindras ni la crainte nocturne, ni la flèche qui vole de jour, ni l'intrigue qui rôde
dans les ténèbres, ni l'assaut du démon de midi[a1].» Mais
écoutez attentivement vous aussi, vous les autres, ce qui,
je l'espère, sera utile à tous. Nous tous, qui nous sommes
convertis au Seigneur[b], nous éprouvons et avons éprouvé
en nous-mêmes ce que dit la sainte Écriture : «Mon fils,
si tu entres au service de Dieu, demeure ferme dans la
crainte et prépare ton âme à la tentation[c].» Ainsi donc,
selon l'expérience commune, la première chose qui trouble
les débuts de notre vie monastique, c'est la crainte qu'ins-
pirent aussitôt à ceux qui entrent l'âpreté d'une vie plus

austeritas disciplinae. Atque is timor nocturnus dicitur, vel
quia nox in Scripturis designare solet adversa, vel quoniam
propter quod adversa pati aggredimur, id nondum
20 revelatum est. Si enim dies ille luceret, in cuius lumine
pariter et labores et praemia videremus, timor omnino
quorumvis nullus esset prae desiderio praemiorum, dum
clara luce appareret, quam *non sunt condignae passiones
huius temporis ad futuram gloriam, quae revelabitur in
25 nobis*[d]. *Nunc* vero quoniam *abscondita sunt ab oculis
nostris*[e], et nox est interim in hac parte, tentamur nimirum
a timore nocturno, et pro bonis quae non videmus, for-
midamus quae in praesentiarum sunt adversa tolerare.
Vigilandum proinde et orandum primo intrantibus contra
30 hanc primam tentationem[f], ne subito praeoccupati *a pusillanimitate spiritus et tempestate*[g], a bono coepto, quod
absit, resiliant.

12. Superata autem hac tentatione, armemus nos nihilominus et adversus hominum laudes, quae de laudabili
potissimum vita sumunt materiam. Alioquin patebimus
vulneri *a sagitta volante in die*[a], quae est *inanis gloria*[b].
5 Fama siquidem volat, et ideo in die, quia ex operibus
lucis[c]. Si haec exsufflatur tamquam inanis aura, restat ut
solidius aliquid afferatur de divitiis et honoribus saeculi,
si forte qui non curat laudes, appetat dignitates. Et vide
si non hic ordo tentandi servatus est in Domino nostro,
10 cui post suggestum ad solam vanitatem praecipitium,
ostensa sunt omnia regna mundi atque oblata[d]. Tu
ergo, exemplo Domini, et ista renue. Aliter, necesse est

d. Rom. 8, 18   e. Lc 19, 42 ≠   f. Cf. Matth. 26, 41
g. Ps. 54, 9 ≠
   12. a. Ps. 90, 6   b. Gal. 5, 26 ≠   c. Cf. Rom. 3, 20 etc.
d. Cf. Matth. 4, 8-9

stricte et l'austérité d'une discipline inhabituelle. Et cette crainte est appelée nocturne, soit parce que dans les Écritures la nuit désigne d'ordinaire l'adversité, soit parce que la raison pour laquelle nous entreprenons de souffrir l'adversité n'a pas encore été révélée. Si brillait le jour, à la lumière duquel nous verrions à la fois les labeurs et les récompenses, la crainte de quoi que ce soit ne compterait plus pour rien devant le désir des récompenses. Car alors il apparaîtrait en pleine lumière que «les souffrances du temps présent sont sans proportion avec la gloire future, qui sera révélée en nous[d].» Mais, puisque «pour l'instant ces choses sont cachées à nos yeux[e]» et que, en attendant, la nuit s'étend sur cette terre, nous sommes tentés «par la crainte nocturne», et nous avons peur de supporter l'adversité de la vie présente pour des biens que nous ne voyons pas. Ceux qui font leur première entrée en religion doivent veiller et prier contre cette première tentation[f], de peur que, saisis soudain «par le découragement de l'esprit et par la tourmente[g]», ils renoncent au bien entrepris, ce qu'à Dieu ne plaise.

12. Mais, une fois surmontée cette tentation, armons-nous également contre les louanges des hommes, qui ont pour objet principal le caractère louable de notre vie. Autrement nous serons exposés à la blessure «de la flèche qui vole de jour[a]», c'est-à-dire de «la vaine gloire[b]». Car la renommée vole, et de jour, puisqu'elle naît des œuvres de lumière[c]. Quand on l'aura chassée d'un souffle comme une vaine fumée, il se peut que se présente un appât plus solide : les richesses et les honneurs du siècle, au cas où celui qui ne se soucie pas des louanges convoite les dignités. Et considère si cet ordre des tentations n'a pas été gardé dans le cas de notre Seigneur : après la suggestion de se jeter en bas par simple vanité, tous les royaumes du monde lui furent montrés et offerts[d]. Toi, à l'exemple du Seigneur, rejette aussi tout cela. Autrement, tu ne manqueras pas d'être séduit «par

circumveniri te *a negotio perambulante in tenebris*[e], quod
est hypocrisis. Etenim ista de ambitione descendit, et in
15 tenebris habitatio eius : quippe abscondit quod est, et
quod non est mentitur. Negotiatur autem omni tempore,
formam retinens *pietatis* ad sese occultandum, *virtutem
autem eius*[f] venditans, et emens honores.

13. Postrema tentatio est daemonium meridianum, quod
solet maxime insidiari perfectis, qui videlicet, tamquam viri
virtutum, omnia superaverint, voluptates, favores, honores.
Quid enim iam superest ei qui tentat, in quo possit pugnare
5 palam adversus huiusmodi? Venit proinde occultus qui
manifestus non audet; et quem satis expertus est apertum
omne horrere malum, falso bono supplantare molitur. Qui
autem possunt dicere cum Apostolo : *Non enim ignoramus
astutias eius*[a], quo plus proficiunt, eo magis solliciti sunt
10 cavere a laqueo isto. Hinc est quod Maria angelica saluta-
tione turbatur[b], dolum, nisi fallor, suspicans, et Iosue non
prius amicum Angelum suscipit, quam esse amicum noverit.
243 Denique sciscitatur, suusne sit an adversariorum[c], tamquam
qui expertus sit daemonii meridiani insidias. Apostoli
15 quoque, cum in remigando aliquando laborarent, vento
adversante et iactante naviculam, videntes Dominum ambulantem supra mare et putantes esse phantasma, ita ut cla-
marent prae timore[d], nonne apertam meridiani suspicionem
daemonii praetenderunt? Et recordamini Scripturae dicentis,
20 quia *quarta vigilia noctis venit ad eos ambulans supra
mare*[e]. Quarto igitur, id est supremo demum loco, haec
tentatio formidetur, et quo se in summo stare quis viderit[f],

e. Ps. 90, 6   f. II Tim. 3, 5 (Patr.)
13. a. II Cor. 2, 11 (Patr.)   b. Cf. Lc 1, 29   c. Cf. Jos. 5, 13
d. Cf. Matth. 14, 24-26; cf. Mc 6, 48-49   e. Matth. 14, 25 ≠
f. Cf. I Cor. 10, 12

1. * Sur 11 emplois, tous allusifs, Bernard remplace 7 fois *speciem
pietatis* de *Vg* par *formam p.*, qui est *Vl* et patristique. Cf. *AdvA* 2,
1 (*SBO* IV, 170, 7).

l'intrigue qui rôde dans les ténèbres[e]», et qui est l'hypocrisie.
Celle-ci procède de l'ambition, et sa demeure est dans les
ténèbres : car elle cache ce qu'elle est, et contrefait ce qu'elle
n'est pas. Et elle intrigue tout le temps, car elle garde «les
apparences de la piété[1]» pour se camoufler, «mais elle en
vend la valeur[f]» et achète les honneurs.

13. La dernière tentation est le démon de midi, qui d'ordinaire tend ses pièges surtout aux parfaits. Ceux-ci,
hommes de vertu, ont tout surmonté, plaisirs, applaudis-
sements, honneurs. Que reste-t-il au tentateur pour pouvoir
lutter à découvert contre de tels hommes? Il vient en
cachette, lui qui n'ose plus se manifester; et il s'efforce de
faire tomber par un faux bien l'homme, dont il sait assez
par expérience qu'il a en horreur toute forme déclarée de
mal[2]. Mais ceux qui peuvent dire avec l'Apôtre : «Car nous
n'ignorons pas ses astuces[a][3]», plus ils progressent, plus ils
ont soin de se garder de ce piège. De là vient que Marie
est troublée par la salutation angélique[b], car, si je ne me
trompe, elle soupçonne une ruse; et que Josué ne reçoit
pas l'ange comme un ami, avant d'avoir reconnu qu'il est
un ami. Aussi lui demande-t-il s'il est des siens ou de ses
ennemis[c], en homme qui connaît par expérience les pièges
du démon de midi. Les Apôtres eux aussi, n'ont-ils pas
montré ouvertement qu'ils soupçonnaient le démon de midi
lorsque, ramant à grand-peine contre le vent qui ballottait
la barque, ils virent le Seigneur marchant sur la mer et
crurent qu'il était un fantôme, si bien qu'ils crièrent de
frayeur[d]? Et souvenez-vous que l'Écriture dit : «Il vint vers
eux marchant sur la mer à la quatrième veille de la nuit[e].»
Il faut donc redouter cette tentation en quatrième, c'est-à-
dire en dernier lieu; et plus on se voit arrivé au sommet[f],

---

2. Bernard semble identifier ici le démon de midi avec l'ange mauvais
qui se transforme en ange de lumière.

3. * Cf. n. 2 sur *SCt* 33, 9, l. 6, p. 54.

eo sibi vigilantius *ab incursu et daemonio meridiano* [g] cavendum intelligat. Porro discipulis verus se manifestavit
25 Meridies in eo quod audierunt : *Ego sum, nolite timere* [h], et falsi suspicio ab eis depulsa est. Utinam et nobis, quotiens palliata falsitas molitur irrepere, *emittat lucem suam et veritatem suam* [i], ad prodendam illam *oriens ex alto* [j] verus Meridies, *et dividat lucem a tenebris* [k], ut non notemur
30 a Propheta tamquam *ponentes lucem tenebras et tenebras lucem* [l].

VII. Qualiter haec quatuor tentationes Ecclesiae, quae est corpus Christi, assignentur.

14. Adhuc, nisi taedio fuerit longitudo sermonis, has quatuor tentationes tentabo suo ordine assignare ipsi *corpori Christi, quod est Ecclesia* [a]. Et ecce, quam brevius possum, percurro. Videte primitivam Ecclesiam, si non primo pervasa
5 est acriter nimis *a timore nocturno* [b] : *erat* enim *nox* [c], quando *omnis qui interficeret* sanctos *arbitrabatur obsequium se praestare Deo* [d]. Hac autem tentatione devicta et sedata tempestate, inclyta facta est et, iuxta promissionem ad se factam, in brevi *posita in superbiam saeculorum* [e].
10 Et dolens inimicus quod frustratus esset, *a timore nocturno* convertit se callide ad sagittam volantem in die, et vulneravit in ea *quosdam de Ecclesia* [f]. Et surrexerunt homines vani, cupidi gloriae, et voluerunt sibi facere nomen; et exeuntes de Ecclesia, diu eamdem matrem suam afflixerunt
15 in diversis et *perversis dogmatibus* [g]. Sed haec quoque pestis

---

g. Ps. 90, 6   h. Mc 6, 50   i. Ps. 42, 3 ≠   j. Lc 1, 78
k. Gen. 1, 4 ≠   l. Is. 5, 20 ≠
14. a. Col. 1, 24 ≠   b. Ps. 90, 5   c. Jn 13, 30 ≠   d. Jn 16, 2 ≠   e. Is. 60, 15 ≠   f. Act. 12, 1   g. Job 13, 4 ≠

---

1. A la fin du sermon les quatre tentations sont mises en rapport avec quatre périodes de l'histoire de l'Église. La persécution caractérise

plus on doit se garder attentivement «de l'assaut du démon de midi[g]». Mais le vrai Midi se manifesta aux disciples dans ces mots qu'ils entendirent : «C'est moi, n'ayez pas peur[h]»; et le soupçon du faux midi s'écarta d'eux. Plaise à Dieu que le vrai Midi «venu d'en haut[j]» «nous envoie», à nous aussi, «sa lumière et sa vérité[i]», chaque fois que la fausseté cherche à s'insinuer sous un déguisement, afin de la démasquer «et de séparer la lumière des ténèbres[k]». Ainsi nous ne serons pas flétris par le Prophète comme des gens «qui font de la lumière les ténèbres et des ténèbres la lumière[l]».

VII. Comment ces quatre tentations se rapportent à l'Église, qui est le corps du Christ.

14. En outre, si le sermon ne vous lasse pas par sa longueur, je vais essayer de rapporter ces quatre tentations, selon leur ordre, «au corps même du Christ, qui est l'Église[a1]». Voici, je parcours le sujet le plus brièvement possible. Considérez la primitive Église : n'a-t-elle pas d'abord été très cruellement pénétrée «de la crainte nocturne[b]»? «C'était en effet la nuit[c]», lorsque «quiconque tuait les saints pensait rendre un culte à Dieu[d]». Mais, une fois cette tentation vaincue et l'orage apaisé, l'Église fut auréolée de prestige et, selon la promesse qu'elle en avait reçue, «elle devint en peu de temps l'orgueil des siècles[e]». L'ennemi alors, chagriné de se voir frustré de son attente, passa adroitement «de la crainte nocturne à la flèche qui vole de jour», dont il blessa «quelques membres de l'Église[f]». Alors se levèrent des hommes vains, avides de gloire, et ils voulurent se faire un nom; et sortant de l'Église, ils affligèrent longtemps leur mère commune par «des doctrines diverses et perverses[g]». Mais cette peste aussi

l'Église des martyrs. Les hérésies ont mis à l'épreuve l'Église des Pères. La désorientation morale a provoqué la naissance des ordres religieux. L'apparition de l'antéchrist préparera le second avènement du Sauveur.

depulsa est in *sapientia sanctorum*[h], sicut et prima in patientia martyrum.

15. En tempora ista, libera quidem, Deo miserante, ab utraque illa malitia, sed plane foeda *a negotio perambulante in tenebris*[a]. Vae *generationi huic a fermento pharisaeorum, quod est hypocrisis*[b], si tamen hypocrisis debet dici quae iam
5 latere prae abundantia non valet, et prae impudentia non quaerit! Serpit hodie putida tabes per omne corpus Ecclesiae, et quo latius, eo desperatius, eoque periculosius quo interius. Nam si insurgeret apertus haereticus, *mitteretur foras et aresceret*[c]; *si* violentus *inimicus, absconderet se forsitan ab eo*[d].
10 Nunc vero quem eiciet, aut a quo abscondet se? Omnes amici, et omnes inimici; omnes necessarii, et omnes adversarii; omnes domestici, et nulli pacifici; omnes proximi, et *omnes quae sua sunt quaerunt*[e]. *Ministri Christi sunt*[f], et serviunt Antichristo. Honorati incedunt de bonis Domini, cui
15 Domini honorem non deferunt. Inde is, quem quotidie vides, meretricius nitor, histrionicus habitus, regius apparatus. Inde aurum in frenis, in sellis, in calcaribus : plus calcaria fulgent quam altaria. Inde mensae splendidae et cibis, et scyphis; inde *comessationes et ebrietates*[g]; inde cithara, et lyra, et tibia;
20 inde *redundantia torcularia*[h] et *promptuaria plena, eructantia ex hoc in illud*[i]. Inde dolia pigmentata, inde referta

---

h. Sir. 44, 15 (Lit.)

15. a. Ps. 90, 6   b. Lc 12, 1 ≠; cf. Matth. 12, 45   c. Jn 15,
6 ≠   d. Ps. 54, 13 ≠   e. Phil. 2, 21 ≠   f. II Cor. 11, 23
g. Rom. 13, 13 ≠   h. Prov. 3, 10 ≠   i. Ps. 143, 13

---

1. * Introït *Sapientiam sanctorum* de l'une des messes de plusieurs martyrs.

2. Dans ses écrits Bernard lâche volontiers la bride à une exubérance typiquement bourguignonne. On peut comparer ce passage avec les chapitres bien connus de l'*Apologie,* où il tourne en ridicule les raffinements de la cuisine clunisienne. Cf. *Apo* IX, 20 (*SBO* III, 97-98).

3. *Plus calcaria fulgent quam altaria,* «Les éperons étincellent plus que les autels.» Le jeu de mot par assonance est un élément germa-

fut repoussée par «la sagesse des saints[h1]», comme la première l'avait été par la patience des martyrs.

15. Voici notre temps, délivré, par la miséricorde de Dieu,
de cette double malice, mais tout souillé «par l'intrigue qui
rôde dans les ténèbres[a]». Malheur «à cette génération cor-
rompue par le levain des pharisiens, c'est-à-dire par l'hypocrisie[b]»! Si toutefois on peut parler d'hypocrisie quand celle-
ci ne peut plus se cacher, tellement elle est répandue, et
qu'elle ne l'essaie même pas, tellement elle est impudente.
Cette contagion infecte se propage aujourd'hui par tout le
corps de l'Église, et plus elle gagne du terrain, moins elle
laisse d'espoir; elle est d'autant plus dangereuse qu'elle
pénètre plus à l'intérieur. Si l'hérétique s'insurgeait ouvertement, «on le jetterait dehors et il se dessécherait[c]»; «si
l'ennemi se manifestait violemment, l'Église pourrait peut-être
se dérober à lui[d]». Or maintenant, qui pourra-t-elle chasser?
A qui pourra-t-elle se dérober? Tous sont ses amis, et tous
ses ennemis; tous sont ses alliés, et tous ses adversaires; tous
sont ses familiers, et aucun n'est pacifique; tous sont ses
proches, et «tous cherchent leur avantage[e]». «Ils sont
ministres du Christ[f]», et ils servent l'Antéchrist. Ils tirent
honneur des biens du Seigneur, et ils ne rendent pas au Seigneur l'honneur qui lui est dû. De là vient ce que tu peux
voir tous les jours : cette élégance de courtisane, cet accou-
trement de théâtre, cette pompe royale[2]. De là l'or sur les
brides, les selles, les éperons : les éperons étincellent plus
que les autels[3]. De là les tables somptueusement garnies de
mets et de coupes; de là «les ripailles et les beuveries[g]»;
de là la cithare, et la lyre et la flûte; de là «les pressoirs
débordants[h]» et «les offices pleines, regorgeant de toutes
sortes de choses[i]». De là les tonneaux de vin aromatisé, de

nique du style de Bernard. L'effet rhétorique est intraduisible.
Cf. D. SABERSKY-BASCHO, *Studïen zur Paranomasie bei Bernhard von
Clairvaux,* p. 127-128 : l'attention des personnes critiquées se porte
davantage sur leur équipement de voyage que sur l'état de leurs autels.

marsupia. Pro huiusmodi volunt esse et sunt ecclesiarum praepositi, decani, archidiaconi, episcopi, archiepiscopi. Neque enim haec merito cedunt, sed negotio illi quod per-
25 ambulabat in tenebris.

16. Olim praedictum est, et nunc tempus impletionis advenit : *Ecce in pace amaritudo mea amarissima*[a]. Amara prius in nece martyrum, amarior post in conflictu haereticorum, amarissima nunc in moribus domesticorum. Non
5 fugare, non fugere eos potest : ita invaluerunt et *multiplicati sunt super numerum*[b]. Intestina et *insanabilis* est *plaga*[c] Ecclesiae, et ideo *in pace amaritudo* eius *amarissima*. Sed in qua pace? Et *pax* est, *et non est pax*[d]. Pax a paganis, pax ab haereticis, sed non profecto a filiis.
10 Vox plangentis in tempore isto : *Filios enutrivi et exaltavi; ipsi autem spreverunt me*[e]. Spreverunt et maculaverunt a turpi vita, a turpi quaestu, a turpi commercio, *a negotio* denique *perambulante in tenebris*[f]. Superest ut iam *de medio fiat*[g] daemonium et meridianum, ad seducendos,
15 si qui in Christo sunt residui, *adhuc permanentes in simplicitate sua*[h]. Siquidem *absorbuit fluvios* sapientium et torrentes potentium, et *habet fiduciam* ut *Iordanis influat in os eius*[i], id est humiles et simplices qui sunt in Ecclesia. Ipse enim est Antichristus, qui se non solum diem, sed
20 et meridiem mentietur, *et extolletur supra id quod dicitur aut quod colitur Deus : quem Dominus Iesus interficiet spiritu oris sui, et destruet illuminatione adventus sui*[j], utpote verus et aeternus Meridies, sponsus et advocatus Ecclesiae, *qui est* Deus *benedictus in saecula. Amen*[k].

245

---

16. a. Is. 38, 17   b. Ps. 39, 6   c. Jér. 30, 12 ≠   d. Éz. 13, 10 ≠
e. Is. 1, 2   f. Ps. 90, 6 ≠   g. II Thess. 2, 7   h. Job 2, 9 ≠
i. Job 40, 18 ≠   j. II Thess. 2, 4. 8 ≠   k. Rom. 1, 25 ≠

---

1. Cf. n. 1 sur *SCt* 33, 9, l. 16 s., p. 56.

là les bourses bien remplies. C'est pour cela qu'ils veulent
être et qu'ils sont prévôts, doyens, archidiacres, évêques,
archevêques des églises. Car ces dignités ne reviennent pas
au mérite, mais à cette intrigue qui rôdait dans les ténèbres.

16. Cela fut prédit jadis, et voici venu le temps de l'accomplissement : « C'est dans la paix que mon amertume est
la plus amère[a]. » Elle fut amère d'abord dans la mort des
martyrs, plus amère ensuite dans la contestation des hérétiques ; elle est la plus amère aujourd'hui, dans les mœurs
des gens de la maison. L'Église ne peut ni les chasser, ni
leur échapper, tellement ils se sont développés et « multi-
pliés sans nombre[b] ». « La blessure » de l'Église est intérieure et « incurable[c] » : voilà pourquoi « c'est dans la paix
que son amertume est la plus amère ». Mais dans quelle
paix ? C'est « la paix, et ce n'est pas la paix[d] ». C'est la paix
avec les païens, la paix avec les hérétiques, mais non avec
les fils. En ce temps-ci on entend la voix de l'Église qui se
lamente : « J'ai nourri et élevé des fils ; mais ils m'ont
méprisée[e]. » Ils m'ont méprisée et ils m'ont souillée par leur
vie infâme, leur infâme profit, leur infâme trafic ; enfin, « par
l'intrigue qui rôde dans les ténèbres[f] ». Il ne manque plus
désormais que ceci : que le démon de midi « vienne lui
aussi au grand jour[g] » pour séduire « ceux qui persistent
encore dans leur simplicité[h] », s'il en reste quelques-uns
parmi les disciples du Christ. Car le démon « a englouti les
fleuves » des sages et les torrents des puissants, et « il se
flatte d'avaler dans sa gueule le Jourdain[i] », c'est-à-dire les
humbles et les simples qui sont dans l'Église. C'est lui en
effet l'Antéchrist, qui se fera passer non seulement pour le
jour, mais même pour le midi, « et s'élèvera au-dessus de
ce qui est appelé Dieu ou adoré comme Dieu. Le Seigneur
Jésus le fera disparaître par le souffle de sa bouche, et le
détruira par l'éclat de son avènement[j1] », car il est, lui, le
vrai et l'éternel Midi, l'Époux et le défenseur de l'Église, lui
« qui est Dieu béni dans les siècles. Amen[k] ».

SERMO XXXIV

I. Quomodo grandia petentes ad gradum humilitatis revocantur.
– II. Exemplum humilitatis de David, et trina distinctio humiliatorum.
– III. De humilitate voluntaria.

I. Quomodo grandia petentes ad gradum humilitatis revocantur.

1. *Si ignoras te, o pulchra inter mulieres, egredere, et abi post greges sodalium tuorum, et pasce haedos tuos iuxta tabernacula pastorum* [a]. Olim sanctus Moyses, quando multum praesumebat de familiaritate et gratia
5 quam invenerat apud Deum, aspirabat ad quamdam visionem magnam, ita ut diceret Deo : *Si inveni gratiam in oculis tuis, ostende mihi teipsum* [b]. Accepit autem pro ea visionem longe inferiorem, ex qua tamen ad ipsam, quam volebat, posset aliquando pervenire. Filii quoque
10 Zebedaei *in simplicitate cordis sui ambulantes* [c], magnum aliquid et ipsi ausi sunt, sed ad gradum nihilominus sunt redacti, per quem fuerat ascendendum [d]. Ita et modo sponsa, quoniam *rem* grandem *postulare* [e] videtur, repri-

246

---

1. a. Cant. 1, 7 ≠   b. Ex. 33, 13 (Patr.)   c. III Rois 9, 4 ≠
d. Cf. Mc 10, 35-40   e. IV Rois 2, 10 ≠

---

1. * Ce texte, qui se trouve identiquement en *SCt* 32, 8, l. 12, *SC* 431, 464, diffère de *Vg*, où on lit : *...viam tuam*, «Montre-moi ton chemin», alors que «montre-toi toi-même à moi» correspond à la Septante. Les Pères ont des textes fort variés, dont celui de Bernard (sauf *in oculis tuis*, substitution banale).

SERMON 34

I. Comment ceux qui aspirent à de grandes choses sont ramenés au pas de l'humilité. – II. L'exemple de l'humilité de David. Triple distinction de ceux qui sont humiliés. – III. L'humilité volontaire.

I. Comment ceux qui aspirent à de grandes choses sont ramenés au pas de l'humilité.

1. « Si tu t'ignores, ô belle entre les femmes, sors, et suis les troupeaux de tes compagnons, et mène paître tes chevreaux près des tentes des bergers[a]. » Un jour, le bienheureux Moïse, présumant beaucoup de la familiarité et de la grâce qu'il avait trouvées auprès de Dieu, aspirait à une grande vision, si bien qu'il disait à Dieu : « Si j'ai trouvé grâce à tes yeux, montre-toi toi-même à moi[b][1]. » Au lieu de cette vision, il en reçut une autre, bien inférieure[2] ; cependant, à partir de celle-ci, il pourrait un jour parvenir à celle qu'il désirait. De même les fils de Zébédée, « marchant dans la simplicité de leur cœur[c] », osèrent demander eux aussi une grande faveur ; mais ils n'en furent pas moins ramenés au degré par où ils auraient dû monter[d]. Ainsi l'épouse, comme elle semble « réclamer une grande grâce[e] », est repoussée par

---

2. Cette phrase semble être en opposition à *SCt* 33, 6, l. 29-41, p. 48. De fait la Bible a deux messages contradictoires à propos de la vision faciale en cette vie. Dans le sermon que voici Bernard évoque et explique la réponse négative que Dieu oppose au désir de Moïse.

mitur sane austeriori responsione, sed plane utili et fideli.
15 Oportet namque humiliter sentire de se nitentem ad
altiora : ne, dum supra se attollitur, cadat a se, nisi in
se firmiter per veram humilitatem fuerit solidatus. Et quia
nisi humilitatis merito maxima minime obtinentur, propterea qui provehendus est correptione humiliatur, humi-
20 litate meretur. Tu ergo, cum te humiliari videris, habeto
id *signum in bonum*[f] omnino argumentum gratiae pro-
pinquantis. Nam sicut *ante ruinam exaltatur cor*[g], ita ante
exaltationem humiliatur. Sane utrumque legis, Dominum
scilicet et *superbis resistere, et humilibus dare gratiam*[h].
25 Nonne denique *servum suum Iob*[i], cum post insignem
triumphum, tantam et tam probatam ipsius patientiam
larga remunerandam benedictione censeret, prius in multis
et districtis percunctationibus humiliare curavit, et sic
parare viam benedictioni?

II. Exemplum humilitatis de David, et trina distinctio humiliatorum.

2. At parum est, cum per seipsum humiliat nos Deus,
si tunc libenter accipimus, nisi, quando et per alium hoc
facit, sapiamus similiter. Quamobrem accipe huius rei
mirabile documentum de sancto David. Aliquando
5 maledictum est illi et a servo ; at ille nec cumulatam

---

f. Ps. 85, 17 ≠   g. Prov. 16, 18 (Patr.)   h. Jac. 4, 6 ≠
i. Job 1, 8 ≠ ; 2, 3 ≠

1. * Ce verset des *Proverbes* est cité 5 fois dans les *SBO*, 4 fois avec
cor, Vl, une fois avec *spiritus, Vg.* D'autre part, le texte *Vl* que nous font
connaître les Pères se poursuit par ceci : *Ante exaltationem humiliatur*,
« Il s'humilie avant l'exaltation », qui n'a pas de correspondant *Vg* ; ce texte
se trouve à titre d'allusion dans *Ep* 457 (*SBO* VIII, 433, 2). En effet, cette
citation (la première partie seule ou les deux ; avec ou sans variantes) se
trouve 4 fois dans Augustin (A.-M. LA BONNARDIÈRE, *Biblia Augustiniana.
Proverbes, Ét. Augustiniennes*, Paris 1975, p. 216) ; dans l'*Opus imperfectum*

une réponse certes un peu sévère, mais tout à fait salutaire et bienveillante. Lorsqu'on tend vers les hauteurs, il
faut en effet avoir une modeste opinion de soi-même, de
peur que, en voulant s'élever au-dessus de soi, on ne
tombe en dessous, si l'on n'a pas été solidement affermi
en soi-même par une véritable humilité. Les plus grandes
faveurs ne sont jamais obtenues que par le mérite de l'humilité; c'est pourquoi celui qui doit être élevé est humilié
par la correction, et acquiert des mérites par l'humilité.
Pour toi, lorsque tu te vois humilié, considère cela comme
«un signe» qui prouve «de façon certaine[f]» la proximité
de la grâce. Car, de même que «le cœur s'enorgueillit
avant la ruine[g1]», il s'humilie avant l'exaltation. Oui, tu lis
l'une et l'autre affirmation dans l'Écriture, c'est-à-dire que
«le Seigneur résiste aux orgueilleux, et qu'aux humbles il
donne la grâce[h]». Ainsi, par exemple, vois «son serviteur
Job[i]». Après le glorieux triomphe de celui-ci, lorsque Dieu
pensait devoir récompenser par une généreuse bénédiction
sa patience si grande et si éprouvée, ne prit-il pas soin de
l'humilier d'abord par une série de questions harcelantes,
préparant ainsi la voie à la bénédiction?

II. L'exemple de l'humilité de David. Triple distinction de ceux qui sont humiliés.

2. Mais c'est peu de chose que d'accepter volontiers
les humiliations, quand Dieu nous les inflige lui-même.
Il faut goûter pareillement celles qu'il nous inflige par
un autre. C'est pourquoi, reçois sur ce sujet une admirable
leçon de la part du bienheureux David. Un jour, il fut
maudit, et cela par un serviteur; mais il ne ressentit pas

---

in Matthaeum (*GCS* X, 495, 9, 1 fois); dans Jérôme, 2 fois; dans Grégoire
le Grand, 6 fois. Dans *Div* 102, 1 (*SBO* VI-1, 369, 7), Bernard suit Augustin,
Civ. Dei XIV, 13 (*CCL* 48, 436, 68) pour cette citation, mais il s'inspire
aussi du contexte d'Augustin pour son propre contexte.

iniuriam sensit, quia praesensit gratiam. *Quid mihi*, ait,
et vobis, filii Sarviae[a]? O vere hominem *secundum cor
Dei*[b], qui se ulciscenti potius quam exprobranti succen-
sendum putavit! Unde et secura conscientia loquebatur :
10 *Si reddidi retribuentibus mihi mala, decidam merito ab
inimicis meis inanis*[c]. Vetuit ergo prohiberi maledicum
conviciantem, *quaestum aestimans*[d] maledicta. Et addit :
Dominus misit illum ad maledicendum David[e]. Prorsus
secundum cor Dei, qui de corde Dei ferebat sententiam.
15 Saeviebat lingua maledica, et ille intendebat quid in occulto
ageret Deus. Vox maledicentis in auribus, et animus incli-
nabat se ad benedictionem. Numquid in ore blasphemi
Deus? Absit! Sed eo usus est ad humiliandum David. Nec
latuit Prophetam, quippe cui *incerta et occulta sapientiae
20 suae manifestaverat*[f] Deus; et ideo dicit : *Bonum mihi
quod humiliasti me, ut discam iustificationes tuas*[g].

247   **3.** Vides quia humilitas iustificat nos? Humilitas, dixi,
et non humiliatio. Quanti humiliantur, qui humiles non
sunt! Alii cum rancore humiliantur, alii patienter, alii et
libenter. Primi rei sunt, sequentes innoxii, ultimi iusti.
5 Quamquam et innocentia portio iustitiae est, sed consummatio eius apud humilem; qui autem dicere potest :
Bonum mihi, quia humiliasti me[a], is vere humilis est.
Non potest dicere qui invitus tolerat, minus qui murmurat.
Neutri horum promittimus gratiam, quod humiliatur, etsi

---

2. a. II Sam. 16, 10   b. Act. 13, 22 ≠   c. Ps. 7, 5   d. I Tim.
6, 5 ≠   e. II Sam. 16, 10 ≠   f. Ps. 50, 8 ≠   g. Ps. 118, 71 ≠
3. a. Ps. 118, 71

1. Pendant la révolte d'Absalom, David devait écouter les insultes de
Séméi, un homme de la famille de Saül. Le serviteur Abisaï proposa
au roi de couper la tête à ce mécréant. Mais David se fâcha plus
contre Abisaï que contre son ennemi.
2. «L'homme selon le cœur de Dieu». Dans l'A.T. comme dans le
N.T., cette expression désigne presque toujours le roi David (*I Rois* 13,
14; *Actes* 13, 22).

cette double injure, parce qu'il pressentit là une grâce.
«Qu'y a-t-il entre moi et vous, fils de Sarvia[a][1]?», dit-il.
O homme vraiment «selon le cœur de Dieu[b][2]», lui qui
pensa devoir se fâcher contre celui qui voulait le venger
plutôt que contre celui qui l'insultait! Aussi disait-il en
toute sûreté de conscience : «Si j'ai rendu le mal à ceux
qui m'en faisaient, que je tombe à bon droit démuni
devant mes ennemis[c].» Il défendit donc d'empêcher le
médisant qui l'injuriait, «car il estimait» que ces outrages
lui étaient «un gain[d]». Et il ajoute : «Le Seigneur l'a
envoyé pour maudire David[e].» Vraiment il était «selon
le cœur de Dieu», lui qui prononçait sa sentence d'après
le cœur de Dieu. La langue médisante se déchaînait, et
lui comprenait les intentions secrètes de Dieu. La voix
de celui qui le maudissait résonnait à ses oreilles, et son
âme s'abaissait pour recevoir la bénédiction. Dieu était-
il donc dans la bouche du blasphémateur? Loin de là!
Mais il s'en servit pour humilier David. Et cela n'a pas
échappé au Prophète, car Dieu lui «avait découvert les
énigmes et les secrets de sa sagesse[f]». Voilà pourquoi il
dit : «Il est bien pour moi que tu m'aies humilié, afin
que j'apprenne tes justes décrets[g].»

3. Vois-tu que l'humilité nous justifie? L'humilité, ai-je
dit, et non l'humiliation. Que de gens sont humiliés sans
être humbles! Certains en éprouvent de la rancune,
d'autres de la résignation, d'autres même de la joie. Les
premiers sont coupables, les deuxièmes innocents, les
derniers justes. Car l'innocence est, elle aussi, une part
de la justice, mais l'accomplissement de celle-ci se trouve
chez l'humble. Or, celui qui peut dire : «Il est bien pour
moi que tu m'aies humilié[a]», celui-là est vraiment
humble. L'homme qui supporte l'humiliation de mauvais
gré ne peut pas dire cela, encore moins l'homme qui
murmure. Ni à l'un ni à l'autre nous ne promettons la
grâce du fait qu'il est humilié, même s'il y a entre ces

10 sane longe hi duo a se differant, et alter quidem *in patientia sua possideat animam suam*[b], alter in suo murmure pereat. Sed enim etsi unus iram, neuter tamen gratiam promeretur, quoniam non humiliatis, sed *humilibus Deus dat gratiam*[c]. Est autem humilis qui humilia-
15 tionem convertit in humilitatem, et ipse est qui dicit Deo : *Bonum mihi, quod humiliasti me*. Nemini prorsus quod patienter fert bonum est, sed plane molestum. Scimus autem, quia *hilarem datorem diligit Deus*[d]. Unde et *cum ieiunamus*, iubemur *caput nostrum ungere* oleo *et faciem*
20 *lavare*[e], ut nostrum scilicet opus bonum spirituali quodam gaudio condiatur, *et holocaustum nostrum pingue fiat*[f]. Etenim sola gratiam, quam praefert, meretur laeta et absoluta humilitas. Quae enim coacta fuerit vel extorta, qualis utique est in viro patiente illo qui *possidet animam*
25 *suam*[g], haec, inquam, humilitas, etsi vitam obtinet propter patientiam, propter tristitiam tamen gratiam non habebit. Non enim congruit ei, qui eiusmodi est illud Scripturae : *Glorietur humilis in exaltatione sua*[h], quoniam non sponte humiliatur, neque libenter.

III. De humilitate voluntaria.

4. Vis autem videre humilem recte gloriantem, et vere dignum gloria? *Libenter*, inquit, *gloriabor in infirmitatibus meis, ut inhabitet in me virtus Christi*[a]. Non dicit patienter se ferre infirmitates suas, sed et gloriari, et libenter
5 gloriari in illis, probans etiam *sibi bonum esse quod humiliatur*[b], nec sufficere omnino ut *possideat animam*

b. Lc 21, 19 ≠   c. Jac. 4, 6 ≠   d. II Cor. 9, 7   e. Matth. 6, 17 ≠   f. Ps. 19, 4 ≠   g. Lc 21, 19 ≠   h. Jac. 1, 9 ≠
4. a. II Cor. 12, 9   b. Ps. 118, 71 ≠

1. *Holocaustum nostrum pingue fiat*, «Que notre holocauste ruisselle de graisse.» Bernard avait déjà cité ce verset du *Ps.* 19, 4 à trois endroits différents : *SCt* 7, 6; 9, 2; 12, 1.

deux hommes une grande différence : l'un «possède son
âme par sa patience[b]», l'autre se perd par ses murmures.
Même s'il n'y en a qu'un qui mérite la colère, aucun des
deux cependant ne mérite la grâce, puisque «Dieu donne
sa grâce» non aux humiliés, mais «aux humbles[c]». Or,
l'humble est celui qui transforme l'humiliation en humilité,
et c'est lui qui dit à Dieu : «Il est bien pour moi que tu
m'aies humilié.» Pour personne certes ce que l'on supporte avec patience n'est un bien; c'est sûrement une
peine. Nous savons d'autre part que «Dieu aime celui qui
donne avec le sourire[d].» De là vient que, «quand nous
jeûnons», il nous est commandé «d'oindre notre tête
d'huile et de laver notre visage[e]», afin que notre bonne
œuvre soit assaisonnée de quelque joie spirituelle, «et
que notre holocauste ruisselle de graisse[f1]». En effet,
seule l'humilité joyeuse et accomplie mérite la grâce que
Dieu offre. Car l'humilité contrainte ou extorquée, telle
qu'on la voit en cet homme patient qui «possède son
âme[g]», cette humilité, dis-je, même si elle obtient la vie
à cause de la patience, n'aura cependant pas la grâce, à
cause de la tristesse. Ce n'est pas à un tel homme que
s'applique cette parole de l'Écriture : «Que l'humble se
glorifie dans son exaltation[h].» Car il ne s'humilie pas de
son propre mouvement, ni de bon cœur.

III. L'humilité volontaire.

4. Mais veux-tu voir un homme humble se glorifiant
à juste titre, et vraiment digne de gloire? «C'est de bon
cœur, dit-il, que je me glorifierai dans mes faiblesses,
afin qu'habite en moi la puissance du Christ[a].» Il ne dit
pas qu'il supporte ses faiblesses avec patience, mais
que même il s'en glorifie, et qu'il s'en glorifie de bon
cœur. Aussi reconnaît-il «qu'il est bien pour lui d'être
humilié[b]», et qu'il ne lui suffit point de «posséder son

suam[c] tamquam patienter humiliatus, nisi et gratiam accipiat tamquam sponte humiliatus. Generalem vero hinc audi regulam : *Omnis qui se humiliat exaltabitur*[d]. Significat profecto non omnem exaltandam esse humilitatem, sed eam tantum quae de voluntate venit, *non ex tristitia nec ex necessitate*[e]. Nec enim per contrarium omnis qui exaltatur humiliandus erit, sed tantum *qui se exaltat humiliabitur,* nimirum ob voluntariam vanitatem. Ita ergo non qui humiliatur, sed *qui* sponte *se humiliat, exaltabitur*[f], utique ob meritum voluntatis. Esto enim quod humilitatis materia per alium ministratur, verbi gratia, probra, damna, supplicia, non tamen idcirco recte ab alio quam a semetipso humiliatus ille dicetur, qui illa omnia, tacita et laeta conscientia, causa Dei, subeunda decrevit.

5. Sed quo progredimur? Patienter, ut sentio, sustinetis excessum in verbo de humilitate et patientia; sed revertamur ad locum, de quo digressi sumus. Id namque incidit nobis ex occasione responsi, quo grandia praesumentem sponsam reprimendam censuit sponsus, *et non ad insipientiam illi*[a], sed ut sane ex eo probabilioris et maioris humilitatis daretur occasio, per quam dignior potiorum, atque eorum ipsorum quae petebat capacior efficeretur. Verumtamen, quia adhuc in ianuis sumus praesentis capituli, discussionis eius initium principio, si placet, sermonis alterius ordiamur, praesertim ne verba sponsi vel recenseantur cum taedio, vel audiantur. Quod ipse avertat a servis suis Iesus Christus Dominus noster, *qui est benedictus in saecula. Amen*[b].

---

c. Lc 21, 19 ≠   d. Lc 14, 11 ≠   e. II Cor. 9, 7 ≠   f. Lc 4, 11 ≠
5. a. Ps. 21, 3 ≠   b. Rom. 1, 25

---

1. * Cf. *RB* 7, 35.

âme[c]» comme l'homme qui subit l'humiliation avec patience, s'il ne reçoit aussi la grâce comme celui qui s'humilie spontanément. Apprends par là la règle générale : «Quiconque s'humilie sera exalté[d].» Cela signifie sans aucun doute non que toute humilité doive être exaltée, mais celle-là seule qui vient de la volonté, «non de la tristesse ou de la nécessité[e]». Inversement, quiconque est exalté ne devra pas être humilié, mais seul «celui qui s'exalte lui-même sera humilié», du fait de la vanité de sa volonté. De même, «sera exalté» non pas celui qui est humilié, mais «celui qui s'humilie[f]» spontanément, du fait du mérite de sa volonté. Supposons que l'occasion de l'humilité soit fournie par quelqu'un d'autre, par exemple, des insultes, des dommages, des châtiments. On ne pourra pas dire pour autant que celui qui a décidé de subir tout cela dans le silence et la joie de la conscience[1], à cause de Dieu, est humilié par quelqu'un d'autre, mais bien qu'il s'humilie lui-même.

5. Mais où allons-nous? Je m'aperçois que vous supportez patiemment cette digression sur le sujet de l'humilité et de la patience. Mais revenons à l'endroit d'où nous nous sommes écartés. L'occasion de notre développement a été la réponse par laquelle l'Époux a cru devoir réprimander l'épouse qui se montrait trop présomptueuse. «Il ne voulait pas l'accuser de folie[a]», mais lui donner par là l'occasion de grandir dans une humilité plus méritoire. Ainsi, elle serait rendue plus digne de grâces meilleures, et plus capable de recevoir celles-là mêmes qu'elle demandait. Cependant, puisque nous ne faisons qu'aborder le présent passage, réservons le début de son examen au développement d'un autre sermon, si cela vous convient, de peur surtout que les paroles de l'Époux ne soient commentées ou écoutées avec ennui. Que lui-même en garde ses serviteurs, lui, Jésus-Christ notre Seigneur, «qui est béni dans les siècles. Amen[b].»

SERMO XXXV

I. De verbo comminationis quod est : *Egredere,* et quam contremiscat spiritualis anima egredi ab interna requie ad exteriorem mundi vel carnis curam. – II. Quomodo post gregem pecudum homo abit. – III. Quae causa sit tantae deiectionis. – IV. Qualiter et in hac vita posterior sit homo pecude, et hoc pro gemina ignorantia.

I. De verbo comminationis quod est : *Egredere,* et quam contremiscat spiritualis anima egredi ab interna requie ad exteriorem mundi vel carnis curam.

1. *Si te,* inquit, *ignoras, egredere* [a]. Dura et aspera increpatio, quod dicit : *Egredere.* Hoc quippe verbum servi audire solent a valde irascentibus et indignantibus dominis, vel ancillae a dominabus suis, cum graviter illas offenderint : «Exi hinc, exi a me, egredere a conspectu meo et a domo ista.» Hoc ergo *verbo aspero* [b] atque amaro satis, nimiumque increpatorio, utitur modo sponsus contra dilectam, sub conditione tamen : si seipsam ignoraverit. Nil quippe validius efficaciusve ad terrendum potuit in eam intendere, quam ut egredi minaretur. Quod et tu advertere potes, si

249

5

10

---

1. a. Cant. 1, 7   b. Ps. 90, 3

---

1. * *RB* 58, 8.

2. *Servi et domini,* «Les serviteurs et les maîtres». Bernard avait déjà évoqué les rapports entre maîtres et serviteurs, pour décrire concrètement le baiser des pieds et des mains (*SCt* 4, 3, l. 14-17, *SC* 414, 116).

3. *Si seipsam ignoraverit,* «Si elle s'ignore elle-même». Bernard va donner une explication morale de ce verset du Cantique. Guillaume de

SERMON 35

I. De cette parole menaçante : «Sors.» Combien l'âme spirituelle tremble de sortir du repos intérieur et de tomber dans le souci extérieur du monde ou de la chair. – II. Comment l'homme suit le troupeau des bêtes. – III. Quelle est la cause d'une si grande déchéance. – IV. Comment même en cette vie l'homme est inférieur à la bête, et cela à cause de la double ignorance.

I. De cette parole menaçante : «Sors.» Combien l'âme spirituelle tremble de sortir du repos intérieur et de tomber dans le souci extérieur du monde ou de la chair.

1. «Si tu t'ignores, dit-il, sors[a].» Rude et pénible[1] réprimande que cette parole : «Sors.» Ce mot, les serviteurs[2] ont coutume de l'entendre de leurs maîtres, lorsque ceux-ci se fâchent et s'indignent violemment; ou les servantes de leurs maîtresses, quand elles les ont gravement offensées : «Va-t'en d'ici, va-t'en loin de moi, sors de ma présence et de cette maison.» C'est donc de cette «parole âpre[b]» et très amère, et toute pleine de reproche, que se sert maintenant l'Époux contre sa bien-aimée, sous cette réserve cependant : si elle s'ignore elle-même[3]. Car l'Époux ne pouvait lancer contre l'épouse rien de plus fort et de plus efficace pour l'effrayer que cette menace de la faire sortir. Toi aussi, tu peux t'en rendre compte, si tu prends bien garde au lieu d'où elle reçoit l'ordre

Saint-Thierry rappelle surtout la concordance entre le verset biblique et le message d'Apollon à Delphes : «Connais-toi toi-même» (GUILL. DE S.-TH., *De natura corporis et animae,* éd. M. Lemoine, p. 65).

bene attendas unde, quo egredi iubeatur. Unde enim, quo
putas, nisi de spiritu ad carnem, de bonis animi ad *sae-
cularia desideria*^c, de interna requie mentis ad mundi stre-
pitum et inquietudinem curarum exteriorum. In quibus
15 omnibus non est nisi *labor et dolor,* atque *afflictio spiritus*^d.
Quae enim anima semel a Domino didicit et accepit intrare
ad seipsam, et in intimis suis Dei praesentiam suspirare, et
quaerere faciem eius semper^e – *spiritus est* enim *Deus, et
qui* requirunt *eum oportet eos in spiritu ambulare*^f, et non
20 in carne, *ut secundum carnem vivant*^g – talis, inquam,
anima nescio an vel ipsam gehennam ad tempus experiri
horribilius poenaliusve ducat, quam, post spiritualis studii
huius gustatam semel suavitatem, exire denuo ad illecebras,
vel potius ad molestias carnis, sensuumque inexplebilem
25 repetere curiositatem, dicente Ecclesiaste : *Oculus non
impletur visu, nec auris auditu*^h. Audi enim hominem
expertum quae loquimur : *Bonus es,* inquit, *Domine, spe-
rantibus in te, animae quaerenti te*ⁱ. Ab hoc bono si quis
avertere sanctam illam animam conaretur, puto haud secus
30 accepisset, quam si se de paradiso et ab ipso introitu gloriae
conspiceret deturbari. Audi adhuc et alium similem huic :
Tibi dixit cor meum, ait, *exquisivit te facies mea, faciem
tuam, Domine, requiram*^j. Unde et dicebat : *Mihi autem
adhaerere Deo bonum est*^k; et item loquens ad animam
35 suam dicit : *Convertere anima mea in requiem tuam, quia
Dominus benefecit tibi*^l. Dico ergo vobis : Nihil est quod
in tantum formidet quisquis hoc beneficium semel accepit,
quam ne gratia derelictus, necesse habeat denuo egredi ad

c. Tite 2, 12   d. Ps. 89, 10; Eccl. 1, 17   e. Ps. 104, 4 ≠
f. Jn 4, 24 ≠; Gal. 5, 16 ≠   g. Rom. 8, 12 ≠   h. Eccl. 1, 8 ≠
i. Lam. 3, 25 ≠   j. Ps. 26, 8 ≠   k. Ps. 72, 28   l. Ps. 114, 7

1. * A son ordinaire, Bernard cite ce texte, non à la 3e personne,
mais à la 2e. Suit-il un lectionnaire? Ou bien serait-ce une transformation en vue d'une prière?

de sortir et pour aller où. De quel lieu et vers quel lieu, à ton avis, sinon de l'esprit à la chair, des biens de l'âme aux «désirs mondains[c]», du repos intérieur de la pensée au vacarme du siècle et à l'inquiétude des soucis extérieurs. En tout cela, il n'est que «peine et douleur, et affliction de l'esprit[d]». Voici en effet une âme qui a une fois appris du Seigneur et reçu de lui la grâce de rentrer en elle-même, et de soupirer après la présence de Dieu au fond de son cœur, et «de chercher toujours sa face[e]» – car «Dieu est esprit, et ceux qui le cherchent doivent marcher sous l'impulsion de l'esprit[f]», et non de la chair «pour vivre selon la chair[g]». Une telle âme, dis-je, je me demande si elle trouverait plus horrible et pénible d'expérimenter pour un temps la géhenne elle-même, que de sortir : c'est-à-dire, après avoir goûté une fois la douceur de cette recherche spirituelle, de se livrer à nouveau aux attraits ou plutôt aux tourments de la chair, et de revenir à la curiosité insatiable des sens. Car l'Ecclésiaste dit : «L'œil ne se rassasie pas de ce qu'il voit, ni l'oreille de ce qu'elle entend[h].» Écoute un homme qui a eu l'expérience de ce dont nous parlons : «Tu es bon, Seigneur, dit-il, pour ceux qui espèrent en toi, pour l'âme qui te cherche[i1].» Si quelqu'un essayait de détourner cette âme sainte d'un tel bonheur, elle ne le ressentirait pas autrement, à mon avis, que si elle se voyait rejetée du paradis et de l'entrée même de la gloire. Écoute encore un autre homme semblable au premier : «C'est à toi que mon cœur a dit : ma face t'a cherché, je chercherai ta face, Seigneur[j].» C'est pourquoi il disait aussi : «Pour moi, m'attacher à Dieu est mon bonheur[k].» Et parlant à son âme, il dit encore : «Retourne, mon âme, à ton repos, car le Seigneur t'a fait du bien[l].» Je vous le dis donc : rien n'est aussi redoutable pour l'homme qui a reçu une fois ce bienfait que de devoir sortir à nouveau, délaissé par la grâce, pour revenir aux conso-

carnis consolationes, immo desolationes, rursumque car-
40 nalium sensuum sustinere tumultus.

2. Terribilis proinde et nimis formidolosa comminatio :
Egredere, et pasce haedos tuos [a]. Quod est : Indignam te
250 noveris illa tua familiari et suavi rerum contemplatione
caelestium, intelligibilium, divinarum. Quamobrem
5 egredere de sanctuario meo, corde tuo, ubi secretos
sacrosque veritatis ac sapientiae sensus dulciter haurire
solebas; magis, tamquam una de saecularibus, pascendis
et oblectandis tuae carnis sensibus intricare. Haedos
quippe, qui peccatum significant et in iudicio collocandi
10 sunt a sinistris [b], dicit vagos ac petulantes corporis sensus,
per quos peccatum, tamquam *mors per fenestras, intravit* [c]
ad animam. Cui et bene congruit quod sequitur in
Scriptura : *Iuxta tabernacula pastorum* [d]. Non enim
« supra », sicut agni, sed *iuxta tabernacula pastorum* haedi
15 pascuntur. Pastores siquidem, qui veri pastores sunt, licet
tabernacula habeant de terra et in terra, corpora sua videlicet, his *diebus quibus nunc militant* [e], non tamen de
terra, sed de caelestibus pascuis greges dominicos pascere
consueverunt; neque enim suam eis, sed Domini prae-
20 dicant voluntatem. At haedi, qui sunt corporis sensus,
caelestia non requirunt, sed *iuxta tabernacula pastorum*,

---

2. a. Cant. 1, 7 ≠   b. Cf. Matth. 25, 33   c. Jér. 9, 21 (Patr.)
d. Cant. 1, 7   e. Job 14, 14 ≠

---

1. Cette description de Bernard se rattache au courant néoplatonicien.
Pas d'image plus familière aux platoniciens que l'élévation naturelle de
l'esprit vers Dieu, et son rejet vers les choses de la terre. Cf. *SCt* 80, 3 :
*Anima eo recta quo appetens supernorum; quae non quaerit nec sapit
quae sursum sunt, sed quae super terram, non plane est recta sed curva,*
« L'âme est droite en proportion de son désir des réalités célestes; une
âme qui ne recherche pas les choses d'en haut et leur préfère les choses
terrestres, est plutôt courbée que droite » (*SBO* II, 279, 3-6).
2. *Contemplatio rerum caelestium, intelligibilium, divinarum,* « La
contemplation des réalités célestes, intelligibles, divines ». Exemple

lations ou plutôt aux désolations de la chair, et supporter de nouveau le tumulte des sens charnels[1].

2. Terrible menace donc, et grandement redoutable : «Sors, et mène paître tes chevreaux[a].» C'est-à-dire : sache que tu es indigne de cette familière et douce contemplation des réalités célestes, intelligibles, divines[2]. C'est pourquoi, sors de mon sanctuaire, ton propre cœur, où tu avais coutume de puiser doucement les sens secrets et sacrés de la vérité et de la sagesse. Bien plus, comme une personne du siècle, embarrasse-toi du souci de repaître et de délecter les sens de ta chair. L'Époux appelle en effet chevreaux – puisque ceux-ci symbolisent le péché et doivent être placés à gauche lors du jugement[b] – les sens du corps, vagabonds et insolents, par lesquels le péché «est entré» dans l'âme comme «la mort par les fenêtres[c][3]». Ce qui suit dans l'Écriture : «près des tentes des bergers[d]», s'accorde bien avec cette interprétation. En effet, les chevreaux paissent «près des tentes des bergers», et non «au-dessus» comme les agneaux. Car les bergers qui sont de vrais bergers, bien qu'ils aient sur terre des tentes tirées de la terre, à savoir leurs corps, ont néanmoins, «en ces jours de leur combat terrestre[e]», coutume de donner aux troupeaux du Seigneur une nourriture tirée non pas de la terre, mais des pâturages célestes, parce qu'ils ne leur prêchent pas leur volonté, mais celle du Seigneur. Mais les chevreaux, qui sont les sens du corps, ne cherchent pas les nourritures célestes. Au

typique qui combine des expressions néoplatoniciennes avec l'idée biblique de la contemplation.

3. «Le péché, comme la mort, entre par les fenêtres des sens.» Cf. *Conv* V, 7 (*SBO* IV, 79, 11-14 ; *Conv* VI, 11 : *Singula membra fenestrae singulae, quibus mors intrat ad animam,* «Tous les membres de notre corps sont autant de fenêtres par lesquelles entre la mort de l'âme» (*SBO* IV, 85, 5-6). C'est une allusion à un texte *VI,* fréquent chez bien des Pères, fréquent chez Bernard. Cf. *SC* 431, 245, n. 1 sur *SCt* 24, 3. ~ Idée reprise à CICÉRON, *Tusc. Disp.* I, 20 (éd. M. Pohlenz, 1967, p. 241, 9-10).

in omnibus videlicet bonis sensibilibus huius mundi, quae est regio corporum, sumunt unde sua desideria non tam satient quam irritent.

3. Turpis mutatio studiorum, ut cui ante studii fuerat peregrinantem et exsulem animam suam sacris meditationibus, tamquam caelestibus pascere bonis, Dei beneplacitum et mysteria voluntatis eius inquirere, penetrare
5 devotione caelos ᵃ et mente supernas circuire mansiones, salutare patres atque apostolos et choros prophetarum, martyrumque admirari triumphos, ac stupere pulcherrimos ordines angelorum, nunc omnibus his omissis, turpi se mancipet corporis servituti ad oboediendum carni, ad satis-
10 faciendum ventri et gulae, ad mendicandum in universa terra unde, ex ea quae *praeterit mundi huius figura* ᵇ, suam semper famelicam curiositatem aliquatenus consoletur. *Exitus aquarum deducant oculi mei* ᶜ super huiusmodi animam, quae cum *nutriretur in croceis*,
15 demum *amplexata est stercora* ᵈ. *Pavit enim*, iuxta beati viri sententiam, *sterilem quae non habebat filios, et viduae non benefecit* ᵉ.

II. Quomodo post gregem pecudum homo abit.

251

Et vide quia non simpliciter *egredere*, inquit, sed *abi post greges sodalium tuorum, et pasce haedos tuos* ᶠ. In

---

3. a. Cf. Sir. 35, 21 (Patr.)   b. I Cor. 7, 31 ≠   c. Ps. 118,
136 ≠   d. Lam. 4, 5 ≠   e. Job 24, 21 ≠   f. Cant. 1, 7 ≠

---

1. * Bernard emploie 15 fois ce texte, dont 8 citations ou quasi citations comportant *iusti, penetr(at)* et *coelos* et 7 allusions claires ou lointaines. Il remplace ainsi *humiliantis se*, Vg, par *iusti; nubes*, par *coelos; penetrabit*, un futur, par le présent *penetrat*. On a même un ordre constant : *Oratio iusti penetrat coelos*, celui de *SCt* 49, 3, l. 6, p. 332. J.B. Bauer, dans *Zeits. f. Kirchengeschichte* 100 (1989), p. 75, n. 32, suggère une contamination, par Bernard ou un prédécesseur, à partir

contraire, « près des tentes des bergers », c'est-à-dire, dans tous les biens de ce monde sensible, qui est la région des corps, ils prennent de quoi exaspérer plutôt qu'apaiser leurs désirs.

3. O le honteux changement d'occupations! Voici un homme qui auparavant s'était appliqué à nourrir son âme, étrangère et exilée ici-bas, de saintes méditations, comme d'autant de biens célestes; qui avait mis tout son zèle à scruter le bon plaisir de Dieu et les mystères de sa volonté; à pénétrer les cieux[a1] par la ferveur et à parcourir en esprit les demeures d'en haut; à saluer les pères et les apôtres et les chœurs des prophètes; à admirer les triomphes des martyrs et à s'émerveiller devant les ordres éclatants des anges. Maintenant, délaissant tout cela, il se livre à l'esclavage honteux du corps pour obéir à la chair, pour satisfaire le ventre et la gueule, pour mendier sur toute l'étendue de la terre de quoi soulager un peu, par « la figure passagère de ce monde[b] », sa curiosité toujours famélique. « Que mes yeux laissent sortir des torrents de larmes[c] » sur une telle âme qui, « après avoir été élevée dans la pourpre, a fini par brasser le fumier[d] ». « Car, selon les paroles du bienheureux Job, cette âme a nourri la femme stérile qui n'avait pas d'enfants, et elle n'a pas secouru la veuve[e]. »

II. Comment l'homme suit le troupeau des bêtes.

Remarque aussi que l'Époux ne dit pas simplement : « Sors », mais : « Suis les troupeaux de tes compagnons, et mène paître tes chevreaux[f]. » Par là, me semble-t-il, il nous

de *Hébr.* 4, 14 : *pontificem magnum qui penetravit coelos.* Un seul texte identique à celui de Bernard a été trouvé : GEOFFROY D'ADMONT, *PL* 174, 622 C (même ordre); à la même période, 2 textes « s'approchent » de celui de Geoffroy et Bernard : *Oratio iusti penetrat nubes* (*PL* 153, 866 C) et *Brevis oratio penetrat coelos* (*PL* 171, 655 C).

20 quo, ut mihi videtur, magnae cuiusdam rei nos admonet.
Quid istud? Heu! quod egregia creatura, iam olim facta
una de grege, et nunc in peius miserabiliter proruens,
non saltem inter greges remanere permittitur, sed post
abire iubetur. «Quomodo?» inquis. Quomodo legis : *Homo*
25 *cum in honore esset, non intellexit; comparatus est iumentis*
insipientibus, et similis factus est illis[g]. Ecce quomodo de
grege facta est egregia creatura. Puto, dicerent iumenta,
si loqui fas esset : *Ecce, Adam factus est quasi unus ex*
nobis[h]. *Cum in honore esset*, inquit. «In quo honore?»
30 quaeris. Habitabat in paradiso, et in loco voluptatis[i] conversatio eius. Nihil molestiae, nihil indigentiae sentiebat, odo-
riferis *stipatus malis, fulcitus floribus*[j], *gloria et honore*
coronatus, et constitutus super opera manuum[k] Plasma-
toris; magis autem ob insigne divinae similitudinis prae-
35 cellebat; et erat illi sors et societas cum plebe angelorum
et cum omni militia caelestis exercitus[l].

   4. Sed *mutavit* istam *gloriam* Dei *in similitudinem vituli*
comedentis fenum[a]. Inde est quod *panis angelorum*[b] factus

---

   g. Ps. 48, 13   h. Gen. 3, 22   i. Cf. Gen. 2, 8   j. Cant.
2, 5 ≠   k. Ps. 8, 6-7 (Lit.)   l. Cf. Lc 2, 13
   4. a. Ps. 105, 20 ≠   b. Ps. 77, 25 ≠

---

   1. *Egregia creatura*, «La créature *excellente*». Cette expression se
trouve trois fois dans ce sermon (*SCt* 35, 3, l. 3; 3, l. 8; 6, l. 6). L'expression est très proche de *Nobilis creatura*, «Noble créature» (cf. *SC*
414, 246, n. 2 sur *SCt* 11, 5). Les deux expressions ne se rencontrent
pas chez les Pères de l'Église latine (Ambroise, Augustin, Grégoire le
Grand). Elles nous signalent la vision optimiste de Bernard : à ses yeux
le péché originel n'a pas corrompu la noblesse native de l'être humain.
Cf. aussi : *Conv* 15 (*SBO* IV, 89, 12) et *QH* 14, 1 (*SBO* IV, 468, 23).
   2. *Ecce quomodo de grege facta est egregia creatura*, «Voilà comment la
créature excellente a été faite membre du troupeau.» Il est difficile, sinon
impossible de rendre en français le jeu de mots latin *de grege ... egregia*.
   3. * *Plasmator :* c'est le Créateur en tant que «potier». Bernard
emploie une quinzaine de fois des mots de cette famille, qui font
davantage image et vont dans le sens d'un lien plus personnel entre

donne un important avertissement. Lequel? Hélas! c'est que
la créature excellente[1], déjà faite jadis membre du troupeau,
se jette maintenant dans une situation encore pire pour
son malheur. Aussi n'est-elle même plus autorisée à
demeurer parmi les troupeaux, mais reçoit l'ordre de les
suivre. «Comment?» dis-tu. Comme tu le lis : «L'homme,
quand il était à l'honneur, n'a pas compris; il a été assimilé
aux bêtes sans raison, et il leur est devenu semblable[g].»
Voilà comment la créature excellente a été faite membre
du troupeau[2]. Je crois que si les bêtes pouvaient parler,
elles diraient : «Voici qu'Adam est devenu comme l'un de
nous[h].» «Alors qu'il était à l'honneur», est-il écrit. «Quel
honneur?» demandes-tu. Il habitait le paradis, et sa vie se
passait dans un lieu de délices[i]. Il ne souffrait aucun ennui,
aucune indigence; il était «entouré de fruits odorants,
soutenu par des fleurs[j]», «couronné de gloire et d'honneur,
et établi sur les œuvres sorties des mains[k]» de Celui qui
l'avait façonné[3]. Surtout il l'emportait par le caractère dis-
tinctif de la ressemblance divine. Sa condition et ses relations l'associaient au peuple des anges et à toute la milice
de l'armée céleste[l].

4. Mais «il échangea cette gloire de Dieu pour la ressemblance d'un veau broutant du foin[a][4]». De là vient
que «le pain des anges[b]» s'est fait foin «déposé dans

Dieu et sa créature : *plasmare*, «façonner»; *plasmatus homo, proto-
plasti*, «l'homme façonné, les premiers parents façonnés», etc., mots
absents du récit *Vg* de la création et rares dans *Vg*. Il a pris *Plasmator...* dans le répons *Formavit* de la Septuagésime et dans les Pères.
On en trouvera des exemples dans *SCt* 16, 6, l. 19, *SC* 431, 54; 28, 2,
l. 22, *SC* 431, 348; 72, 7 (*SBO* II, 230, 4-5). A propos de la création,
Bernard dit aussi, avec la *Vulgate, formare : SCt* 41, 1, l. 6, p. 186;
SCt 74, 10 (*SBO* II, 245, 26). Cf. *Nat* 2, 1 (*SBO* IV, 252, 1) et ci-contre
p. 90, n. 1.

4. *In similitudinem vituli comedentis fenum*, «pour la ressemblance
d'un veau broutant du foin» (*Ps.* 105, 20). On retrouve ce verset psal-
mique seulement dans *Dil* et *SCt*. Cf. *SC* 414, 141, n. 3 sur *SCt* 6, 3.

est fenum *positum in praesepio*[c], appositum nobis tamquam iumentis. *Verbum* quippe *caro factum est*[d]; et iuxta Prophetam : *Omnis caro fenum*[e]. At fenum istud minime desiccatum est, nec ex eo cecidit flos[f], quia *requievit super eum Spiritus Domini*[g]. *Fenum*, inquit, *exsiccatum est, et cecidit flos; verbum autem Domini manet in aeternum*[h]. Ergo si fenum Verbum, et Verbum manet in aeternum, fenum quoque maneat necesse est in aeternum. Alioquin quomodo vitam praebet aeternam, si ipsum minime manet in aeternum?

5. Sed recole mecum vocem Filii ad Patrem loquentis in Psalmo : *Non dabis*, inquit, *sanctum tuum videre corruptionem*[a]. Haud dubium quin de corpore dicat, quod in sepulcro iacebat exanime. Hoc enim sanctum et Angelus, qui nuntiavit Virgini, locutus est dicens : *Et quod nascetur ex te sanctum, vocabitur filius Dei*[b]. Quo igitur pacto sanctum fenum poterat videre corruptionem, quod de incorrupti uteri perpetuo virore vernantibus pascuis ortum, etiam avidos angelorum in se figere possit obtutus, insatiabiliter oblectandos? Perdat sane fenum viriditatem, si Maria virginitatem amiserit. Ergo cibus hominis mutavit se in pabulum pecoris, homine mutato in pecus. Heu! tristis et lacrimosa mutatio, ut homo, paradisi accola, terrae dominus, caeli civis, domesticus Domini[c] Sabaoth, frater beatorum Spirituum et caelestium coheres Virtutum, repentina se conversione invenerit et propter infirmitatem iacentem in stabulo, et propter pecorinam similitudinem

---

c. Lc 2, 12   d. Jn 1, 14   e. Is. 40, 6   f. Cf. Is. 40, 8
g. Is. 11, 2 (Patr.)   h. Is. 40, 8 ≠
5. a. Ps. 15, 10   b. Lc 1, 35 ≠   c. Cf. Éphés. 2, 19

---

1. Bon exemple du raisonnement symbolique de Bernard. Celui-ci réussit à évoquer en quelques lignes les mystères de l'Incarnation, de la Passion et de la Résurrection, ainsi que leur rôle salutaire pour l'homme pécheur. J. Huizinga résume très bien une tendance profonde

une crèche[c]», offert à nous comme à des bêtes. En effet,
«le Verbe s'est fait chair[d]»; et selon le Prophète : «Toute
chair est foin[e].» Mais ce foin ne s'est point desséché, et
sa fleur n'est pas tombée[f], parce que «l'Esprit du Seigneur
s'est reposé sur lui[g]». «Le foin s'est desséché, est-il dit, et
la fleur est tombée; mais le Verbe du Seigneur demeure
éternellement[h].» Si donc le foin est le Verbe, et que le
Verbe demeure éternellement, il est nécessaire que le foin
aussi demeure éternellement. Sinon, comment peut-il donner
la vie éternelle, si lui-même ne demeure pas éternellement[1]?

5. Mais souviens-toi avec moi de la voix du Fils parlant
au Père dans le Psaume : «Tu ne laisseras pas, dit-il, ton
saint voir la corruption[a].» Nul doute qu'il dit cela du
corps, qui gisait inanimé dans le sépulcre. Que celui-ci
fût saint, l'Ange aussi le déclara lors de l'annonciation à
la Vierge, en disant : «Et ce qui naîtra de toi sera saint,
sera appelé fils de Dieu[b].» Comment donc ce foin qui
était saint pouvait-il voir la corruption, puisque, né d'un
sein intact comme d'une prairie verdoyante d'éternelle
verdure, il peut attirer sur lui les regards avides des anges
eux-mêmes, pour les réjouir sans jamais les rassasier? Oui,
que ce foin perde sa verdure, si Marie avait perdu sa
virginité! La nourriture de l'homme s'est donc changée
en fourrage pour la bête, puisque l'homme s'est changé
en bête. Hélas! triste et déplorable changement! L'homme,
habitant du paradis, maître de la terre, citoyen du ciel,
familier du Seigneur[c] Sabaoth, frère des esprits bienheureux et cohéritier des Vertus célestes[2], par une sou-
daine transformation s'est retrouvé gisant dans une étable
à cause de sa faiblesse. Devenu semblable aux bêtes, il

---

du Moyen Age : «La pensée religieuse se cristallise en images» (*Le
déclin du Moyen Age*, Paris, 1967, p. 156).

2. *Caelestium coheres Virtutum*, «Cohéritier des Vertus célestes».
Bernard a déjà parlé des Vertus dans *SCt* 19, 2 (*SC* 431, 111).

indigentem feno, et propter indomitam feritatem alligatum
praesepio, sicut scriptum est : *In camo et freno maxillas*
20 *eorum constringe, qui non approximant ad te* [d]. *Agnosce*
tamen, *o bos, possessorem tuum, et tu, asine, praesepe*
Domini tui [e], ut *Prophetae Dei fideles inveniantur* [f], qui
ista sunt Dei mirabilia praelocuti. Cognosce, pecus, quem
non cognovisti homo; adora in stabulo quem fugiebas in
25 paradiso; honora praesepium cuius contempsisti impe-
rium; comede fenum quem panem, et *panem angelicum* [g],
fastidisti.

III. Quae causa sit tantae deiectionis.

6. «Sed quaenam causa», inquis, «tantae deiectionis?»
Profecto quod *homo cum in honore esset, non intellexit* [a].
Quid non intellexit? Non dicit; nos dicamus. Positus in
253 honore, non intellexit quod limus esset, honoris fastigio
5 delectatus; et continuo in se expertus est quod tanto post
tempore homo *de filiis captivitatis* [b] et prudenter advertit
et veraciter protulit, dicens : *Qui se putat aliquid esse,*
cum nihil sit, ipse se seducit [c]. Vae misero, quod non fuit

---

d. Ps. 31, 9   e. Is. 1, 3 ≠   f. Sir. 36, 18   g. Ps. 77, 25 ≠
6. a. Ps. 48, 13   b. Dan. 5, 13   c. Gal. 6, 3 ≠

---

1. *Panem angelicum,* «Le pain des anges». Dans le paragraphe
4, Bernard a parlé du *panis angelorum.* Il a pu trouver cette expression
dans les œuvres d'Augustin (par ex. *Tract. eu. Iohannis* XIII, 4, 19,
CCL 36, 132, 18-19). Mais l'expression *panis angelicus* semble bien être
une création bernardine (*Div* 12, 1, *SBO* VI-1, 127, 16). Qu'on se rappelle l'hymne *Sacris solemniis* de Thomas d'Aquin, où il est dit : *Panis*
angelicus fit panis hominum, «Le pain des anges devient pain pour
les hommes» (Matines de la fête du Saint-Sacrement).
2. * Dans les 10 emplois qu'il fait de ce texte, Bernard remplace
toujours le verbe *existimare* de *Vg* par *putare* (sens similaire) : cf. *SCt*
37, 5, l. 17 s., p. 134. Dans les 4 citations, à la place du tour «si
quelqu'un...», il dit «celui qui...». Plusieurs Pères — dont Augustin

lui a fallu du foin. Sauvage et insoumis, il a été attaché
à une crèche, ainsi qu'il est écrit : «Par le mors et le
frein bride les mâchoires de ceux qui ne s'approchent
pas de toi[d].» «Bœuf, reconnais enfin ton propriétaire, et
toi, âne, la crèche de ton Seigneur[e]», afin que «les prophètes de Dieu soient trouvés fidèles[f]», eux qui ont prédit
ces merveilles de Dieu. Étant devenu bête, connais celui
que tu as méconnu quand tu étais homme. Adore dans
l'étable celui que tu fuyais dans le paradis ; honore la
crèche de celui dont tu as méprisé la souveraineté ; mange
ce foin dont tu as eu le dégoût lorsqu'il était pain, et
«pain des anges[81]».

III. Quelle est la cause d'une si grande déchéance.

6. «Mais, dis-tu, quelle est la cause d'une si grande
déchéance ?» C'est assurément que «l'homme, lorsqu'il
était à l'honneur, n'a pas compris[a]». Qu'est-ce qu'il n'a
pas compris ? Le psaume n'en dit rien ; disons-le nous-
mêmes. L'homme, mis à l'honneur, n'a pas compris qu'il
n'était que limon, car l'élévation de l'honneur le flattait.
Aussitôt, il expérimenta en lui-même ce que, bien longtemps après, un «des enfants de la captivité[b]» a sagement
remarqué et énoncé avec vérité, en disant : «Celui
qui pense être quelque chose, alors qu'il n'est rien, il se
fait illusion[c2].» Malheur à ce misérable, car il n'y a eu

(15 *putat,* 1 *existimat*), Raban Maur, Geoffroy d'Auxerre – ont pu
l'influencer. Mais il faut tenir compte de la fréquence considérable (880)
de *putare* chez Bernard à l'égard de *existimare* (80) et de *aestimare*
(150). En *SCt* 36, 3, l. 3, p. 110, on a de même *putat* au lieu de
existimare (*I Cor.* 8, 2 : même structure de la phrase que *Gal.* 6, 3).
D'une manière semblable, en *SCt* 37, 5, l. 17 s., p. 134 et en
SCt 57, 4 (*SBO* II, 121, 18), ainsi que 6 autres fois, on trouve, à la
place de *reddit (testimonium), perhibet (test.)*, très rarement attesté dans
les traditions bibliques et patristiques portant sur ce verset, mais Bernard
avait peut-être dans l'oreille les très nombreux (29) *testimonium perhib(et)*
de Jean, son évangéliste préféré.

qui iam tunc diceret ei : *Quid superbis, terra et cinis*[d]?
10 Hinc egregia creatura gregi admixta est, hinc bestiali similitudine Dei similitudo mutata est, hinc societas cum
iumentis pro consortio angelorum inita est. Vides quam
sit fugienda nobis haec ignorantia, de qua tot millia
malorum universo nostro generi provenerunt? Ait enim
15 propterea *hominem iumentis insipientibus comparatum,
quia non intellexit*[e]. Cavenda proinde omnimodis ignorantia, ne forte, si *adhuc sine intellectu*[f] et post vexa-
tionem inventi fuerimus, multo plura et graviora prioribus
mala inveniant nos, dicaturque de nobis : *Curavimus Baby-*
20 *lonem, et non est sanata*[g]. Merito quidem, quod nec
vexatio dederit intellectum auditui[h].

7. Et vide ne forte etiam hic sponsus, cum dilectam
ab ignorantia tanto increpationis tonitruo deterreret, propterea minime dixerit : «Egredere cum gregibus», aut :
«Egredere ad greges», sed : *Egredere*, ait, *post greges*
5 *sodalium tuorum*[a]. Utquid hoc? Sane ut secundam perinde

d. Sir. 10, 9 ≠   e. Ps. 48, 13 ≠   f. Matth. 15, 16 ≠
g. Jér. 51, 9   h. Is. 28, 19 ≠
7. a. Cant. 1, 7 ≠

1. * Ici et en 4 autres lieux – dont *SCt* 54, 7 (*SBO* II, 107, 2) –,
Bernard cite ce texte à la 2e personne; 2 fois, il utilise la 3e personne.
Vg est à la 3e personne, tandis que quelques Pères et quelques manus-
crits tardifs de *Vg* ont la 2e personne.

2. *Hinc egregia creatura gregi admixta est*, «De là vient que l'excellente créature a été mêlée au troupeau.» Cf. p. 90, n. 2 sur *SCt* 35,
3. Le jeu de mots est ici aussi intraduisible.

3. *Intellectum auditui*, «L'intelligence de la parole entendue». Cette
intelligence s'oppose à l'ignorance, d'où viennent de si nombreux malheurs. * On trouve 12 emplois de ce verset biblique chez Bernard.
Mais, plutôt que d'une parole de Dieu, Bernard en use comme d'un
dicton tirant sa valeur de l'expérience; il n'est jamais au futur (comme
l'est *Vg : dabit*), et la suppression de *sola* lui confère une tonalité sen-
tencieuse. Aussi Bernard le met au centre de passages où il expose sa
conception du rôle pédagogique de la souffrance et de l'erreur, comme
ici; ou bien, cela est dit en passant, à peine reconnaissable, comme

personne pour lui dire dès le début : «Pourquoi t'enor-
gueillir, terre et cendre[d1]?» De là vient que la créature
excellente a été mêlée au troupeau[2]; que la ressemblance
de Dieu a été échangée contre une ressemblance bestiale; que la compagnie des bêtes a remplacé la communion avec les anges. Vois-tu comment il nous faut fuir
cette ignorance, d'où sont venus à tout le genre humain
de si nombreux malheurs? Voilà pourquoi l'Écriture dit
que «l'homme a été assimilé aux bêtes sans raison, parce
qu'il n'a pas compris[e]». Il nous faut donc à tout prix
nous garder de l'ignorance, de peur que, si nous sommes
«encore trouvés sans intelligence[f]» même après le châtiment, des malheurs bien plus nombreux et plus graves
que les premiers ne fondent sur nous. Alors on dirait de
nous : «Nous avons soigné Babylone, et elle n'a pas été
guérie[g].» Et cela avec raison, puisque même «le châtiment n'aurait pas suffi à nous donner l'intelligence de
la parole entendue[h3]».

7. Considère si ce n'est pas pour cela peut-être que
l'Époux, détournant sa bien-aimée de l'ignorance par le
coup de tonnerre de sa réprimande, n'a point dit ici :
«Sors avec les troupeaux», ou : «Sors vers les troupeaux»,
mais : «Sors, dit-il, après les troupeaux de tes compagnons[a4].» Pourquoi cela? Certes pour montrer que la

en *SCt* 28, 7, l. 13 à 8, l. 24 (*SC* 431, 358-362) : «L'observance des
préceptes rend l'intelligence que nous avait ôtée la transgression.» Cf.
GUILL. DE S.-TH., *Le Miroir de la foi* 30 (*SC* 301, 94), où *experientia*
remplace *vexatio,* une expérience dont Bernard parle souvent lorsqu'il
cite ce verset.

4. Inversion des versets *Cant.* 1, 6 et 7. *Post greges, «Après* les troupeaux» est une variante typique du xiie s., reprise par l'édition clémentine
de la Bible. Bernard continue de jouer avec le sens de l'adjectif *egregius,*
«distingué du troupeau». Il a dit d'abord que l'homme *(egregia creatura)*
s'est fait membre du troupeau (chap. 3). Ensuite cette créature a été mêlée
au troupeau (chap. 6). Maintenant l'homme est placé après les animaux
du troupeau. Toute la suite du chap. 7 explique cette idée.

ignorantiam priore magis pavendam pudendamque osten-
deret, quod illa hominem bestiis parem fecisset, ista et
posteriorem. Nam homines quidem merito ignorantiae
ignorati[b], id est reprobati, et ad tremendum illud iudicium
10 stare, et igni perpetuo tradi habent, non autem et pecudes.
Nec dubium fore deterius his qui sic erunt, quam quae
omnino non erunt : *Melius fuerat ei,* inquit, *si natus non
fuisset homo ille*[c]. Non utique si natus omnino non fuisset,
sed si natus non fuisset homo, sed, verbi gratia, aut
15 pecus, aut alia quaepiam creatura : quae quoniam iudicium
non haberet, ad iudicium non veniret, ac per hoc nec
ad supplicium. Sciat ergo anima rationalis, quae se ob
priorem ignorantiam erubescit, pecudes habere sodales in
254   perfruendis utique bonis terrae, non etiam similiter socias
20 habituram in perferendis tormentis gehennae, et tum
demum etiam ab ipsis gregibus suorum sodalium iumen-
torum cum dedecore exturbandam, nec iam vel cum ipsis
ituram, sed plane post, quando illis nihil mali sentien-
tibus, ipsa malis omnibus exponetur, a quibus non libe-
25 rabitur in aeternum, si quidem secundo ignorare adie-
cerit. Egreditur itaque homo, et solitarius abit post greges
sodalium suorum, cum solus in *inferno inferiori*[d] retru-
ditur. An non tibi posteriorem videtur tenere locum, qui
ligatis manibus et pedibus proicitur *in tenebras exteriores*[e]?
30 *Et erunt* profecto *novissima hominis illius peiora prioribus*[f], quando qui prius bestiis aequabatur, nunc et post-
ponitur.

---

b. Cf. I Cor. 14, 38   c. Matth. 26, 24 (Lit.)   d. Ps. 85, 13
e. Matth. 22, 13 ≠   f. Matth. 12, 45 ≠

---

1. * Trois fois sur 7 emplois de ce verset, Bernard écrit, non pas
bonum (Vg), mais *melius,* avec le répons *Iudas mercator,* des matines
du Jeudi saint.

deuxième ignorance est encore plus redoutable et plus honteuse que la première, puisque celle-ci avait rendu l'homme pareil aux bêtes, tandis que celle-là le place même après les bêtes. En effet, les hommes qui, pour prix de leur ignorance, sont ignorés[b], c'est-à-dire réprouvés, doivent se présenter au terrible jugement de Dieu, et être livrés au feu perpétuel, ce qui n'est pas le cas des bêtes. Nul doute que le sort des hommes qui seront en cet état sera bien pire que celui des créatures qui ne seront plus du tout : «Il eût mieux valu pour lui, est-il dit, qu'il ne fût pas né, cet homme-là[c1].» Non pas, certes, qu'il ne fût pas né du tout; mais qu'il ne fût pas né homme, mais par exemple bête, ou quelque autre créature. Celle-ci, n'étant pas douée de jugement, ne pourrait pas être conduite au jugement, ni par conséquent au supplice. L'âme raisonnable qui, à cause de la première ignorance, rougit d'avoir les bêtes pour compagnes dans la jouissance des biens de la terre, doit donc savoir qu'elle ne les aura pas également pour associées dans la souffrance des tourments de la géhenne. Alors, on la chassera finalement avec ignominie des troupeaux mêmes des bêtes, ses compagnes; désormais, elle n'ira même plus avec ces troupeaux, mais seulement après eux. Tandis que les bêtes ne sentiront plus aucun mal, l'âme sera exposée à tous les maux, et elle n'en sera pas délivrée pour l'éternité, si elle a succombé à la seconde ignorance. Ainsi l'homme sort, et s'en va solitaire après les troupeaux de ses compagnons, lorsqu'il est seul précipité dans «le tréfonds de l'enfer[d]». Ne te semble-t-il pas tenir le dernier rang, celui qui est rejeté, «poings et pieds liés, dans les ténèbres du dehors[e]»? «L'état final de cet homme sera certes pire que le premier[f]», puisque, naguère l'égal des bêtes, maintenant il est même placé après elles.

IV. Qualiter et in hac vita posterior sit homo pecude, et hoc pro gemina ignorantia.

8. Puto quod et in praesenti vita, si bene advertas, posteriorem ire pecoribus hominem iudicabis. An non siquidem tibi videtur ipsis bestiis quodammodo bestialior esse homo ratione vigens, et ratione non vivens? Nam
5 pecus quidem si se ratione non regat, excusationem habet a natura, a qua hoc ei penitus munus negatum est; non habet homo, cui ab ipsa speciali praerogativa donatum est. Merito proinde eo ipso censetur homo egredi, et postire gregalibus animantibus, quod solum hoc animal
10 conversatione degeneri iura naturae transgrediens, rationis compos, rationis expertia moribus et affectibus imitatur. Convincitur ergo ire post greges homo, et nunc quidem depravatione naturae, postmodum autem et extremitate poenae.

9. Ecce sic maledicetur homo[a], qui *ignorantiam Dei habere*[b] inventus fuerit. Dei dicam, an sui? Utrumque sine dubio : utraque ignorantia damnabilis est, utralibet sufficit ad damnationem. Vis scire quia ita est? Sed de
5 Dei minime dubitas, si tamen constat tibi non aliam *vitam esse aeternam,* quam *ut* Patrem *cognoscas Deum verum, et quem misit Iesum Christum*[c]. Audi ergo sponsum liquido
255 et aperte in anima etiam animae ignorantiam condemnantem. Quid enim dicit? Non utique si Deum, sed : *Si*
10 *ignoras te* inquit, et cetera. Patet ergo quia *ignorans igno-*

---

9. a. Cf. Ps. 127, 4   b. I Cor. 15, 34 ≠   c. Jn 17, 3 ≠

---

1. Cf. AUGUSTIN, *Solil.* II, 1 : *Deus semper idem, noverim me, noverim te,* «O Dieu qui restes toujours le même, fais que je me connaisse moi-même et que je te connaisse» (*PL* 32, 885).

2. * Comme d'ordinaire, Bernard omet *solum.* Cf. *SC* 414, 178, n. 2 sur *SCt* 8, 3.

IV. Comment même en cette vie l'homme est inférieur à la bête, et cela à cause de la double ignorance.

8. A mon avis, si tu fais bien attention, tu estimeras que même en cette vie présente l'homme vient après les bêtes. Ne te semble-t-il pas en quelque sorte plus bestial que les bêtes elles-mêmes, l'homme doué de raison et ne vivant pas selon la raison? Car si la bête ne se gouverne pas selon la raison, elle trouve son excuse dans la nature, qui lui a totalement dénié ce don. Mais l'homme n'a pas d'excuse, puisqu'il a reçu de la nature ce don par un privilège spécial. C'est donc à juste titre que l'homme est réputé sortir et passer après les animaux des troupeaux, du fait même qu'il est le seul animal qui, outrepassant par une conduite dégénérée les lois de la nature, lui qui possède la raison, imite par ses mœurs et ses passions les êtres privés de raison. Il est ainsi prouvé que l'homme vient après les troupeaux, maintenant par la dépravation de la nature, mais plus tard par l'extrême gravité de la peine.

9. Voilà de quelle manière sera maudit l'homme[a] qui aura été surpris «dans l'ignorance de Dieu[b]». Dirai-je de Dieu, ou de lui-même[1]? L'un et l'autre, sans aucun doute : l'une et l'autre ignorance est damnable, chacune d'elles suffit à la damnation. Veux-tu savoir s'il en est bien ainsi? Mais quant à l'ignorance de Dieu, tu ne peux pas avoir le moindre doute, s'il est évident pour toi que «la vie éternelle» n'est pas autre chose que «de connaître le Père, le vrai Dieu, et celui qu'il a envoyé, Jésus-Christ[c2]». Écoute donc l'Époux : nettement et ouvertement, il condamne aussi chez l'âme l'ignorance d'elle-même. Que dit-il, en effet? Non pas : Si tu ignores Dieu, mais : «Si tu t'ignores», etc. Il est donc manifeste que «qui ignore

rabitur[d], sive se, sive Deum ignorare contingat. De qua utraque ignorantia erit nobis, si tamen Deus manum apponat, utilis admodum disputatio. Non modo tamen, ne fatigati, et non praemissa ex more oratione, aut ego
15 minus diligenter rem necessariam prosequar, aut vos minus attente, quae non nisi magno suscipienda sunt desiderio, audiatis. Etenim si corporis cibus, cum absque appetitu et satiatus illum sumis, non modo non prodest, sed et nocet plurimum : multo magis panis animae, cum fastidio
20 sumptus, non scientiae nutrimentum, sed magis tormentum conscientiae importabit. Quod a nobis avertat sponsus Ecclesiae, Iesus Christus, *qui est benedictus in saecula. Amen*[e].

---

d. I Cor. 14, 38 ≠   e. Rom. 1, 25

---

1. * Bernard cite toujours (4 fois) ce texte ainsi, remplaçant le conditionnel du grec et de *Vg* par le participe *ignorans*. Le texte *Omnis ignorans ignorabitur* se trouve dans les pseudépigraphes suivants : *PL*

sera ignoré[d1]», qu'il s'ignore lui-même, ou bien Dieu. De cette double ignorance, il sera fort utile que nous traitions, si du moins Dieu nous prête assistance. Pas maintenant, toutefois. Fatigués, et faute d'avoir d'abord prié selon notre habitude, nous pourrions, moi développer avec moins de rigueur ce sujet essentiel, et vous écouter avec moins d'attention ces choses, qui ne doivent être reçues qu'avec un grand désir. En effet, la nourriture du corps, si tu la prends sans appétit et quand tu es déjà rassasié, non seulement ne profite pas, mais est même très nocive. Bien davantage le pain de l'âme, pris avec dégoût, n'apportera pas la nourriture de la science, mais jettera plutôt le trouble dans la conscience. Que nous en préserve l'Époux de l'Église, Jésus-Christ, «qui est béni dans les siècles. Amen[e]».

21, 848 C; 26, 934 C; 967 B; 979 A; et sans *omnis* dans *PL* 40, 1157. D'autre part, les chartreux, qui ont cité ce verset avec une extrême fréquence, ont écrit *Si quis...* ou *Qui...* et 5 fois *Ignorans*. Leur citation était souvent introduite par *dicente Apostolo,* que Bernard n'a pas adopté.

SERMO XXXVI

I. De duabus ignorantiis et quae ignorantia non damnet.

1. En ego meae promissioni; en ego desideriis vestris; en ego etiam Deo pro debito famulatu. Triplici, ut videtis, ratione urgeor ad loquendum, pacti veritate, caritate fraterna, timore Domini. *Si tacuero, os meum condemnabit* 5 *me* [a]. Quid, si loquar? Profecto vereor idem iudicium, ne loquentem videlicet, et non facientem [b], identidem *os meum condemnet me* [c]. Iuvate me orationibus vestris, ut semper possim et *loqui quae oportet* [d], et opere implere quae loquor. Non ignoratis hodiernum nobis propositum 10 sermonem de ignorantia, vel potius de ignorantiis; quoniam duae, si meministis, propositae sunt : nostri una, et altera Dei : quas et monuimus ambas esse cavendas, quod ambae damnabiles sint. Superest ut clarius hoc ipsum faciam, edisseram plenius. Sed prius quaerendum

---

1. a. Job 16, 7; 9, 20   b. Cf. Matth. 23, 3   c. Job 9, 20 ≠
d. I Tim. 5, 13 ≠

SERMON 36

I. Les deux ignorances. L'ignorance qui ne mène pas à la damnation. – II. La double science et la triple manière de savoir : dans quel ordre, avec quel soin, à quelle fin. – III. La volonté de savoir a cinq motifs. Comparaison entre la nourriture et la science. – IV. Avant tout, il faut que l'homme se connaisse lui-même. Avertissement aux somnolents.

I. Les deux ignorances. L'ignorance qui ne mène pas à la damnation.

1. Me voici prêt à tenir ma promesse ; me voici prêt à répondre à vos désirs ; me voici enfin prêt à m'acquitter du service que je dois à Dieu. Vous voyez que trois raisons me pressent de parler : la sincérité de ma parole, la charité fraternelle, la crainte du Seigneur. «Si je me tais, ma bouche me condamnera[a].» Et si je parle ? Sans aucun doute, je crains d'encourir le même jugement : «que ma bouche me condamne[c]» pareillement, moi qui parle et qui ne fais pas[b]. Aidez-moi de vos prières, pour que je puisse toujours «parler comme il faut[d]», et agir selon mes paroles. Vous n'ignorez pas que notre sermon d'aujourd'hui portera sur l'ignorance, ou plutôt sur les ignorances, puisqu'il y en a deux qui nous sont proposées, si vous vous en souvenez : l'une de nous-mêmes, et l'autre de Dieu. Nous avons dit qu'il faut se garder de l'une et de l'autre, car les deux sont damnables. Il me reste à élucider davantage ce point, à l'exposer plus en détail. Mais d'abord, je pense qu'il faut chercher à savoir si toute ignorance est damnable. Pour moi, il me semble que non ; toute ignorance ne mène pas à la damnation, mais il y a une multitude innombrable de

15 existimo, sit ne ignorantia omnis damnabilis. Et mihi
quidem videtur non esse – neque enim omnis ignorantia
damnat –, sed multa et innumerabilia esse, quae nescire
liceat absque diminutione salutis. Verbi gratia, si ignoras
fabrilem artem, seu carpentariam, aut caementariam, et
20 quaecumque istiusmodi artes sunt, quae ad usus vitae
praesentis ab hominibus exercentur, numquid impedit ad
salutem? Etiam absque omnibus illis artibus, quae libe-
rales dicuntur – quamvis honestioribus et utilioribus dis-
4 cantur studiis et exerceantur –, quam plurimi hominum
25 salvi facti sunt, placentes moribus atque operibus : quantos
enumerat Apostolus in epistola ad Hebraeos[e], factos
dilectos, non in scientia litterarum, sed *in conscientia
pura, et fide non ficta*[f]. Omnes placuerunt Deo in vita
sua[g], vitae meritis, non scientiae. Petrus, et Andreas, et
30 filii Zebedaei, ceterique discipuli omnes, non de schola
rhetorum aut philosophorum assumpti sunt; et nihilominus tamen Salvator per ipsos *operatus est salutem in
medio terrae*[h]. Non in sapientia, quae in ipsis esset plus
quam in cunctis viventibus, quemadmodum Sanctus aliquis
35 de semetipso confessus est[i], sed *in fide et lenitate ipsorum
salvos fecit illos*, etiam et *sanctos*[j], etiam et magistros.
Denique *notas* mundo *fecerunt vias vitae*[k], et *non sublimitate sermonis, aut in doctis humanae sapientiae verbis*[l],
sed sicut *placuit Deo per stultitiam praedicationis eorum
40 salvos facere credentes, quia mundus eum in sua sapientia
non cognovit*[m].

e. Cf. Hébr. chap. 11   f. I Tim. 1, 5 ≠; 3, 9 ≠   g. Cf. Sir.
44, 16 (Lit.)   h. Ps. 73, 12 ≠   i. Cf. Eccl. 1, 16   j. Sir. 45,
4 ≠   k. Ps. 15, 11 ≠   l. I Cor. 2, 1. 4. 13 ≠   m. I Cor. 1,
21 ≠; cf. Jn 1, 10

1. «Quant à tous les arts libéraux». Bernard a en vue le *trivium*
(grammaire, rhétorique et dialectique) ainsi que le *quadrivium* (arith-
métique, géométrie, musique et astronomie).

choses qu'il est permis d'ignorer sans préjudice pour le salut. Par exemple, si tu ignores le métier de forgeron, de charpentier ou de maçon, ou n'importe quel métier de cette sorte, exercé par les hommes pour les besoins de la vie présente, serait-ce un obstacle pour le salut? Quant à tous les arts dits libéraux, – que l'on apprend pourtant et que l'on exerce par des études très honorables et très utiles[1] –, combien d'hommes ont été sauvés sans eux, se rendant agréables par leurs mœurs et leurs œuvres! L'Apôtre en énumère un très grand nombre dans l'épître aux Hébreux[e] : ils ont été aimés de Dieu, non pour leur connaissance des lettres, mais «pour leur conscience pure et leur foi sans détours[f]». Tous ils furent agréables à Dieu pendant leur vie[g][2], par les mérites de la vie, non de la science. Pierre et André, et les fils de Zébédée, et tous les autres disciples, n'ont pas été pris de l'école des rhéteurs ou des philosophes[3]; et pourtant ce n'en est pas moins par eux que le Sauveur «a accompli le salut au milieu de la terre[h]». «Il les a sauvés», il en a même fait «des saints» et des maîtres, non pas en raison d'une sagesse qu'ils auraient eue plus que tous les vivants, ainsi qu'un Saint l'a déclaré de lui-même[i], mais «en raison de leur foi et de leur douceur[j]». Enfin «ils ont fait connaître au monde les chemins de la vie[k]», et «non par le prestige du discours, ou par les doctes paroles de la sagesse humaine[l]», mais selon qu'«il a plu à Dieu de sauver les croyants par la folie de leur prédication, puisque le monde dans sa sagesse n'a pas connu Dieu[m]».

2. * Bernard s'inspire librement de l'épître de l'une des messes des confesseurs pontifes, elle-même libre reprise de versets des chap. 44-45 de *Siracide*.

3. Ici comme ailleurs l'abbé de Clairvaux rompt une lance pour les hommes sans culture littéraire. Pensons à son frère Gérard. *SCt* 26, 7 (*SC* 431, 295).

II. De gemina scientia et de trino sciendi modo, id est ordine, studio, fine.

2. Videar forsan nimius in suggillatione scientiae, et quasi reprehendere doctos, ac prohibere studia litterarum. Absit. Non ignoro quantum Ecclesiae profuerint litterati sui et prosint, sive ad refellendos *eos qui ex adverso* 5 *sunt*[a], sive ad simplices instruendos. Denique legi : *Quia tu repulisti scientiam, repellam ego te, ne sacerdotio fungaris mihi*[b]; legi : *Qui docti fuerint, fulgebunt quasi splendor firmamenti, et qui ad iustitiam erudiunt multos, quasi stellae in perpetuas aeternitates*[c]. Sed et scio ubi 10 legerim : *Scientia inflat*[d], et rursum : *Qui apponit scientiam, apponit et dolorem*[e]. Vides quia differentia est scientiarum, quando alia inflans, alia contristans est. Tibi vero velim scire quaenam harum tibi videatur utilior seu necessarior ad salutem : illa ne quae tumet, an quae dolet? 15 Sed non dubito quin dolentem tumenti praeferas : quia sanitatem, quam tumor simulat, dolor postulat. Qui autem postulat, propinquat saluti : quoniam *qui petit accipit*[f]. 5 Denique *qui sanat contritos corde*[g], exsecratur inflatos,

---

2. a. Tite 2, 8 ≠   b. Os. 4, 6 ≠   c. Dan. 12, 3   d. I Cor. 8, 1
e. Eccl. 1, 18 (Patr.)   f. Lc 11, 10   g. Ps. 146, 3

---

1. «Comme si je voulais réprimander les hommes doctes et l'étude des lettres. Loin de moi cette idée.» On dit avec raison que les cisterciens ont rendu une place privilégiée au travail manuel. Mais les grands auteurs de la première génération n'ont pas déprécié le travail intellectuel. Cf. *SC* 414, 185, n. 5 sur *SCt* 8, 6 : «Dans ce baiser il n'y a de place ni pour l'erreur, ni pour la tiédeur.» Cf. aussi *SCt* 37, 2.

2. * A travers 6 citations et 6 allusions, Bernard présente un texte constant, celui-ci. Il diffère de *Vg* par *apponit (bis)*, et non *addit* par *dolorem* au lieu de *laborem*, enfin par *et (dolorem)*. Les Pères ont des

II. La double science et la triple manière de savoir : dans quel ordre, avec quel soin, à quelle fin.

2. On me jugera peut-être excessif dans ma critique de la science, comme si je voulais réprimander les hommes doctes, et interdire l'étude des lettres. Loin de moi cette idée[1]! Je n'ignore pas les grands services qu'ont rendus et que rendent à l'Église ses savants, soit dans la réfutation «des adversaires[a]», soit dans l'instruction des simples. Enfin, j'ai lu ceci : «Puisque tu as rejeté la science, moi je te rejetterai, pour que tu n'exerces pas mon sacerdoce[b].» J'ai lu aussi : «Ceux qui auront eu la science brilleront comme la splendeur du firmament; et ceux qui enseignent la justice à la multitude seront comme des étoiles dans les éternités sans fin[c].» Mais je sais également où j'ai lu : «La science enfle[d]», et encore : «Qui augmente la science, augmente aussi la douleur[e][2].» Tu vois qu'il y a une différence entre les sciences, puisque l'une enfle, l'autre attriste. Toi, je voudrais savoir laquelle des deux te semble plus utile ou plus nécessaire au salut : celle qui enfle, ou celle qui attriste? Mais je ne doute pas que tu préfères l'homme qui souffre à l'orgueilleux : car la douleur appelle la santé, tandis que l'orgueil la simule. Or, appeler le salut, c'est s'en approcher : car «qui demande reçoit[f].» Enfin, «celui qui guérit les cœurs contrits[g]» a horreur de ceux qui sont gonflés d'eux-

---

textes variés, *VI, Vg,* mixtes; l'ajout de *et* (*dolorem* ou *laborem*) est assez rare. Ont un texte identique à Bernard, ou voisin : HILAIRE (1 fois : *In Ps.* 126, 13, *CSEL* 22, 622, 1), AUGUSTIN (6 fois dont *Enarrat. in Ps.* 29, II, 8, *CCL* 38, 180, 25; *Ps.* 38, 20, *CCL* 38, 420, 8; *Ps.* 98, 12, *CCL* 39, 1390, 87; *Ps.* 122, 6, *CCL* 40, 1820, 48), JÉRÔME (3 fois), GRÉGOIRE LE GRAND (3 fois dont *Mor.* I, 25, 34, *CCL* 143, 44, 27; XVIII, 41, 66, *CCL* 143 A, 93, 119; *Hom. in Ezech.* I, 10, 43, *CCL* 142, 166, 797), ISIDORE DE SÉVILLE (1), ainsi que AELRED (1).

dicente Paulo quia *Deus superbis resistit, humilibus autem*
20 *dat gratiam*[h]. Et dicebat : *Dico autem per gratiam, quae
data est mihi, omnibus qui sunt inter vos, non plus sapere
quam oportet sapere, sed sapere ad sobrietatem*[i]. Non pro-
hibet sapere, sed *plus sapere quam oportet*. Quid est
autem, *sapere ad sobrietatem?* Vigilantissime observare
25 quid scire magis priusve oporteat. *Tempus* enim *breve
est*[j]. Est autem, quod in se est, omnis scientia bona, quae
tamen veritate subnixa sit; sed tu qui *cum timore et
tremore tuam* ipsius *operari salutem*[k] pro temporis bre-
vitate festinas, ea scire amplius priusque curato, quae sen-
30 seris viciniora saluti. Nonne medici corporum medicinae
portionem diffiniunt eligere in cibis sumendis, quid prius,
quid posterius, et ad quem modum quidque sumi
oporteat? Nam etsi bonos constat esse cibos quos Deus
creavit, tu tamen ipsos tibi, si in sumendo modum et
35 ordinem non observes, reddis plane non bonos. Ergo
quod dico de cibis, hoc sentite de scientiis.

3. Sed melius mitto vos ad Magistrum. Non est enim
nostra ista sententia, sed illius; immo et nostra, quoniam
Veritatis. *Qui se*, inquit, *putat aliquid scire, nondum scit
quomodo oporteat eum scire*[a]. Vides quoniam non probat
5 multa scientem, si sciendi modum nescierit. Vides, inquam,
quomodo fructum et utilitatem scientiae in modo sciendi

---

h. Jac. 4, 6   i. Rom. 12, 3   j. I Cor. 7, 29   k. Éphés. 6, 5;
Phil. 2, 12 ≠
3. a. I Cor. 8, 2 ≠

---

1. * Bernard n'est pas très soucieux de rigueur dans l'attribution de
ses citations, et les Pères, voire les Anciens ou la sagesse populaire,
sont parfois dépossédés au profit de l'Écriture; parfois aussi, un texte
scripturaire, même rebattu, passe à un Ancien ou à *quidam;* ainsi *SCt*
78, 6 (*SBO* II, 270, 3); toutefois, on peut se demander si cette expression,
d'autres aussi, ne sont pas des formules qui n'abusaient personne. Ici,
le texte «Dieu... la grâce», identiquement présent dans *Jac.* 4, 6 et
dans *I Pierre* 5, 5, est attribué à Paul; ailleurs, en *NatV* 4, 6 (*SBO* IV,

mêmes : «Dieu, dit Paul[1], résiste aux orgueilleux, mais aux humbles il donne la grâce[h].» Il disait aussi : «Par la grâce qui m'a été donnée, je dis à chacun d'entre vous de ne pas vouloir plus de sagesse qu'il ne faut, mais d'avoir une sagesse sobre[i].» L'Apôtre ne proscrit pas toute sagesse, mais «la sagesse qui va au-delà de ce qu'il faut». Mais qu'est-ce qu'«avoir une sagesse sobre»? C'est veiller avec la plus grande attention à ce qu'il faut savoir de préférence et en priorité. «Le temps est bref[j]» en effet. Toute science est bonne en elle-même, pourvu qu'elle se fonde sur la vérité. Mais toi qui te hâtes «avec crainte et tremblement d'accomplir ton salut[k]», en raison de la brièveté du temps, prends soin de savoir surtout et d'abord ce qui te semblera concerner de plus près le salut. Les médecins du corps ne consi-dèrent-ils pas comme une partie de la médecine l'art de choisir, dans un repas, les aliments à prendre en premier ou en dernier, et de quelle manière chaque aliment doit être pris? Même si les aliments que Dieu a créés sont évidemment bons, tu les rends cependant tout à fait nocifs pour toi, si tu n'observes ni la manière de les prendre, ni l'ordre convenable. Donc, ce que je dis des aliments, appliquez-le aux sciences.

3. Mais il vaut mieux que je vous renvoie au Maître. En effet, cette parole n'est pas de nous, mais de lui; ou plutôt elle est aussi de nous, puisque c'est celle de la Vérité. «Celui qui pense savoir quelque chose, dit-il, ne sait pas encore comment il faudrait savoir[a2].» Tu vois que le Maître n'approuve pas l'homme qui sait beaucoup

---

224, 13), Bernard indique qu'on lit ce même texte «dans Salomon», *apud Salomonem.*

2. Texte *VI* de *I Cor.* 8, 2. Cf. AUGUSTIN, *Epist.* 140, 85 (*CSEL* 44, 233, 12); 238, 16 (*CSEL* 57, 445, 12); *Trin.* 9, 1 (*CCL* 50, 292, 10). Sur *putat,* cf. n. 2 sur *SCt* 35, 6, p. 94.

constituit. Quid ergo dicit modum sciendi? Quid, nisi ut
scias quo ordine, quo studio, quo fine quaeque nosse
oporteat? Quo ordine : ut id prius, quod maturius ad
10 salutem; quo studio : ut id ardentius, quod vehementius
ad amorem; quo fine : ut non ad *inanem gloriam*[b], aut
curiositatem, aut aliquid simile, sed tantum ad aedificationem tuam, vel proximi.

III. De quinquepartita sciendi intentione, et similitudo de cibo ad scientiam.

Sunt namque qui scire volunt eo fine tantum, ut sciant :
15 et turpis curiositas est. Et sunt qui scire volunt, ut sciantur
6   ipsi : et turpis vanitas est. Qui profecto non evadent sub-
sannantem Satyricum et ei qui eiusmodi est decantantem :
«Scire tuum nihil est, nisi te scire hoc sciat alter.» Et
sunt item qui scire volunt, ut scientiam suam vendant,
20 verbi causa pro pecunia, pro honoribus : et turpis
quaestus[c] est. Sed sunt quoque qui scire volunt, ut aedi-
ficent : et caritas[d] est. Et sunt item qui scire volunt, ut
aedificentur : et prudentia est.

4. Horum omnium soli ultimi duo non inveniuntur in
abusione scientiae, quippe qui ad hoc volunt intelligere,
ut bene faciant[a]. Denique : *Intellectus bonus omnibus
facientibus eum*[b]. Reliqui omnes audiant : *Scienti bonum
5 et non facienti, peccatum est ei*[c], ac si per similitudinem

---

b. Phil. 2, 3   c. Cf. I Pierre 5, 2   d. Cf. I Cor. 8, 1
4. a. Cf. Ps. 35, 4   b. Ps. 110, 10   c. Jac. 4, 17 ≠

---

1. Citation de Perse, *Sat.* 1, 27.
2. Les cinq motifs pour rechercher la science : a) pour savoir : indigne
curiosité; b) pour étaler sa science : indigne vanité; c) pour vendre sa
science : indigne profit; d) pour édifier : c'est charité; e) pour être
édifié : c'est prudence.

de choses, s'il ignore la manière de savoir. Tu vois, dis-je, comme il situe le fruit et l'utilité de la science dans la manière de savoir. Pourquoi parle-t-il ainsi de la manière de savoir? Pourquoi, sinon pour que tu saches dans quel ordre, avec quel soin et à quelle fin il faut connaître chaque chose? Dans quel ordre : pour que tu donnes la priorité à ce qui est plus avantageux pour le salut. Avec quel soin : pour que tu apprennes avec plus d'ardeur ce qui rend plus intense l'amour. A quelle fin : non pour satisfaire « la vaine gloire[b] » ou la curiosité ou quelque envie semblable, mais seulement pour t'édifier toi-même ou le prochain.

III. La volonté de savoir a cinq motifs.
Comparaison entre la nourriture et la science.

Il est des gens, en effet, qui veulent savoir à la seule fin de savoir : indigne curiosité. Et il en est d'autres qui veulent connaître pour être connus eux-mêmes : indigne vanité. Ceux-ci n'échapperont pas aux railleries du poète satirique qui récitait aux gens de cette espèce : « Pour toi savoir n'est rien, si un autre ne sait pas que tu sais[1]. » Il en est d'autres encore qui veulent savoir pour vendre leur science, par exemple pour en tirer de l'argent ou des honneurs : indigne profit[c]. Mais il en est aussi qui veulent savoir pour édifier : c'est charité[d]. Enfin, il en est d'autres qui veulent savoir pour être édifiés : c'est prudence[2].
4. Seules ces deux dernières catégories d'hommes n'abusent pas de la science, puisqu'ils veulent comprendre pour bien agir[a]. Ainsi « la compréhension est bonne pour tous ceux qui la mettent en pratique[b] ». Quant à tous les autres, qu'ils entendent ceci : « Celui qui connaît le bien et ne le fait pas commet un péché[c][3]. » C'est comme s'il disait

---

3. * Les 10 emplois de ce verset omettent tous *facere*, comme le font souvent les Pères. Cf. *SCt* 74, 9 (*SBO* II, 245, 6).

dicat : Sumenti cibum, et non digerenti, perniciosum est
ei. Cibus siquidem indigestus, et qui bonam non habet
decoctionem, malos generat humores, et corrumpit corpus,
non nutrit. Ita et multa scientia ingesta stomacho animae,
10 quae est memoria, si decocta igne caritatis non fuerit, et
per quosdam artus animae, mores scilicet atque actus,
transfusa atque digesta, quatenus ipsa de bonis quae
noverit, vita attestante et moribus, bona efficiatur : nonne
illa scientia *reputabitur in peccatum*[d], tamquam cibus
15 conversus in pravos noxiosque humores? Annon malus
humor peccatum? Annon mali humores pravi mores?
Annon inflationes et tortiones in conscientia sustinebit qui
huiusmodi est, *sciens* videlicet *bonum, et non faciens*[e]?
Annon *responsum mortis* et damnationis toties *in seme-*
20 *tipso habebit*[f], quoties in mentem venerit sermo, quem
dixit Deus, quia *servus sciens voluntatem Domini sui et*
non faciens digna, multis vapulabit[g]? Et vide ne forte in
persona talis animae Propheta plangeret, dicens : *Ventrem*
meum doleo, ventrem meum doleo[h]. Nisi quod ipsa inge-
25 minatio geminum videtur innuere sensum, ut praeter hunc
quem diximus, etiam alium requiramus. Puto enim quod
in sua persona potuit hoc dixisse Propheta, quod videlicet scientia plenus, et aestuans caritate, et omnino
effundere cupiens, non inveniret qui curaret audire : et

---

d. Deut. 23, 21 ≠   e. Lc 12, 47 ≠   f. II Cor. 1, 9 ≠
g. Lc 12, 47 (Patr.)   h. Jér. 4, 19 ≠

---

1. Les cisterciens aiment comparer l'activité de la mémoire à la
digestion de l'estomac. Il faut se souvenir ici des mots *ruminare*
(«ruminer») et *ruminatio* («rumination») qui désignent en premier lieu
la digestion des animaux ruminants.

2. * Bernard utilise 11 fois ce texte, avec des variations. C'est ici un
texte moyen, qui se rapproche surtout d'Augustin : *sciens* pour *qui*
cognovit; et non faciens digna pour *et non praeparavit... eius; multis*
(sans *plagis*) pour *multas*. Cf. SCt 74, 9 (SBO II, 245, 7); on voit que
Bernard enchaîne ces 2 textes de *Jac.* 4, 17 et de *Lc* 12, 47 dans ce

par mode de comparaison : celui qui prend un aliment et
ne le digère pas en tire dommage. Car un aliment indi-
geste, et qui n'est pas bien cuit, engendre des humeurs
pernicieuses, et nuit au corps au lieu de le nourrir. Ainsi
on peut avaler beaucoup de science dans l'estomac de
l'âme, qui est la mémoire[1]. Mais si cette science n'a pas
été cuite au feu de la charité, et si elle n'a pas été digérée
et répartie, pour ainsi dire, dans les organes de l'âme, c'est-
à-dire les mœurs et les actes, ne «sera-t-elle pas consi-
dérée comme un péché[d]», telle un aliment transformé en
des humeurs corrompues et nocives? Car il faut que cette
science, à partir du bien qu'elle connaît, devienne elle-
même bonne, ce dont la vie et les actes porteront témoignage. Le péché n'est-il pas une humeur pernicieuse? Et
les mœurs corrompues, ne sont-elles pas des humeurs pernicieuses elles aussi? «Celui donc qui sait le bien et ne le
fait pas[e]», ne devra-t-il pas supporter dans sa conscience
des flatuosités et des coliques? Oui, «il entendra en lui-
même un arrêt de mort[f]» et de damnation toutes les fois
que lui viendra à l'esprit cette parole de Dieu : «Le serviteur qui connaît la volonté de son Seigneur et ne l'accomplit pas dignement recevra bien des coups[g][2].»
Considère si ce n'est pas au nom d'une telle âme que le
Prophète se lamentait, en disant : «Mon ventre me fait mal,
mon ventre me fait mal[h].» A moins que cette répétition
même ne semble suggérer un double sens, et nous obliger
à en chercher un autre, après celui que nous venons de
dire. Je pense que le Prophète a pu dire cela en son propre
nom, parce que, plein de science et bouillonnant de charité,
et désirant entièrement répandre son savoir, il ne trouvait
personne qui se souciât de l'écouter. Ainsi sa science, qu'il

sermon 36 comme dans le sermon 74 : s'agit-il d'un mode de fonc-
tionnement de Bernard auteur, ou de l'utilisation de dossiers?

30 sic quasi oneri sua sibi scientia erat, quam communicare
non poterat. Plangit itaque pius Ecclesiae doctor, tam illos
qui scire contemnunt quomodo sit vivendum, quam illos
qui, scientes, male nihilominus vivunt, et pro eo quod
eumdem sermonem Propheta repetit, advertisne iam quam
verum sensit Apostolus, quia *scientia inflat*[i]?

IV. Quod primum oporteat hominem se scire, et somnolentorum increpatio.

5. Volo proinde animam primo omnium scire seipsam,
quod id postulet ratio et utilitatis, et ordinis. Et ordinis
7   quidem, quoniam quod nos sumus primum est nobis;
5 utilitatis vero, quia talis scientia non inflat, sed humiliat,
et est quaedam praeparatio ad aedificandum[a]. Nisi enim
super humilitatis stabile fundamentum, spirituale aedi-
ficium[b] stare minime potest[c]. Porro ad se humiliandam
anima nihil invenire vivacius seu accommodatius potest,
10 quam si se in veritate invenerit : tantum non dissimulet,
non sit in spiritu eius dolus[d], *statuat se ante faciem
suam*[e], nec se a se avertere abducatur. Nonne ita se
intuens clara luce veritatis, inveniet se in regione dissimilitudinis, et suspirans misera, quam iam latere non
15 poterit quod vere misera sit, nonne cum Propheta clamabit ad Dominum : *In veritate tua humiliasti me*[f]? Nam
quomodo non vere humiliabitur in hac vera cognitione
sui, cum se perceperit *oneratam peccatis*[g], mole huius

i. I Cor. 8, 1
5. a. Cf. I Cor. 8, 1   b. Cf. I Cor. 3, 12   c. Cf. Mc 3, 25   d. Ps.
31, 2 ≠   e. Ps. 49, 21 ≠   f. Ps. 118, 75 ≠   g. II Tim. 3, 6 ≠

1. Belle définition du socratisme chrétien. Cf. É. GILSON, *La théologie
mystique de S. Bernard,* Paris 1947, p. 91-94.
2. « La région de la dissemblance ». Formule que Bernard a empruntée
à AUGUSTIN (*Conf.* VII, 10, 16, *CCL* 27, 103, 17) et qui est d'origine
grecque (Platon et Plotin). Cf. P. COURCELLE, *Recherches sur les Confes-*

ne pouvait pas communiquer, lui était comme à charge. Aussi ce pieux docteur de l'Église plaint-il à la fois ceux qui dédaignent de savoir comment il faut vivre, et ceux qui, tout en le sachant, n'en vivent pas moins mal. Quant au fait que le Prophète répète les mêmes mots, ne vois-tu pas maintenant à quel point l'Apôtre a eu raison de dire que «la science enfle[i]»?

IV. Avant tout, il faut que l'homme se connaisse lui-même. Avertissement aux somnolents.

5. Je veux donc qu'avant toute chose l'âme se connaisse elle-même, car c'est là ce qu'exigent aussi bien l'utilité que l'ordre[1]. L'ordre, parce que ce que nous sommes est premier pour nous. L'utilité, parce qu'une telle science n'enfle pas, mais humilie, et qu'elle prépare d'une certaine manière notre édification[a]. En effet, l'édifice spirituel[b] ne peut tenir[c] que sur le solide fondement de l'humilité. Or, pour s'humilier, l'âme ne peut trouver rien de plus efficace ou de plus adéquat que de se découvrir elle-même en vérité. Mais alors, qu'elle ne se dissimule rien, «qu'il n'y ait pas de fraude en son esprit[d]», «qu'elle se mette bien en face d'elle-même[e]», sans se laisser détourner d'elle-même. En se regardant ainsi à la claire lumière de la vérité, ne va-t-elle pas se découvrir dans la région de la dissemblance[2]? Gémissant dans sa misère, car elle ne pourra plus se cacher qu'elle est vraiment misérable, ne va-t-elle pas crier vers le Seigneur avec le Prophète : «Dans ta vérité tu m'as humilié[f]»? Comment ne serait-elle pas vraiment humiliée par cette vraie connaissance d'elle-même? Car elle se voit «chargée de péchés[g]», appesantie sous la masse de ce corps mortel, empêtrée

sions de S. Augustin, Paris, 1950, p. 129, n. 3 et p. 167. A. Solignac, «*Regio dissimilitudinis*», BA 13, p. 689-693.

mortalis corporis aggravatam, terrenis[h] intricatam curis,
20 *carnalium desideriorum*[i] faece infectam, caecam, curvam,
infirmam, implicitam multis erroribus, expositam mille
periculis, mille timoribus trepidam, mille difficultatibus
anxiam, mille suspicionibus obnoxiam, mille necessita-
tibus aerumnosam, proclivem ad vitia, invalidam ad vir-
25 tutes? Unde huic iam *extollentia oculorum*[j], unde levare
caput? Nonne magis *convertetur in aerumna* sua, *dum
configitur spina*[k]? Convertetur, inquam, ad lacrimas,
convertetur ad planctus et gemitus, *convertetur ad
Dominum*[l], et in humilitate clamabit : *Sana animam
30 meam, quia peccavi tibi*[m]. Porro conversa ad Dominum
recipiet consolationem, quia *Pater* est *misericordiarum,
et Deus totius consolationis*[n].

6. Ego quamdiu in me respicio, *in amaritudine moratur
oculus meus*[a]. Si autem suspexero et levavero oculos ad
divinae miserationis auxilium, temperabit mox amaram
visionem mei laeta visio Dei, cui et dico : *Ad meipsum
5 anima mea conturbata est, propterea memor ero tui de
terra Iordanis*[b]. Nec mediocris Dei visio, pium et depre-
cabilem experiri, sicut revera *benignus et misericors est,
8   et praestabilis super malitia*[c] : quippe cuius natura bonitas,
et cui proprium est misereri semper et parcere. Tali

---

h. Cf. Sag. 9, 15   i. I Pierre 2, 11 ≠   j. Sir. 23, 5 ≠
k. Ps. 31, 4 ≠   l. Joël 2, 13 ≠   m. Ps. 40, 5 ≠   n. II Cor.
1, 3 ≠
6. a. Job 17, 2 ≠   b. Ps. 41, 7   c. Joël 2, 13 (Lit.)

---

1. *Anima curva*, «Ame courbée». Cf. P. DELFGAAUW, *S. Bernard Maître
de l'amour divin*, Paris 1994, p. 105-107. Cf. *SCt* 24, 6 (*SC* 431, 249-
253).

2. * A deux reprises, Bernard cite ce verset selon le répons *Dere-
linquat* du 1er dimanche de Carême.

3. * «Sa nature... épargner» : Bernard reprend deux oraisons. La première, *cuius natura bonitas,* se rencontre 6 fois dans les œuvres de
Bernard, dont 4 fois en association avec la seconde, comme ici. *Cuius*

dans les soucis terrestres[h], souillée par la fange «des désirs charnels[i]», aveugle, courbée[1], infirme, enlacée par tant d'erreurs, exposée à mille dangers, tremblante de mille frayeurs, angoissée par mille difficultés, en butte à mille soupçons, affligée par mille besoins, portée aux vices, incapable d'aucune vertu. D'où lui viendrait encore «l'audace de lever les yeux[j]», d'où le courage de dresser la tête? Ne va-t-elle pas bien plutôt «se convertir dans son malheur, tandis que l'aiguillon la point[k]»? Oui, elle se convertira aux larmes, elle se convertira aux plaintes et aux gémissements, «elle se convertira au Seigneur[l]» et s'écriera avec humilité : «Guéris mon âme, car j'ai péché contre toi[m].» Désormais convertie au Seigneur, elle recevra la consolation, car «il est le Père des miséricordes et le Dieu de toute consolation[n]».

6. Pour moi, tant que je regarde en moi-même, «mon œil demeure dans l'amertume[a]». Mais que je regarde en haut et que je lève les yeux vers le secours de la divine miséricorde, aussitôt la joyeuse vision de Dieu adoucira l'amère vision de moi-même. Alors je dis à Dieu : «Tournée vers moi-même, mon âme s'est troublée; c'est pourquoi je me souviendrai de toi, depuis le pays du Jourdain[b].» Ce n'est pas une médiocre vision de Dieu que d'expérimenter combien il est bon et se laisse fléchir, car «il est vraiment bienveillant et miséricordieux, et il pardonne volontiers la méchanceté[c2]». Sa nature est la bonté, et ce qui lui est propre, c'est de toujours faire miséricorde et d'épargner[3]. C'est donc par cette expé-

---

natura bonitas est dans Léon le Grand, *Serm. 1 pour Noël* 1 (*SC* 22, 76) : *Deus omnipotens et clemens, cuius natura bonitas, cuius voluntas potentia, etc.* Quant à *Cuius proprium... parcere,* il constitue le début de la collecte de la messe d'enterrement. Bernard la cite 9 fois, dont 5 fois dans les *SCt.*

10 namque experimento et tali ordine Deus salubriter inno-
tescit, cum prius se homo noverit in necessitate positum,
et *clamabit ad* Dominum, *et exaudiet eum*[d], et dicet :
Eruam te, et honorificabis me[e]. Atque hoc modo erit
gradus ad notitiam Dei, tui cognitio; et ex imagine sua,
15 quae in te renovatur[f], ipse videbitur, dum tu quidem
revelata facie gloriam Domini cum fiducia *speculando, in*
eamdem imaginem transformaris de claritate in claritatem,
tamquam a Domini Spiritu[g].

7. Sed iam adverte, quomodo utraque cognitio sit tibi
necessaria ad salutem, ita ut neutra carere valeas cum
salute. Nam *si ignoras te*[a], non habebis timorem Dei in
te, non humilitatem. An vero sine timore Dei et sine
5 humilitate de salute praesumas, tu videris. Bene fecistis
grunniendo significare quod minime ita sapiatis, immo
quod non ita desipiatis, ne in eo quod planum est immo-
remur. Sed attendite cetera. An potius pausandum est
propter somnolentos? Putabam me uno sermone implere
10 quod promisi de duplici ignorantia, et fecissem, nisi fas-
tidiosis longior videretur. Quosdam siquidem oscitantes,
et quosdam dormitantes intueor. Nec mirum : praecedentis
noctis vigiliae longissimae quippe fuerunt et excusant eos.
Verum illis quid dicam, qui et tunc dormierunt, et modo
15 nihilominus dormiunt[b]? Sed non pergo nunc ulterius exa-
gitare verecundiam eorum : sufficit tetigisse. Puto quod
melius deinceps vigilabunt, nostrae observationis cauterium

d. Ps. 90, 15 ≠   e. Ps. 49, 15   f. Cf. Col. 3, 10
g. II Cor. 3, 18 ≠
7. a. Cant. 1, 7   b. Cf. Matth. 25, 5

1. Bernard a employé souvent le verbe *oscitare*, «bâiller» dans le
sermon 16 (*SC* 431, 46-53) à propos de l'enfant ressuscité par le prophète Élisée. Il ne le reprendra plus qu'une seule fois en *SCt* 47, 8,
l. 10, p. 306.

rience et selon cet ordre que Dieu se fait connaître pour notre salut, lorsque l'homme commence par se connaître dans son dénuement, et «crie vers» le Seigneur, qui «l'exaucera[d]» et lui dira : «Je te délivrerai, et tu m'honoreras[e].» Ainsi, le degré qui mène à la connaissance de Dieu sera la connaissance de toi-même. A partir de son image, qui se renouvelle en toi[f], lui-même se laissera voir, tandis que toi, «contemplant avec confiance à visage découvert la gloire du Seigneur, tu es transformé en cette même image, de clarté en clarté, comme par l'Esprit du Seigneur[g]».

7. Observe enfin de quelle manière ces deux connaissances te sont nécessaires pour le salut, si bien que tu ne peux pas être sauvé si l'une ou l'autre fait défaut. Car «si tu t'ignores toi-même[a]», tu n'auras en toi ni la crainte de Dieu, ni l'humilité. A toi de voir si tu peux prétendre au salut sans la crainte de Dieu et sans l'humilité. Vous avez raison de me prouver par vos murmures que vous ne partagez point cette opinion, ou plutôt que vous ne commettez pas cette folle erreur. Nous n'avons donc pas besoin de nous attarder davantage à ce qui est manifeste. Mais soyez attentifs à la suite. Ou bien vaut-il mieux en rester là, à cause de ceux qui commencent à somnoler? Je pensais pouvoir m'acquitter en un seul sermon de la promesse que je vous avais faite au sujet de la double ignorance; et j'y serais parvenu, si mon sermon ne semblait trop long à ceux qui se lassent. Car j'en vois qui bâillent[1], et d'autres qui s'endorment. Rien d'étonnant : les vigiles de la nuit précédente ont été vraiment très longues, et elles les excusent. Mais que dirai-je à ceux qui à la fois ont dormi pendant cet office et qui dorment encore maintenant[b]? Je n'insiste pas ni ne veux les couvrir davantage de honte : il suffit d'y avoir fait allusion. Je crois que désormais ils seront mieux éveillés, craignant d'être marqués par le fer rouge de

verituri. In hac spe gerimus eis morem vice hac; et quod
continuandum ratio exigebat, eorum caritate, pendente
20 licet disputatione, partimur, facientes finem ubi non erat
finis. Ipsi vero super sibi facta indulgentia nobiscum glo-
rificent sponsum Ecclesiae, Dominum nostrum, *qui est
Deus benedictus in saecula. Amen* [c].

---

c. Rom. 1, 25 ≠

1. L'abbé de Clairvaux n'est pas avare de réprimandes qui s'adressent
soit aux supérieurs (*SCt* 23, 2, *SC* 431, 202-205), soit aux novices
(*SCt* 19, 7, *SC* 431, 120-123). Ici la réprimande s'adresse aux moines
qui bâillent et qui s'endorment pendant les offices. Cette réprimande

notre réprimande. Dans cet espoir, je les tiens quittes pour cette fois[1]. Par charité pour eux, bien que cette conférence reste en suspens, nous partageons ce que logiquement il aurait fallu continuer, et nous mettons un terme là où il n'y en avait pas. Quant à eux, pour cette indulgence qu'on leur montre, qu'ils glorifient avec nous l'Époux de l'Église, notre Seigneur, «qui est Dieu béni dans les siècles. Amen[c]».

s'approche de l'ironie et de la satire telles qu'on les trouve dans l'*Apologie* : cf. «Aspects littéraires de l'œuvre de S. Bernard» dans LECLERCQ, *Recueil*, t. 3, p. 45-54.

SERMO XXXVII

9   I. Qualiter de nostra et Dei cognitione timor et amor oriatur, et quid
sit : *Seminate vobis ad iustitiam.* – II. De gaudio spei, et unde in animo
generetur. – III. Quod post Dei et nostri notitiam scientia addita non
inflat, et quomodo ignorantia nostri superbiam generat. – IV. Quantum
periculum sit vel modice extolli a similitudine ostii, et quod nulli se
debeat homo comparare.

I. Qualiter de nostra et Dei cognitione timor et amor oriatur, et quid sit : *Seminate vobis ad iustitiam.*

1. Puto non habemus nunc opus hortari ad vigilandum,
cum absque dubio sermo ille suggillatorius vigilet, utpote
adhuc recens, qui heri a nobis caritative prolatus, bene
aliquos expergefecit. Ergo tenetis memoria quod teneam[a]
5 assensum vestrum, neminem absque sui cognitione salvari,
de qua nimirum mater salutis humilitas oritur, et *timor
Domini*, qui et ipse sicut *initium sapientiae*[b], ita est et
salutis. Nemo, dico, absque illa cognitione salvatur, qui
tamen *aetatem habeat*[c] ac facultatem cognoscendi. Quod
10 propter parvulos loquor, et propter fatuos, quorum alia
ratio est. Quid, si ignoras Deum? Poteritne spes esse
salutis cum Dei ignorantia? Ne hoc quidem. Nec enim
potes aut amare quae nescias, aut habere quae non ama-

1. a. Cf. II Thess. 2, 7   b. Ps. 110, 10 ≠; Sir. 1, 16 ≠
c. Jn 9, 21. 23 ≠

SERMON 37

I. Comment la crainte et l'amour naissent de la connaissance de nous-mêmes et de Dieu. Signification de ces paroles : «Semez pour vous en vue de la justice.» – II. La joie de l'espérance, et d'où elle naît dans l'âme. – III. La science n'enfle pas, si elle s'ajoute à la connaissance de Dieu et de nous-mêmes. Comment l'ignorance de nous-mêmes engendre l'orgueil. – IV. Qu'il est grand – l'image de la porte le montre – le danger de s'élever si peu que ce soit. L'homme ne doit se comparer à personne.

I. Comment la crainte et l'amour naissent de la connaissance de nous-mêmes et de Dieu. Signification de ces paroles : «Semez pour vous en vue de la justice.»

1. Je pense que nous n'avons pas besoin maintenant de vous exhorter à l'éveil. Car, sans aucun doute, mes charitables réprimandes d'hier sont encore présentes à vos esprits, étant toutes récentes; elles en ont heureusement réveillé quelques-uns. Vous m'avez accordé[a], si vous vous en souvenez, que personne n'est sauvé sans la connaissance de soi-même, car de cette connaissance naît l'humilité, mère du salut, et «la crainte du Seigneur», qui est elle-même «le commencement de la sagesse[b]» et donc du salut aussi. Personne, dis-je, n'est sauvé sans cette connaissance, si toutefois «il a l'âge[c]» et la capacité de connaître. Je le précise à cause des petits enfants et à cause des fous, pour lesquels c'est une autre affaire. Mais qu'arrive-t-il, si tu ignores Dieu? L'espoir du salut pourra-t-il aller de pair avec l'ignorance de Dieu? Certes non. Car tu ne peux ni aimer ce que tu ignores, ni posséder ce que tu n'as pas

veris. Noveris proinde te, ut Deum timeas; noveris ipsum,
15 ut aeque ipsum diligas. In altero initiaris ad sapientiam,
in altero et consummaris, quia *initium sapientiae timor
Domini* [d] est, et *plenitudo legis est caritas* [e]. Tam ergo
utraque ignorantia cavenda est tibi, quam sine timore et
amore salus esse non potest. Cetera indifferentia sunt,
20 nec salutem, si sciantur, nec damnationem, si nesciantur,
habentia.

2. Non tamen dico contemnendam scientiam litterarum,
quae ornat animam et erudit eam, et facit ut possit etiam
alios erudire. Sed duo illa oportet et expedit ut prae-
10 cedant, in quibus summam salutis constitui superior ratio
5 declaravit. Et vide si non intuebatur, et si non docebat
hunc ordinem qui dicebat : *Seminate vobis ad iustitiam,
et metite spem vitae*, et tunc demum *illuminate vobis*, ait,
lumen scientiae [a]. Ultimam posuit scientiam, tamquam pic-
turam quae statum habere nequeat super inane, et illa
10 duo praemisit et subiecit illi, tamquam si solidum aliquid
picturae substerneret. Securus iam intendam scientiae, si
vitae prius per beneficium spei securitatem accepero. Tu
ergo *seminasti tibi ad iustitiam*, si ex vera notitia tui evi-
gilasti timere Deum, temetipsum humiliasti, fudisti lacrimas,
15 eleemosynas profudisti, ceterisque te pietatis operibus

---

d. Ps. 110, 10; Sir. 1, 16   e. Rom. 13, 10 (Patr.)
2. a. Os. 10, 12 (Patr.)

---

1. * Texte habituel de Bernard, après Augustin en particulier; de même
en *SCt* 37, 6, l. 4 s., p. 134. Cf. *SC* 431, 102, n. 1 sur *SCt* 18, 6.
2. Citation *VI* de *Osée* 10, 12. Texte qu'Augustin ne cite jamais. Bernard
semble suivre ici ORIGÈNE, *In Lev.* 6, 4 (*GCS* Origenes 6, p. 366, 11) :
*Seminate vobis ad iustitiam, et metite fructum vitae, illuminate vobis
lumen scientiae*, « Faites-vous des semailles selon la justice et récoltez
du fruit de la vie; soyez illuminés de la lumière de la science » (*SC*
286, 287). * Bernard fait 6 citations de ce verset, plus ou moins longues,
mais avec un texte constant, fort différent de *Vg.* On en retrouve les
divers éléments chez plusieurs Pères, jamais la totalité dans le même
texte. Cf. *NatV* 3, 3 (*SBO* IV, 213, 17).

aimé. Connais-toi donc toi-même, afin de craindre Dieu ; connais-le lui-même, afin de l'aimer. Par la première connaissance tu es initié à la sagesse, par la seconde tu parviens à son achèvement, puisque «le commencement de la sagesse est la crainte du Seigneur[d]», et que «la plénitude de la loi est la charité[e1].» Tu dois donc te garder de l'une et de l'autre ignorance, dans la mesure où sans la crainte et l'amour il ne peut pas y avoir de salut. Tout le reste est indifférent, et sa connaissance n'implique pas le salut, ni son ignorance la damnation.

2. Je ne dis pas pour autant qu'il faille mépriser la connaissance des lettres, qui orne l'âme et l'instruit, et la rend capable d'instruire aussi les autres. Mais il est opportun et utile de donner la priorité à ces deux connaissances qui sont constitutives du salut, comme nous l'a montré la raison ci-dessus alléguée. Considère si ce n'est pas cet ordre qu'envisageait et enseignait celui qui disait : «Semez pour vous en vue de la justice, et moissonnez l'espérance de la vie», et seulement ensuite : «Allumez pour vous, dit-il, la lumière de la science[a2].» Il a mis la science au dernier rang, comme une peinture qui ne saurait tenir sur le vide ; et il a fait précéder les deux autres connaissances et les a mises à la base, comme le fond solide destiné à porter la peinture. Je m'appliquerai en toute sécurité à la science, si j'ai d'abord reçu la sécurité de la vie grâce à l'espérance[3]. «Tu as donc semé pour toi en vue de la justice», si par la vraie connaissance de toi-même tu es resté vigilant à craindre Dieu, si tu t'es humilié, si tu as versé des larmes et prodigué des aumônes, si tu t'es adonné aux autres œuvres de

---

3. L'auteur veut assigner à la science sa vraie place. La connaissance de soi et l'espérance doivent la précéder. Si l'homme spirituel respecte cet ordre des valeurs, aucune science ne pourra lui être nuisible.

mancipasti, si ieiuniis et vigiliis afflixisti corpus, si pectus
tunsionibus, caelos clamoribus fatigasti. Hoc siquidem
seminare ad iustitiam est. Semina sunt bona opera, bona
studia, semina lacrimae sunt. *Ibant,* inquit, *et flebant, mit-*
20 *tentes semina sua.* Sed quid? Semper flebunt? Absit. Sed
venient cum exsultatione, portantes manipulos suos[b].
Merito cum exsultatione, cum reportant manipulos gloriae.
«At istud», inquis, «*in resurrectione in novissimo die*[c],
et est nimis longum.»

II. De gaudio spei, et unde in animo generetur.

25   Noli animo frangi, noli deficere *a pusillanimitate spi-*
ritus[d]; *habes* interim de *primitiis Spiritus*[e], quod ad
praesens *in exsultatione metas*[f]. *Seminate,* ait, *vobis ad*
iustitiam, metite spem vitae. Non te modo mittit ad diem
novissimum, quando res iam erit in re et non in spe,
30 sed de praesenti loquitur. Prorsus magna laetitia et exsul-
tatio multa nimis, cum vita venerit.

   3. Sed numquid tantae laetitiae spes erit sine laetitia?
Spe gaudentes[a], ait Apostolus. Et David non laetaturum,
sed *laetatum* se dixit, quod *in domum Domini* se
5 speraret *iturum*[b]. Nondum vitam tenebat, sed spem profecto vitae messuerat; atque in semetipso experiebatur

---

b. Ps. 125, 6 ≠   c. Jn 11, 24 ≠   d. Ps. 54, 9   e. Rom.
8, 23 ≠   f. Ps. 125, 5 ≠
3. a. Rom. 12, 12   b. Ps. 121, 1 ≠

---

1. «L'attente est bien longue.» Bernard se plaint ailleurs de la longueur de l'attente du dernier jour. Cf. *SCt* 74, 4 (*SBO* II, 241, 30–242,
2). «Que ce peu de temps dure longtemps. Seigneur, tu appelles bref
le temps où nous ne te verrons plus. Sauf le respect que mérite la
parole de mon Seigneur, ce temps est long, beaucoup trop long.»
Cf. P. VERDEYEN, «Un théologien de l'expérience», *BdC,* p. 560-561.

2. *Interim,* «Entre-temps». Le temps de notre vie terrestre, le temps
présent. L'emploi fréquent du mot *interim* par Bernard et Guillaume

miséricorde, si tu as mortifié ton corps par les jeûnes et les veilles, si tu t'es frappé la poitrine et as fatigué les cieux de tes clameurs. Oui, c'est là «semer en vue de la justice». Les semences sont les bonnes œuvres, les bonnes pratiques; les semences sont les larmes. «Ils allaient, dit-il, et pleuraient, en jetant leurs semences.» Mais quoi? Vont-ils pleurer toujours? Loin de là. Mais «ils viendront dans la joie, en portant leurs gerbes[b].» Joie bien juste, puisqu'ils rapportent les gerbes de la gloire. «Mais, dis-tu, c'est pour la résurrection au dernier jour[c], et l'attente est bien longue[1].»

II. La joie de l'espérance, et d'où elle naît dans l'âme.

Ne te laisse pas abattre, ne défaille pas «par manque de courage spirituel[d]». Pour l'entre-temps[2] «tu as, grâce aux prémices de l'Esprit[e]», de quoi «moissonner dès à présent dans la joie[f]». «Semez pour vous en vue de la justice, dit-il, moissonnez l'espérance de la vie.» Il ne te renvoie pas seulement au dernier jour, lorsque la réalité sera désormais réellement possédée, et non plus espérée; il parle du présent. Certes, grande sera l'allégresse, immense la joie, lorsque la vie sera venue.

3. Mais l'espérance d'une si grande allégresse pourrait-elle être sans allégresse? «Joyeux dans l'espérance[a]», dit l'Apôtre. Et David n'a pas dit qu'il serait joyeux, mais «qu'il l'était», quand il espérait «se rendre dans la maison du Seigneur[b]». Il ne possédait pas encore la vie, mais déjà il avait moissonné l'espérance de la vie. Il expé-

de Saint-Thierry mériterait une étude approfondie. Ruusbroec souligne l'importance du temps présent par cette phrase laconique : «Ceux qui se dispensent de louer Dieu ici-bas, éternellement resteront muets» (*Les noces spirituelles*, trad. A. Louf, Bellefontaine 1993, p. 94).

veritatem Scripturae perhibentis, quia non modo remuneratio, sed ipsa quoque *exspectatio iustorum laetitia*[c].
Hanc parit in animo illius qui *sibi ad iustitiam semi-
navit*[d], praesumpta indulgentia delictorum, si tamen ipsam
10 indulgentiam efficacia attestatur acceptae gratiae ad
vivendum sanctius deinceps. Omnis in vobis qui hoc sentit
intra se actitari, scit quid loquitur Spiritus, cuius vox atque
11 operatio minime inter se umquam dissentiunt. Propterea
ergo intelligit quae dicuntur, quoniam quae foris audit,
15 intus sentit. Nam *qui in nobis loquitur*[e], *operatur in vobis*[f],
unus atque idem Spiritus, dividens singulis prout vult[g] :
aliis quidem loqui, aliis autem operari[h] quod bonum est.

4. Quisquis itaque nostrum post illa amara et lacrimosa
conversationis suae primordia respirasse in spem consolationis, pennis gratiae sublevatum se evolasse laetatur, is
profecto iam metit, suarum recipiens fructum temporaneum
5 lacrimarum; et ipse vidit Deum, et audivit vocem
dicentis[a] : *Date ei de fructibus manuum suarum*[b]. Nam
quomodo non vidit Deum, qui *gustavit et vidit quoniam
suavis est Dominus*[c]? Quam dulcem et suavem te sentit,
Domine Iesu, cui a te non modo peccata donata sunt[d],
10 sed et munus indultum est sanctitatis; neque id solum,
sed addita insuper ad cumulum bonorum vitae aeternae
promissio. Felix qui tantum iam messuit, *habens* interim
quidem *fructum suum in sanctificationem, finem vero
vitam aeternam*[e]! Merito qui se invento flevit[f], *gavisus*

---

c. Prov. 10, 28   d. Os. 10, 12 ≠   e. II Cor. 13, 3 ≠
f. I Thess. 2, 13   g. I Cor. 12, 11   h. Cf. I Cor. 12, 10
    4. a. Cf. Apoc. 14, 13   b. Prov. 31, 31 ≠   c. Ps. 33, 9 ≠
d. Cf. Col. 2, 13   e. Rom. 6, 22 ≠   f. Cf. Lc 22, 61-62

---

1. « Tous ceux d'entre vous qui sentent se passer en eux ces choses. »
Appel à l'expérience personnelle de ses auditeurs. Cf. *SCt* 3, 1 (*SC* 414,
101) : « Aujourd'hui nous lisons dans le livre de l'expérience. »

rimentait en lui-même la vérité de l'Écriture, qui atteste que
non seulement la récompense, mais aussi «l'attente même
des justes est allégresse[c]». Cette allégresse, dans l'âme de
celui qui «a semé pour lui-même en vue de la justice[d]»,
c'est le pardon auguré de ses péchés qui la fait naître; si
toutefois ce pardon est attesté par l'efficacité de la grâce
reçue pour mener dès lors une vie plus sainte. Tous ceux
d'entre vous qui sentent se passer en eux ces choses[1],
savent ce que dit l'Esprit, dont la parole et l'action ne sont
jamais en désaccord. Ils comprennent ce qui vient d'être
dit, parce que ce qu'ils entendent du dehors correspond à
ce qu'ils ressentent au-dedans. En effet, «celui qui parle
en nous[e]» «agit en vous[f]», «le même et unique Esprit,
qui distribue ses dons à chacun en particulier, comme il
l'entend[g]» : aux uns il donne de dire ce qui est bien, aux
autres de bien agir[h].

4. Quiconque parmi nous se réjouit de respirer dans
l'espérance consolatrice, après les débuts amers et dou-
loureux de sa vie monastique; quiconque se réjouit de
prendre son vol, soulevé sur les ailes de la grâce : celui-
là assurément moissonne déjà, et il récolte le fruit de ses
larmes, fruit venu à maturité. Il a vu Dieu, et il a entendu
sa voix lui dire[a] : «Donnez-lui des fruits de ses mains[b].»
Comment n'aurait-il pas vu Dieu, celui qui «a goûté et
vu combien le Seigneur est doux[c]»? Comme il ressent
que tu es doux et suave, Seigneur Jésus[2], celui à qui tu
as non seulement remis ses péchés[d], mais aussi accordé
le don de la sainteté! De plus, par comble de bonheur,
tu as encore ajouté à cela la promesse de la vie éternelle. Heureux celui qui a déjà tant moissonné, «récoltant
dès à présent le fruit de sa sanctification, et pour
finir la vie éternelle[e]»! Celui qui pleurait en se décou-
vrant lui-même[f] «s'est réjoui avec raison en voyant le

---

2. Sans transition la prédication devient prière.

15 *est viso Domino*[g], ad cuius utique miserationis intuitum
tantos iam levavit manipulos[h], remissionem, sanctificationem, spem vitae. O quam verus est sermo qui in Propheta legitur : *Qui seminant in lacrimis, in exsultatione*
metent[i]! Ubi breviter comprehensa utraque cognitio est :
20 et nostri quidem in lacrimis serens, quae autem Dei metens
in gaudio.

III. Quod post Dei et nostri notitiam scientia addita
non inflat, et quomodo ignorantia nostri
superbiam generat.

5. Hac ergo in nobis gemina praeeunte notitia, iam ea
quae forte supercreverit scientia minime inflat[a], utpote
quae nihil valeat afferre terreni commodi vel honoris,
quod non sit sane inferius spe concepta, laetitiaque spei
5 iam altius radicata in animo. *Spes autem non confundit,*
quia caritas Dei diffusa est in cordibus nostris per Spi-
ritum Sanctum qui datus est nobis[b]. Ideo illa non
confundit, quia ista infundit certitudinem. Per hanc enim
ipse Spiritus testimonium perhibet spiritui nostro, quod filii
10 *Dei sumus*[c]. Quidnam igitur nobis de nostra quantacumque scientia provenire possit, quod non sit minus hac
gloria, qua inter Dei filios numeramur? Parum dixi : nec
respici in eius comparatione potest *orbis* ipse *et plenitudo*
12 *eius*[d], etiamsi totus cedat unicuivis nostrum in posses-
15 sionem. Ceterum si nos ignorantia Dei tenet, quomodo

---

g. Jn 20, 20 ≠   h. Cf. Ps. 125, 6   i. Ps. 125, 5
5. a. Cf. I Cor. 8, 1   b. Rom. 5, 5   c. Rom. 8, 16 ≠
d. Ps. 49, 12 ≠; etc.

---

1. Guillaume de Saint-Thierry a un commentaire très riche sur le verset
Rom. 5, 5. Il commence par cette phrase : *Ubi est fidelis ad te spes, statim*
est et res, «Là où se trouve la fidèle espérance envers toi, son objet aussi
s'y trouve immédiatement.» Quelle belle loi des vertus divines !

Seigneur[g]», puisque, à la seule vue de sa miséricorde, il a déjà obtenu de si belles gerbes[h] : le pardon, la sanctification, l'espérance de la vie. Oh! qu'elle est vraie la parole qui se lit dans le Prophète : «Ceux qui sèment dans les larmes, moissonneront dans l'exultation[i].» La double connaissance s'y trouve brièvement exprimée : celle de nous-mêmes qui sème dans les larmes; celle de Dieu qui moissonne dans la joie.

III. La science n'enfle pas, si elle s'ajoute à la connaissance de Dieu et de nous-mêmes. Comment l'ignorance de nous-mêmes engendre l'orgueil.

5. Si donc nous faisons passer d'abord cette double connaissance, la science qui se développe ensuite sur cette base n'enfle plus[a]. Car elle ne saurait apporter aucun avantage ni aucun honneur terrestres qui ne soient bien inférieurs à l'espérance conçue, et à la joie de l'espérance désormais très profondément enracinée dans l'esprit. «L'espérance ne trompe pas, parce que l'amour de Dieu a été répandu dans nos cœurs par l'Esprit-Saint qui nous a été donné[b].» Voilà pourquoi l'espérance ne trompe pas : parce que l'amour inspire la certitude[1]. Par lui «l'Esprit lui-même rend témoignage à notre esprit que nous sommes enfants de Dieu[c]». Alors, quel lustre peut nous venir de notre science, si grande soit-elle, qui ne soit inférieur à cette gloire d'être comptés au nombre des enfants de Dieu? C'est trop peu dire : «l'univers lui-même et sa plénitude[d]», à supposer qu'il tombe tout entier au pouvoir de tel ou tel d'entre nous, ne serait pas digne d'un regard en comparaison de cette gloire[2]. Par ailleurs, si l'ignorance de Dieu

---

2. Texte très proche de quelques affirmations de la béguine Marguerite Porète, morte sur le bûcher en 1310 : «A une âme qui possède Dieu on ne peut rien donner ni rien lui enlever» (M. PORÈTE, *Mirouer des simples ames* 11, l. 84-121, *CCM* 69, 42-44).

speramus in eum quem ignoramus[e]? *Si* nostri, quomodo
humiles erimus *putantes nos aliquid esse, cum nihil
simus*[f]? Scimus autem nec superbis, nec desperatis, partem
esse vel societatem in sorte sanctorum[g].

6. Intuere ergo nunc mecum quanta cura et sollicitudine
ambas istas repellere a nobis ignorantias debeamus, quarum
omnis peccati altera initium parit, altera consummationem,
sicut duarum e regione notitiarum initium sapientiae una,
5 perfectionem altera gignit : illa timorem Domini, ista caritatem[a]. At istud de notitiis supra ostensum est. Nunc de
ignorantiis vide. Etenim sicut *initium sapientiae timor
Domini*[b], sic *initium omnis peccati superbia*[c]; et quomodo
perfectionem sibi sapientiae vindicat amor Dei, ita despe-
10 ratio sibi omnem malitiae consummationem. Et quemadmodum ex notitia tui venit in te timor Dei, atque ex Dei
notitia Dei itidem amor, sic e contrario de ignorantia tui
superbia, ac de Dei ignorantia desperatio venit. Sic autem
superbiam parit tibi ignorantia tui, cum meliorem quam sis,
15 decepta et deceptrix tua cogitatio te esse mentitur. Hoc
quippe est superbia, hoc *initium omnis peccati*, cum maior
in tuis es oculis quam apud Deum, quam in veritate. Et
ideo qui prius peccavit hoc grande peccatum – diabolum
loquor –, de ipso dictum est *quia in veritate non stetit, sed
20 mendax est ab initio*[d], quoniam quod in sua fuit cogitatione, non fuit in veritate. Quid si in eo discordaret a
veritate, ut minorem se inferioremque putaret, quam veritas

---

e. Cf. I Cor. 15, 34; cf. Rom. 10, 14   f. Gal. 6, 3 (Patr.)
g. Cf. II Cor. 6, 14; cf. Col. 1, 12
6. a. Cf. Ps. 110, 10; cf. Rom. 13, 10 (Patr.)   b. Ps. 110, 10;
Sir. 1, 16   c. Sir. 10, 15 ≠   d. Jn 8, 44 ≠

---

1. * Cf. p. 94, n. 2 sur *Gal.* 6, 3 cité en *SCt* 35, 6.
2. Cf. p. 126, n. 1 sur *Rom.* 13, 6 cité en *SCt* 37, 2.

nous garde captifs, comment pouvons-nous espérer en celui que nous ignorons[e]? Si c'est l'ignorance de nous-mêmes, comment serons-nous humbles, «croyant être quelque chose alors que nous ne sommes rien[f1]»? Or, nous savons que ni les orgueilleux, ni les désespérés n'ont aucune part ni participation à l'héritage des saints[g].

6. Observons maintenant ensemble avec quel soin et quel empressement nous devons rejeter loin de nous ces deux ignorances, dont l'une engendre le commencement, l'autre la consommation de tout péché; comme, inversement, des deux connaissances, l'une engendre le commencement, l'autre la perfection de la sagesse; l'une la crainte du Seigneur, l'autre la charité[a2]. En ce qui concerne les deux connaissances, je l'ai montré plus haut. Vois maintenant ce qu'il en est des deux ignorances. Comme «le commencement de la sagesse est la crainte du Seigneur[b]», ainsi «le commencement de tout péché est l'orgueil[c]»; comme l'amour de Dieu revendique la perfection de la sagesse, ainsi le désespoir revendique la consommation du mal. Tout comme de la connaissance de toi-même naît en toi la crainte de Dieu, et de la connaissance de Dieu naît l'amour de Dieu; inversement, de l'ignorance de toi-même naît l'orgueil, et de l'ignorance de Dieu naît le désespoir. Voici comment l'ignorance de toi-même engendre en toi l'orgueil : ta pensée trompée et trompeuse te fait croire faussement meilleur que tu n'es en réalité. Car c'est cela l'orgueil, c'est cela «le commencement de tout péché» : lorsque tu es plus grand à tes yeux que devant Dieu et qu'en vérité. Voilà pourquoi celui qui commit le premier ce grand péché – je veux dire le diable – mérita qu'on dît de lui «qu'il ne s'est pas maintenu dans la vérité, mais qu'il est menteur dès le commencement[d]», parce qu'il ne fut pas en vérité ce qu'il était en sa pensée. Et s'il s'était écarté de la vérité en se croyant moindre et inférieur que ne l'estimait la

haberet? Excusaret eum sua procul dubio ignorantia et
minime reputaretur superbus, nec tam *inveniretur iniquitas*
25 *eius ad odium*[e] quam humilitas fortassis ad gratiam[f]. Si
enim in quonam statu unumquemque nostrum habeat Deus
liquido cognosceremus, nec supra sane, nec infra secedere
deberemus, veritati in omnibus acquiescentes[g]. Nunc autem
quia consilium hoc *posuit tenebras latibulum suum*[h], et
30 sermo absconditus est a nobis[i], ita ut *nemo sciat si sit
dignus amore vel odio*[j], iustius tutiusque profecto, iuxta
13 ipsius Veritatis consilium, novissimum nobis locum eligimus,
de quo postmodum superius cum honore educamur, quam
praesumimus altiorem, unde cedere mox oporteat cum
35 rubore[k].

**IV. Quantum periculum sit vel modice extolli a
similitudine ostii, et quod nulli se debeat homo
comparare.**

7. Non est ergo periculum, quantumcumque te humilies,
quantumcumque reputes minorem quam sis, hoc est, quam
te Veritas habeat. Est autem grande malum horrendumque
periculum, si vel modice plus vero te extollas, si vel uni
5 videlicet in tua cogitatione te praeferas quem forte parem
tibi Veritas iudicat aut superiorem. Quemadmodum si per
ostium transeas, cuius superliminare, ut ad intelligentiam
loquar, nimium bassum, non nocet quantumcumque
te inclinaveris, nocet autem si vel transversi digiti spatio
10 plus quam ostii patitur mensura erexeris, ita ut impingas
et capite quassato collidaris, ita in anima non est
plane timenda quantalibet humiliatio, horrenda autem

e. Ps. 35, 3 ≠   f. Cf. Jac. 4, 6   g. Cf. Rom. 2, 8   h. Ps. 17,
12   i. Cf. Lc 18, 34   j. Eccl. 9, 1 ≠   k. Cf. Lc 14, 9-10

i. Trop d'humilité serait contre la vérité, mais elle serait moins
dangereuse qu'un peu d'orgueil.

vérité? Sans aucun doute son ignorance l'eût excusé et il n'eût pas été jugé orgueilleux. Bien loin que «son iniquité lui attirât la haine[e]», son humilité lui eût peut-être attiré la grâce[f1]. Si nous savions clairement en quelle place Dieu met chacun de nous, nous ne devrions pas nous en écarter, ni au-dessus, ni au-dessous, nous conformant en tout à la vérité[g]. Mais, pour le moment, son dessein «s'est enveloppé de ténèbres[h]», et sa parole nous est cachée[i], si bien que «personne ne sait s'il est digne d'amour ou de haine[j]». Alors, selon le conseil de la Vérité elle-même, il est certes plus juste et plus sûr de choisir pour nous la dernière place, d'où on nous tirerait ensuite avec honneur pour nous placer plus haut. Cela vaut mieux que de nous arroger une place plus élevée, qu'il nous faudrait quitter peu après en rougissant[k].

IV. Qu'il est grand – l'image de la porte le montre – le danger de s'élever si peu que ce soit. L'homme ne doit se comparer à personne.

7. Il n'y a donc aucun danger à t'humilier autant que tu voudras, et à te croire bien moindre que tu n'es en réalité, c'est-à-dire aux yeux de la Vérité. Mais il y a un grand mal et un horrible danger à t'élever, si peu que ce soit, au-dessus du vrai, et à te préférer, dans ta pensée, même à un seul que, peut-être, la Vérité tient pour ton égal ou pour supérieur à toi. C'est ainsi que, si tu passes par une porte dont le linteau est trop bas – je parle ainsi pour me faire mieux comprendre – tu peux te baisser tant que tu voudras sans aucun dommage, mais tu te feras bien mal si tu te dresses, fût-ce de la largeur d'un doigt, plus haut que la porte, car tu te cogneras et te casseras la tête. Ainsi, en ce qui concerne l'âme, il ne faut nullement craindre aucun excès d'humiliation, mais il faut abhorrer et grandement redouter même la moindre

nimiumque pavenda vel minima temere praesumpta
erectio. Quamobrem noli te, homo, comparare maioribus,
15 noli minoribus, noli aliquibus, noli uni. Quid scis enim,
o homo, si unus ille, quem forte omnium vilissimum
atque miserrimum reputas, cuius vitam sceleratissimam
atque foedissimam singulariter horres et propterea illum
putas spernendum, non modo prae te, quod forte *sobrie*
20 *et iuste et pie vivere*[a] te confidis, sed etiam prae ceteris
omnibus sceleratis tamquam omnium sceleratissimum;
quid scis, inquam, si melior et te et illis *mutatione dex-*
terae Excelsi[b] in se quidem futurus sit, in Deo vero iam
sit? Et propterea non mediocrem, non vel penultimum,
25 non ipsum saltem inter novissimos eligere locum nos
voluit; sed *recumbe*, inquit, *in novissimo loco*[c], ut solus
videlicet omnium novissimus sedeas, teque nemini, non
dico praeponas, sed nec comparare praesumas. En
quantum malum venit de ignorantia nostri, utique pec-
30 catum diaboli et *initium omnis peccati, superbia*[d]. Quid
etiam Dei parturiat ignorantia, alias videbimus. Nam nunc
horae brevitas non permittit, quoniam hodie tarde conve-
nimus. Itaque sufficiat unumquemque modo ne seipsum
14 ignoret admonitum esse, non solum sermone nostro, sed
35 ipsius quoque dignatione sponsi Ecclesiae, Iesu *Christi*
Domini nostri, *qui est Deus benedictus in saecula. Amen*[e].

---

7. a. Tite 2, 12 ≠   b. Ps. 76, 11 ≠   c. Lc 14, 10
d. Sir. 10, 15 ≠   e. Rom. 9, 5 ≠

élévation présomptueuse. C'est pourquoi, ô homme, ne te compare ni à de plus grands, ni à de plus petits, ni à certains, ni à un seul. Qu'en sais-tu, ô homme? Ce seul individu, que tu tiens peut-être pour le plus vil et le plus misérable de tous, dont la vie tout à fait scélérate et répugnante te fait particulièrement horreur, tu penses devoir le mépriser non seulement par rapport à toi-même, toi qui te flattes peut-être de «vivre dans la sobriété, la justice et la piété[a]», mais même par rapport à tous les autres scélérats, comme étant le plus scélérat de tous. Sais-tu, dis-je, si «par un changement de la droite du Très-Haut[b]», il ne sera pas un jour meilleur en lui-même que toi et les autres, et s'il ne l'est pas déjà en Dieu? C'est pourquoi le Seigneur n'a pas voulu que nous choisissions une place à mi-hauteur, ni l'avant-dernière, ni même l'une des dernières; mais il a dit: «Va te mettre à la dernière place[c]», afin que tu t'assoies tout seul, le dernier de tous. Ainsi tu n'auras pas l'audace, je ne dis pas de te préférer, mais même de te comparer à personne. Voilà quel grand mal est venu de l'ignorance de nous-mêmes: «l'orgueil», péché du diable et «commencement de tout péché[d]». Quant au mal qu'engendre l'ignorance de Dieu, nous le verrons une autre fois. Le peu de temps qui reste ne nous permet pas de le voir maintenant, puisque nous nous sommes réunis tard aujourd'hui. Ainsi, il suffira pour le moment que chacun ait été averti de ne pas s'ignorer soi-même, non seulement par notre sermon, mais aussi par la bonté de l'Époux même de l'Église, «Jésus-Christ» notre Seigneur, «qui est Dieu béni dans les siècles. Amen[e]».

SERMO XXXVIII

I. Quomodo ignorantia Dei desperationem parit. – II. Quod omnes ignorant Deum qui nolunt converti ad eum, et quod non de tali ignorantia sponsa corripitur. – III. Quare inter mulieres pulchra dicatur sponsa, et quae sint istae mulieres.

I. Quomodo ignorantia Dei desperationem parit.

1. Quid ergo Dei ignorantia parturit? Nam hinc incipiendum est, sicut recordamini hic heri fuisse terminatum. Quid itaque parturit? Diximus desperationem; sed quonam modo dicamus. Forte aliquis reversus in se, et displicens
5 sibi in omnibus malis quae fecit, cogitansque resipiscere et redire *ab omni via mala*[a] et carnali conversatione sua, si ignorat *quam bonus* sit *Deus*[b], quam *suavis et mitis*[c], quam *multus ad ignoscendum*[d], nonne sua carnalis cogitatio arguet eum, et dicet: Quid facis? Et vitam istam vis
10 perdere et futuram? Peccata tua maxima sunt et nimium multa; nequaquam pro tot et tantis, nec si te excories, sufficies satisfacere. Complexio tenera est, vita exstitit delicata, consuetudinem difficile vinces. Pro his et similibus desperatus resilit miser, ignorans quam facile omni-
15 potens Bonitas, quae neminem vult perire[e], cuncta ista

---

1. a. Ps. 118, 101   b. Ps. 72, 1 ≠   c. Ps. 85, 5
d. Is. 55, 7 ≠   e. Cf. II Pierre 3, 9

SERMON 38

I. Comment l'ignorance de Dieu engendre le désespoir. – II. Ils ignorent tous Dieu, ceux qui ne veulent pas se convertir à lui. Ce n'est pas une telle ignorance qui est reprochée à l'épouse. – III. Pourquoi l'épouse est dite belle entre les femmes, et quelles sont ces femmes.

I. Comment l'ignorance de Dieu engendre le désespoir.

1. Qu'est-ce qu'engendre donc l'ignorance de Dieu? C'est par là qu'il faut commencer, puisque, vous vous en souvenez, c'est là que nous avons terminé hier. Qu'est-ce qu'elle engendre donc? Nous avons dit : le désespoir; mais disons de quelle manière. Supposons un homme qui, rentré en lui-même, trouve déplaisir à tout le mal qu'il a fait; il pense se repentir et revenir «de toute voie mauvaise[a]» et de sa conduite charnelle. S'il ignore «combien Dieu est bon[b]», combien il est «doux et indulgent[c]», combien «il multiplie ses pardons[d]», sa pensée charnelle ne va-t-elle pas l'accuser et lui dire : «Que fais-tu là? Veux-tu perdre à la fois cette vie et la vie future? Tes péchés sont énormes et ils surabondent; pour des fautes si nombreuses et si grandes, tu ne pourras jamais donner une satisfaction suffisante, même si tu t'écorchais vif. Tu es d'un naturel délicat, tu as mené une vie raffinée, tu viendras difficilement à bout de ton habitude.» Devant de tels raisonnements et d'autres semblables, le malheureux, désespéré, recule. C'est qu'il ignore avec quelle facilité la Bonté toute-puissante, qui veut que personne ne périsse[e], balayerait tous ces obstacles.

dissolveret; sequiturque impaenitentia, quod est *delictum maximum*[f] et blasphemia irremissibilis[g]. Ipse vero aut conturbatus *tristitia nimia absorbetur*[h] et fertur in pro-
15 fundum, minime iam, ut consolationem recipiat, emer-
20 surus, sicut scriptum est : *Impius cum venerit in profundum malorum, contemnit*[i]; aut certe dissimulans, et sibi qualicumque verisimili blandiens ratione, revocat se irrevocabiliter in saeculum, ad perfruendum et deliciandum in omnibus bonis eius, quoad licuerit. *Cum* autem *dixerit :*
25 *Pax et securitas, tunc superveniet super eum* universus *interitus, et non effugiet*[j]. Ita ergo et de ignorantia Dei universae malitiae consummatio venit, quae est desperatio.

II. Quod omnes ignorant Deum qui nolunt converti ad eum, et quod non de tali ignorantia sponsa corripitur.

2. Apostolus dicit quod *ignorantiam Dei quidam habent*[a]. Ego autem dico omnes ignorare Deum, qui nolunt converti ad eum. Neque enim ob aliud procul dubio renuunt, nisi quia gravem et severum imaginantur
5 qui pius est, durum et implacabilem qui misericors est, ferum et terribilem qui amabilis est : *et mentitur iniquitas sibi*[b], formans sibi idolum pro eo quod non est ipse. *Quid timetis, modicae fidei*[c]? Ut peccata nolit remittere?

f. Ps. 18, 14 ≠   g. Cf. Matth. 12, 31   h. II Cor. 2, 7 ≠
i. Prov. 18, 3 (Patr.)   j. I Thess. 5, 3 ≠
2. a. I Cor. 15, 34   b. Ps. 26, 12 ≠   c. Matth. 8, 26 ≠

1. L'impénitence *(impaenitentia)* se trouve au centre des six péchés contre l'Esprit. Pierre Lombard et Alexandre de Hales ont glané le sextet suivant dans les œuvres d'Augustin : le désespoir *(desperatio),* l'obstination *(obstinatio),* la prétention *(praesumptio),* le refus de la vérité *(oppugnatio),* la jalousie *(invidentia)* et enfin l'impénitence. Cf. *Lexikon für Theologie und Kirche* 9 (1964), 1183.

L'impénitence s'ensuit, qui est «la faute la plus grave[f]» et le blasphème impardonnable[g][1]. Cet homme donc, en proie au trouble, «se laisse engloutir par une tristesse excessive[h]» et sombre dans l'abîme, d'où il ne pourra jamais plus ressortir pour recevoir quelque consolation, ainsi qu'il est écrit : «L'impie, tombé dans l'abîme des maux, méprise tout[i][2].» Ou alors, fermant les yeux et se laissant bercer par n'importe quel raisonnement vraisemblable, il revient irrévocablement au monde pour en jouir et en épuiser tous les plaisirs, tant qu'il le pourra. Mais «au moment où il dira : 'Paix et sécurité', c'est alors que fondra sur lui une ruine totale, et il n'y échappera pas[j][3].» C'est ainsi que l'ignorance de Dieu mène à la consommation de tout mal, c'est-à-dire au désespoir.

II. Ils ignorent tous Dieu, ceux qui ne veulent pas se convertir à lui. Ce n'est pas une telle ignorance qui est reprochée à l'épouse.

2. L'Apôtre dit que «certains sont dans l'ignorance de Dieu[a].» Je dis, moi, que tous ils ignorent Dieu, ceux qui ne veulent pas se convertir à lui[4]. Car ils s'y refusent sans aucun doute pour la seule raison qu'ils imaginent redoutable et sévère celui qui est bon, dur et implacable celui qui est miséricordieux, farouche et terrible celui qui est aimable. Ainsi, «l'iniquité se ment à elle-même[b]», en se fabriquant une idole sans rapport avec l'être de Dieu. «Que craignez-vous, gens de peu de foi[c]?» Qu'il ne veuille pas pardonner les péchés? Mais «il les a cloués

---

2. * Onze fois, Bernard cite ce texte avec *malorum*, à la suite de plusieurs Pères *(Vg : peccatorum)*. Cf. *Conv* 23 *(SBO* IV, 95, 13).

3. * Cf. p. 166, n. 2 sur *1 Thess.* 5, 3 cité en *SCt* 39, 7, l. 9 s.

4. «Se convertir à Dieu», c'est se fier à la foi. Avec beaucoup d'arguments le prédicateur s'adresse à des incroyants fictifs.

Sed *affixit ea cruci*[d] cum suis manibus. Quod teneri et
10 delicati estis? Sed *ipse novit figmentum nostrum*[e]. Quod
male assueti et ligati peccandi consuetudine? Sed *Dominus
solvit compeditos*[f]. Forte ne irritatus immanitate et multitudine criminum, cunctetur porrigere manum adiutorii?
Sed *ubi superabundavit delictum, superabundare et
15 gratia*[g] consuevit. An de vestimento solliciti estis, vel
cibo[h], ceterisque corpori vestro necessariis, et propterea
relinquere cunctamini vestra? Sed *scit quia his omnibus
indigetis*[i]. Quid vultis amplius? Quid iam impedit a salute?
Sed hoc est quod dico : Deum ignoratis, sed non *cre-
20 ditis auditui nostro*[j]. Vellem vos vel expertis credere, quia
nisi credideritis non intelligetis[k]. Sed *non est omnium
fides*[l].

16   **3.** Absit autem ut de tali, hoc est de Dei ignorantia,
sponsam commonitam sentiamus, quae tanta sponsi
pariter et Dei sui, non dico agnitione, sed amicitia et
familiaritate donata est, ut eius crebra colloquia et oscula
5 mereretur, et nunc familiari ausu loquitur : *Indica mihi*

---

d. Col. 2, 14 ≠   e. Ps. 102, 14 ≠   f. Ps. 145, 7   g. Rom.
5, 20 ≠   h. Cf. Matth. 6, 25   i. Matth. 6, 32 ≠   j. Is. 53,
1 ≠   k. Is. 7, 9 (Patr.)   l. II Thess. 3, 2 ≠

---

1. * Bernard cite 9 fois avec *novit* à la place de *cognovit (Vg)*.
Quelques rares Pères (Pierre Damien, Anselme de Cantorbéry) ont écrit
ainsi. Bernard a pu subir l'entraînement du texte *VI* de *II Tim.* 2, 19 :
Novit Dominus qui sunt eius, proche par les sons et le sens et qui lui
est familier.

2. * Bernard emploie – citations ou allusions plus ou moins lointaines –
20 fois ce verset. Il n'omet presque jamais le *et* avant *gratia*. Toutefois,
ici, dans *SCt* 44, 7, l. 5, p. 250 et dans *Ep* 28, 1, l. 18-19 (*SC* 425, 308),
on a «le péché qui surabonde; la grâce qui surabonde»; 2 fois, on a
même «la grâce qui abonde et le péché qui surabonde» : *HM4* 9 (*SBO*
V, 63, 3) et *Ep* 8, 2, l. 11-12 (*SC* 425, 202). Ambroise a employé 18 fois
Superabundavit peccatum, ut superabundaret gratia (sans *et*) ou une
légère variante. Jérôme et Augustin se conforment toujours à *Vg,* ce dernier
60 fois. Au cours des siècles qui suivent, les citations de ce verset sont

à la croix[d]» de ses propres mains. Que vous soyez faibles et délicats? Mais «il sait bien de quelle argile nous sommes faits[e][1]». Que vous soyez habitués au mal et liés par l'accoutumance au péché? Mais «le Seigneur délie les enchaînés[f]». Ou peut-être que Dieu, irrité par l'énormité et la multitude des crimes, hésite à vous tendre une main secourable? Mais «là où le péché a surabondé, la grâce a coutume de surabonder elle aussi[g][2]». Ou encore, êtes-vous en souci pour votre vêtement, votre nourriture[h] et les autres nécessités de votre corps, et hésitez-vous pour cela à quitter vos biens? Mais «il sait que vous avez besoin de tout cela[i]». Que voulez-vous de plus? Qu'est-ce qui fait encore obstacle à votre salut? C'est ce que je dis : vous ignorez Dieu, mais vous ne «croyez pas non plus à notre parole[j]». Je voudrais que vous croyiez au moins à ceux qui en ont l'expérience, car «si vous ne croyez pas, vous ne comprendrez pas[k][3]». Mais «la foi n'est pas donnée à tous[l]».

3. Gardons-nous cependant de penser qu'une telle ignorance, celle de Dieu, soit reprochée à l'épouse. Car elle a reçu en partage, je ne dis pas la connaissance, mais l'amitié et l'intimité de son Époux et de son Dieu, si bien qu'elle mérite souvent ses entretiens et ses baisers. Maintenant encore elle lui dit, avec une hardiesse familière : «Montre-moi où tu mènes paître ton

---

extrêmement abondantes. L'ajout de *et (gratia)* est fréquent, les variantes nombreuses. Parmi elles, on peut noter : Raban Maur, *Comm. sur les Nombres, PL* 108, 737 D; Folcuin de Lobbes, *Gesta abbatum Laubiensium, PL* 137, 549 D; *Vita sancti Norberti, PL* 170, 1261 A.

3. * Bernard cite 7 fois ce verset, toujours ainsi. C'est une forme *Vl* très fréquente chez les Pères, Augustin en particulier; elle a été reprise par Anselme de Cantorbéry. Cf. *SC* 431, 357, n. 1 sur *SCt* 28, 5; *SC* 425, 268, n. 1 sur *Ep* 18, 2. Autre occurrence : *SCt* 48, 6, l. 30 s., p. 322. Pour les prolongements de ce texte dans la pensée de Bernard : *SCt* 67, 3 (*SBO* II, 190, 4); *SCt* 76, 6 (*SBO* II, 258, 10).

ubi pascis, ubi cubas in meridie[a], ubi sane non ipsum, sed *locum habitationis gloriae eius*[b] sibi indicari requirit, quamquam non aliud ipse et aliud locus eius vel gloria; sed reprimenda censetur propter praesumptionem, et de
10 sua ipsius commonenda cognitione, in qua nimirum visa est aliquatenus caligare, quae tantae se aestimarit idoneam visioni : sive minus attendens prae excessu suo, quod esset in corpore[c], sive frustra sperans, etiam manentem in corpore ad illam se posse inaccessibilem
15 accedere claritatem. Ergo ad seipsam protinus revocatur, et ignorantia convincitur, et insolentia castigatur. *Si ignoras te*, inquit, *egredere*[d]. Terribiliter sponsus intonat in dilectam, non tamquam sponsus, sed tamquam magister; et non quasi iratus, sed ut territa purgaretur,
20 purgata idonea redderetur huic ipsi, cui inhiat, visioni. Mundicordibus nempe illa visio sequestratur[e].

III. Quare inter mulieres pulchra dicatur sponsa, et quae sint istae mulieres.

4. Pulchre autem pulchram, non omni modo quidem, sed *pulchram inter mulieres*[a] eam dicit, videlicet cum distinctione, quatenus et ex hoc amplius reprimatur, et *sciat quid desit sibi*[b]. Ego enim puto mulierum nomine
5 hoc loco appellatas animas carnales ac saeculares, nihil

---

3. a. Cant. 1, 6 ≠   b. Ps. 25, 8 ≠   c. Cf. Ps. 115, 11;
cf. II Cor. 12, 2-3   d. Cant. 1, 7 ≠   e. Cf. Matth. 5, 8 (Patr.)
    4. a. Cant. 1, 7 ≠   b. Ps. 38, 5 ≠

troupeau, où tu te reposes à midi[a].» Assurément, elle ne
demande pas ici que lui soit montré l'Époux en personne, mais «le lieu où réside sa gloire[b]» – bien que
ce lieu ou sa gloire ne soient pas autre chose que
l'Époux lui-même. Mais l'Époux estime qu'il faut la réprimander à cause de sa présomption, et la rappeler à la
connaissance d'elle-même. Cette connaissance en effet
semble s'être quelque peu obscurcie, puisque l'épouse
s'est jugée capable d'une si haute vision, soit que dans
son extase elle ne remarque pas qu'elle est encore dans
un corps[c], soit qu'elle espère en vain de pouvoir
accéder, tout en demeurant dans ce corps, à cette clarté
inaccessible. Elle est donc rappelée aussitôt à elle-même,
convaincue d'ignorance et punie de sa témérité. «Si tu
t'ignores, dit-il, sors[d].» Cette parole terrible de l'Époux
frappe la bien-aimée comme un tonnerre : il ne parle
pas en Époux, mais en maître; non comme s'il était en
colère contre elle, mais afin qu'elle soit purifiée par la
crainte et, une fois purifiée, rendue capable de cette
vision même qu'elle désire tant. Car cette vision est
réservée aux cœurs purs[e][1].

III. Pourquoi l'épouse est dite belle entre les femmes, et quelles sont ces femmes.

4. Pourtant, l'Époux dit de belle façon que l'épouse
est belle, non pas belle absolument, mais «belle entre
les femmes[a]» : c'est-à-dire, avec une précision, afin que
par là elle soit mieux amendée et «qu'elle sache ce qui
lui manque[b]». Je pense en effet que le nom de «femmes»
désigne ici les âmes charnelles et vouées au siècle, qui
n'ont en elles-mêmes rien de viril, qui ne montrent en

---

1. * *Mundicordibus :* forme grammaticale différente de la forme *Vg*
habituelle, que Bernard tient sans doute d'Augustin et qu'il emploie çà
et là. Cf. *SC* 414, 168, n. 3 sur *SCt* 7, 7.

in se virile habentes, nihil forte aut constans in suis
actibus demonstrantes, sed totum remissum, totum
femineum et molle, quod vivunt et quod agunt. Spiritualis autem anima, etsi inde iam pulchra quod *non*
10 *secundum carnem ambulat, sed secundum spiritum*[c], ex
eo tamen quod adhuc in corpore vivit, citra perfectum
adhuc pulchritudinis proficit; ac perinde non pulchra omni
modo, sed *pulchra inter mulieres*, id est inter animas ter-
renas et quae non sunt, sicut ipsa, spirituales, non autem
15 inter angelicas beatitudines, non inter Virtutes, Potestates,
Dominationes. Sicut Patrum aliquis olim inventus et dictus
est *iustus in generatione sua*[d], id est prae omnibus sui
temporis suaeque generationis, et Thamar iustificata per-
17 hibetur ex Iuda[e], hoc est prae Iuda, et in Evangelio *Publi-*
20 *canus descendisse* refertur *de templo* iustificatus, sed *ius-*
tificatus a Pharisaeo[f], et quomodo magnus ille Ioannes
magnifice quondam commendatus est, quod videlicet
superiorem non haberet, sed hoc *inter natos mulierum*[g],
non autem inter choros beatorum caelestiumque spirituum,
25 ita et sponsa modo dicitur pulchra, sed interim adhuc
inter mulieres, et non inter caelestes beatitudines.

c. Rom. 8, 4 ≠   d. Gen. 7, 1 ≠   e. Cf. Gen. 38, 26
f. Lc 18, 10. 14 ≠   g. Lc 7, 28

1. «Je pense que le nom de 'femmes' désigne ici les âmes charnelles et vouées au siècle.» Bernard met en opposition l'âme charnelle
et l'âme spirituelle. Son ami Guillaume de Saint-Thierry décrira plus
amplement la distinction entre *anima* et *animus*. Voici le texte de la
Lettre d'Or : «L'âme est une substance incorporelle, capable de raison,
propre à donner la vie au corps. L'âme animale rend 'animaux' ceux
des hommes qui s'affectionnent aux choses de la chair et s'assujettissent
aux sens du corps. Quand cette âme... est douée d'une raison parfaite, elle rejette aussitôt loin d'elle l'indice du genre féminin : d'*anima*
elle devient *animus,* âme raisonnable, propre à diriger le corps, esprit
qui se possède lui-même. Aussi longtemps qu'elle reste *anima,* elle
s'efférmine volontiers en se portant vers le charnel; une fois *animus,*

leurs actes rien de fort ni de constant[1]. Au contraire, leur vie et leur action sont tout à fait relâchées, efféminées et molles. En revanche, l'âme spirituelle est belle déjà, parce qu'« elle ne marche pas sous l'empire de la chair, mais de l'esprit[c] ». Pourtant, elle vit encore dans un corps ; elle progresse, mais demeure encore en deçà de la beauté parfaite. Elle n'est pas belle absolument, mais « belle entre les femmes », c'est-à-dire entre les âmes terrestres qui ne sont pas spirituelles comme elle ; elle n'est pas belle entre les anges bienheureux, entre les Vertus, les Puissances, les Dominations. De même jadis, l'un des Patriarches[2] fut reconnu et déclaré « juste dans sa génération[d] », c'est-à-dire plus que tous ceux de son temps et de sa génération. Et l'on rapporte que Thamar fut justifiée par rapport à Juda[e], c'est-à-dire plus que Juda[3]. Et dans l'Évangile il est dit que « le publicain descendit justifié du temple, mais justifié à la différence du pharisien[f] ». Et le grand Jean-Baptiste fut jadis hautement loué de n'avoir personne au-dessus de lui, mais « entre les enfants des femmes[g] », non pas entre les chœurs des bienheureux et des esprits célestes. De même l'épouse, elle aussi, est maintenant déclarée belle, mais entre les femmes pour le moment, et non entre les bienheureux du ciel.

... elle ne s'arrête plus qu'aux choses viriles et spirituelles » (*Lettre aux Frères du Mont-Dieu* 198, *SC* 223, 307-309). On sait que le psychologue C.G. Jung a repris cette distinction entre *anima* et *animus*. Cf. J. LECLERCQ, *La femme et les femmes dans l'œuvre de S. Bernard,* Paris 1982, p. 113-130.

2. Bernard parle ici de Noé qui put sauver sa famille du déluge universel.

3. Pourquoi Bernard évoque-t-il le comportement scabreux de Juda vis-à-vis de sa belle-fille Thamar ? Pour préciser le sens de l'expression « belle entre les femmes ». Il a pu lire un commentaire analogue chez RÉMI D'AUXERRE, *Com. in Gen.* 38, 23 (*PL* 131, 116 CD).

5. Desinat proinde, quamdiu in terris est, quae in caelis sunt curiosius investigare, ne forte *scrutatrix maiestatis opprimatur a gloria*[a]. Desinat, inquam, donec inter mulieres versatur, inquirere quae apud sublimes illas sunt
5 potestates, solis ipsis perspicua, solis licita, tamquam caelestibus caelestia, ad videndum. «*Mirabilis facta est*», inquit, «*visio ista ex te*[b], o sponsa, quam tibi postulas demonstrari, nec modo praevales intueri meridianam et miram, quam inhabito, claritatem. Dixisti enim : *Indica*
10 *mihi ubi pascis, ubi cubas in meridie*[c]. Sed enim induci in nubes, penetrare in plenitudinem luminis, irrumpere claritatis abyssos et *lucem inhabitare inaccessibilem*[d], nec temporis est huius, nec corporis. Id tibi in novissimis reservatur, cum *te mihi exhibuero gloriosam, non*
15 *habentem maculam aut rugam aut aliquid huiusmodi*[e]. An nescis quia *quamdiu vivis in hoc corpore, peregrinaris a* lumine[f]? Quomodo quae necdum *tota pulchra es*[g], idoneam te existimas universitatem pulchritudinis intueri? Quomodo denique quaeris me in mea claritate videre,
20 quae adhuc ignoras te? Nam si te plenius nosses, scires utique *corpore quod corrumpitur aggravatam*[h] nullatenus posse attollere oculos, et figere in illum fulgorem, *in quem prospicere angeli concupiscunt*[i]. Erit, *cum apparuero*, quod *tota pulchra* eris, sicut ego sum pulcher totus;
25 et *simillima mihi, videbis me sicuti sum*[j]. Tunc audies :

---

5. a. Prov. 25, 27 ≠   b. Ps. 138, 6 ≠   c. Cant. 1, 6 ≠
d. I Tim. 6, 16 ≠   e. Éphés. 5, 27 ≠   f. II Cor. 5, 6 ≠   g. Cant.
4, 7   h. Sag. 9, 15 ≠   i. I Pierre 1, 12 ≠   j. I Jn 3, 2 ≠

---

1. Bernard partage ici la conviction presque unanime de tous les spirituels de l'Église latine : la vision faciale de Dieu est réservée aux habitants du ciel. Toutes les faveurs mystiques sont du domaine de la foi. Il faut signaler deux exceptions notables à cette belle unanimité. Augustin et Thomas d'Aquin pensent que les âmes mystiques peuvent apercevoir

5. Tant qu'elle est sur terre, qu'elle renonce donc à explorer avec trop de curiosité les réalités célestes, de peur que, «cherchant à scruter la majesté de Dieu, elle ne soit accablée par sa gloire[a]». Oui, tant qu'elle est entre les femmes, qu'elle renonce à s'enquérir des mystères réservés à ces puissances sublimes, qui seules ont le droit de les contempler clairement, car ce qui est céleste n'est visible qu'aux esprits célestes. «'Admirable, hors de ta portée, ô mon épouse, est cette[b]' vision que tu sollicites, dit l'Époux, et tu n'es pas capable maintenant de contempler cette lumière merveilleuse du midi où je réside. Tu as dit en effet : 'Montre-moi où tu mènes paître ton troupeau, où tu te reposes à midi[c]' Mais en vérité, percer les nuages, pénétrer dans la plénitude de la lumière, faire irruption dans les abîmes de clarté et 'habiter la lumière inaccessible[d]', tout cela n'appartient ni à ce temps, ni à ce corps[1]. Cela t'est réservé pour la fin des temps, lorsque 'je te ferai paraître devant moi dans ta gloire, sans tache ni ride ni rien de tel[e]'. Ne sais-tu pas que, 'tant que tu vis dans ce corps, tu chemines loin de[f] la lumière? Comment toi, qui n'es pas encore 'toute belle[g]', t'estimes-tu capable de contempler la totale beauté? Enfin, comment cherches-tu à me voir dans mon éclat, toi qui t'ignores encore toi-même? Car si tu te connaissais mieux, tu saurais bien 'qu'appesantie par ce corps corruptible[h]', tu ne peux nullement lever les yeux et les fixer sur cette splendeur 'où les anges désirent plonger leurs regards[i]'. Il viendra un jour, 'quand j'apparaîtrai', où tu seras 'toute belle', comme je suis parfaitement beau; devenue 'toute semblable à moi, tu me verras tel que je suis[j]'. Alors tu entendras : 'Tu es

quelquefois l'essence divine pendant leur vie terrestre. Augustin, *De Genesi ad litteram* XII, 26 (*CSEL* 28, 1, 420, 2-9); Thomas d'Aquin, *Summa theologica* II – II, 175, 3 et ad primum.

Tota pulchra es, amica mea et macula non est in te[k].
Nunc vero, etsi ex parte iam similis, ex parte tamen dissimilis, contenta esto *ex parte cognoscere*[l]. Teipsam
attende, et *altiora te ne quaesieris, et fortiora te ne scrutata
fueris*[m]. Alioquin *si ignoras te, o pulchra inter mulieres*[n],
nam et ego te dico pulchram, sed inter mulieres, hoc est
ex parte; *cum autem venerit quod perfectum est, tunc
evacuabitur quod ex parte est*[o]. Si ergo *ignoras te....*» Sed
quae sequuntur dicta sunt, et non oportet iterum dici.
Promiseram me duplici ignorantia utiliter dispaturum; si
quominus implesse videor date veniam volenti. *Nam velle
adiacet mihi, perficere autem non invenio*[p], nisi quantum
sua benignitate ad vestram aedificationem largiri dignabitur sponsus Ecclesie, Iesus Christus Dominus noster, *qui
est benedictus in saecula. Amen*[q].

18

30

35

40

k. Cant. 4, 7   l. I Cor. 13, 9 ≠   m. Sir. 3, 22 (Patr.)   n. Cant.
1, 7   o. I Cor. 13, 10 ≠   p. Rom. 7, 18 ≠   q. Rom. 1, 25

toute belle, mon amie, et il n'y a pas de tache en toi[k]. Mais pour le moment, bien que tu sois déjà partiellement semblable à moi, tu restes néanmoins partiellement dissemblable ; contente-toi 'd'une connaissance partielle[l]'. Considère-toi toi-même, et 'ne cherche pas ce qui est trop élevé pour toi, et ne scrute pas ce qui est au-dessus de tes forces[m][l]'. Autrement, 'si tu t'ignores, ô belle entre les femmes[n]', – car moi aussi je te déclare belle, mais entre les femmes, c'est-à-dire en partie ; 'cependant, quand viendra ce qui est parfait, alors sera aboli ce qui est partiel[o]'. 'Si donc tu t'ignores...'» Mais j'ai déjà dit la suite, et il n'est pas nécessaire de le redire. J'avais promis de vous entretenir utilement de la double ignorance ; si je vous semble ne pas avoir tenu ma promesse, pardonnez-moi en raison de ma bonne volonté. «Car le vouloir est à ma portée, mais le faire me dépasse[p]», à moins qu'il me soit accordé, pour votre édification, par la bonté de l'Époux de l'Église, Jésus-Christ notre Seigneur, «qui est béni dans les siècles. Amen[q]».

---

1. * L'édition critique de la *Vg* par R. Weber mentionne dans l'apparat le texte de cette citation telle qu'elle est ici (sauf *scrutata* au féminin puisque le passage de Bernard s'adresse à la bien-aimée), texte soutenu par plusieurs manuscrits anciens, dont Bernard a pu connaître des copies et qu'il suit toujours. Cf. *SC* 414, 184, n. 1 sur *SCt* 8, 6. Le texte retenu par Weber est : *altiora te ne scrutaveris et fortiora te ne exquisieris* (autre variante : *quaesieris*).

SERMO XXXIX

I. Qua consequentia dicitur : *Equitatui meo, etc.*, et quo ordine sponsa provehitur. – II. Quomodo una anima equitatus multitudini assimiletur. – III. Tres Pharaonis principes et currus eorum exempli gratia describuntur. – IV. Nomina reliquorum Pharaonis principum, et qualiter ab his spiritualis Israel liberetur.

I. Qua consequentia dicitur : *Equitatui meo, etc.*, et quo ordine sponsa provehitur.

1. *Equitatui meo in curribus Pharaonis assimilavi te, amica mea*[a]. Ante omnia in his verbis libenter accipimus Ecclesiae typum in Patribus praecessisse, et nostrae sacramenta salutis praeostensa esse, *in exitu Israel de Aegypto*[b],
5 geminoque illo admirabili maris obsequio, et transitum scilicet populo dantis, et ultionem de hostibus, baptismi gratia evidenter exprimitur, salvantis homines et crimina submergentis. *Omnes*, inquit, *sub nube fuerunt, et omnes in Moyse baptizati sunt in nube et in mari*[c]. Sed oportet
10 consequentiam, sicut solemus, signare verborum, et sequentia prioribus copulare, et ita demum elicere suave

---

1. a. Cant. 1, 8   b. Ps. 113, 1   c. I Cor. 10, 1-2 ≠

---

1. *in Patribus,* «au temps des pères». Il s'agit manifestement des Pères et des Patriarches de l'Ancien Testament.
2. Spontanément, un chrétien, à l'évocation du Pharaon, de ses chars et de sa cavalerie, pense à l'exode par lequel le peuple hébreu fut délivré du joug des Égyptiens. Bernard cède volontiers – *libenter* – à cette association mentale et il justifie le rapprochement au moyen de

SERMON 39

I. Comment ces paroles : «Je t'ai rendue semblable à ma cavalerie, etc.», se relient-elles à ce qui précède? L'ordre selon lequel l'épouse est élevée. – II. Comment une seule âme est comparée à une nombreuse cavalerie. – III. Trois princes de Pharaon et leurs chars sont décrits à titre d'exemple. – IV. Les noms des autres princes de Pharaon. Comment l'Israël spirituel en est délivré.

I. Comment ces paroles : «Je t'ai rendue semblable à ma cavalerie, etc.», se relient-elles à ce qui précède? L'ordre selon lequel l'épouse est élevée.

1. «Je t'ai rendue semblable, mon amie, à ma cavalerie parmi les chars de Pharaon[a].» Avant tout, nous comprenons volontiers par ces mots que l'Église a existé en figure au temps des Pères[1], et que les sacrements de notre salut leur ont été montrés par avance. «Quand Israël sortit d'Égypte[b]», le double prodige de la mer obéissante qui à la fois livra passage au peuple et le vengea de ses ennemis, exprime de façon évidente la grâce du baptême qui sauve les hommes et engloutit leurs péchés. «Tous, est-il dit, furent sous la nuée, et tous furent baptisés en Moïse dans la nuée et dans la mer[c][2].» Mais il faut, à notre habitude, marquer la cohérence du texte, et relier ce qui suit à ce qui précède. Après quoi nous en extrairons, s'il est possible, un doux

deux témoignages de l'Écriture Sainte, empruntés successivement à l'A.T. (*Ps.* 113, 1), puis au N.T. (*I Cor.* 10, 1-2). Cf. Leclercq, *Recueil*, t. 3, p. 150.

19 quippiam, si possimus, quod prosit moribus instruendis.
Ubi itaque sponsae praesumptio dura et austera increpatione repressa est, ne tristior remaneret, bona illa aliqua,
15 quae iam acceperat, ad memoriam reducuntur, et aliqua,
quae nondum acceperat, promittuntur; sed et pulchra
denuo perhibetur, et appellatur amica. «Quod tibi», inquit,
«dure locutus sum, *amica mea*, nulla in me tibi suspicio
sit odii vel rancoris : nam signa amoris mei in te evi-
20 dentia sunt ipsa mea munera, quibus te honoravi et ornavi.
Nec mihi animi est illa retrahere, sed magis addere
ampliora.» Vel sic : «Non aegre feras, *amica mea*, minime
te accipere modo quod postulas, quae tanta a me iam
accepisti : et maiora horum accipies, *si in praeceptis meis*
25 *ambulaveris* [d] et in amore meo perseveraveris.» Haec pro
litterae consequentia.

2. Nunc iam videamus qualia sint quae se donasse
commemorat. Et primum quidem est, quod eam assimi-
lavit equitatui suo in curribus Pharaonis, liberando utique
a iugo peccati, mortificatis universis operibus carnis [a], que-
5 madmodum ille populus liberatus est a servitute Aegypti,
subversis et submersis cunctis curribus Pharaonis [b]. Id
quidem miseratio maxima, in qua ego quoque *si gloriari*
voluero, non ero insipiens : veritatem enim dicam [c]. Fateor
et fatebor : *Nisi quia Dominus adiuvit me, paulo minus*
10 *habitasset in inferno anima mea* [d]. Non sum ingratus, non
sum oblitus : *misericordias Domini in aeternum cantabo* [e].
Verum hactenus mihi cum sponsa. De reliquo illa singulari
dignatione, postquam liberata est, asciscitur in amicam,

d. III Rois 6, 12 ≠

2. a. Cf. Rom. 8, 13   b. Cf. Ex. 14, 28   c. II Cor. 12, 6 ≠
d. Ps. 93, 17 ≠   e. Ps. 88, 1

élixir qui nous servira à bien régler nos mœurs. Une fois la présomption de l'épouse réprimée par une rude et sévère réprimande, les bienfaits qu'elle a déjà reçus lui sont remis en mémoire, pour la tirer de sa tristesse, et d'autres lui sont promis. Mais aussi, pour la deuxième fois, elle est déclarée belle, et elle est appelée amie. «Si je t'ai parlé durement, 'mon amie', dit l'Époux, ne soup-çonne d'aucune façon chez moi la moindre trace de haine ou de rancune. Les signes manifestes de mon amour pour toi sont les dons mêmes dont je t'ai honorée et ornée. Je n'ai pas l'intention de te les retirer, mais plutôt d'en ajouter d'autres plus magnifiques.» Ou bien : «Ne t'af-flige pas, 'mon amie', de ne pas recevoir maintenant ce que tu demandes, puisque tu as déjà tant reçu de moi. Tu recevras des dons bien plus grands, 'si tu marches dans mes commandements[d]' et si tu persévères dans mon amour.» Voilà pour la cohérence du sens littéral.

2. Voyons maintenant quels sont les présents que l'Époux dit avoir déjà donnés. Le premier est d'avoir rendu l'épouse semblable à sa cavalerie parmi les chars de Pharaon, c'est-à-dire de l'avoir délivrée du joug du péché, en faisant mourir toutes les œuvres de la chair[a], de même que le peuple élu fut délivré de la servitude d'Égypte, lorsque tous les chars de Pharaon furent ren-versés et submergés par la mer[b]. C'est là, sans aucun doute, la plus grande miséricorde que l'Époux a faite. «Si je veux, moi aussi, me glorifier en elle, je ne serai pas insensé, car je dirai la vérité[c].» Je confesse et je confesserai toujours : «Si le Seigneur ne m'avait secouru, il s'en serait fallu de peu que mon âme n'habite l'enfer[d].» Je ne suis pas ingrat, je ne suis pas oublieux : «Je chan-terai éternellement les miséricordes du Seigneur[e].» Mais je ne puis pousser plus loin mon identification à l'épouse. Quant au reste, par une complaisance singulière, l'épouse, après sa délivrance, est agréée comme amie et «revêtue

decorem induitur [f] tamquam Domini sponsa, interim tamen
15 in genis et in collo. Ad haec illi promittuntur muraenulae
pro ornatu, ipsaeque aureae pro pretio, sed et distinctae
argento pro decore [g]. Cui non admodum placeat ordo ille
donationum? Primum misericorditer liberatur, secundo
dignanter adamatur, tertio benigne abluitur et purgatur,
20 postremo optimi ornamenti accipit promissionem.

3. Non ambigo quosdam iam vestrum in semetipsis
recognoscere quae dicuntur, proprioque experimento
commonitos ad intelligentiam praevolare. Sed sane
memor versiculi illius : *Declaratio sermonum tuorum illu-*
5 *minat, et intellectum dat parvulis* [a], pro huiusmodi
20 dignum duco eadem modice latius explananda. *Benignus*
est enim Spiritus sapientiae [b], et placet illi doctor
benignus et diligens, qui ita cupiat satisfacere studiosis,
ut morem gerere tardioribus non recuset. Denique *qui*
10 *elucidant me, vitam aeternam habebunt* [c], ait ipsa
Sapientia : quo quidem praemio ego fraudari noluerim.
Quamquam in his etiam, quae plana videntur, quandoque talia latent, quae ipsis quoque, qui capaciores
videntur et praevolantes ingenio, non erit inutile si dili-
15 gentius declarentur.

---

f. Ps. 92, 1 ≠   g. Cf. Cant. 1, 9-10
3. a. Ps. 118, 130   b. Sag. 1, 6   c. Sir. 24, 31

---

1. Le prédicateur annonce ici quatre aspects de notre rédemption :
la délivrance, l'amour divin, la purification et le don de la parure.
Bernard ne va pas suivre servilement l'ordre de ces quatre aspects.
Il va parler surtout de l'amour divin et des différentes parures.
2. C'est la troisième fois que Bernard fixe son attention sur les esprits
plus lents *(tardioribus),* sur les esprits plus simples *(SCt* 16, 1, l. 18,

d'une beauté[f]» qui atteste sa qualité d'épouse du Seigneur. Mais, pour l'instant, cette beauté n'est donnée qu'à ses joues et à son cou. On lui promet en outre des pendants d'oreilles pour sa parure. Ces pendants sont en or, pour la noblesse du métal, mais aussi incrustés d'argent, pour en rehausser l'éclat[g]. Qui n'approuverait pas tout à fait l'ordre suivi dans ces cadeaux? D'abord, l'épouse est délivrée avec miséricorde; ensuite, aimée avec bonté; puis lavée et purifiée avec douceur; enfin, elle reçoit la promesse d'une magnifique parure[1].

3. Je ne doute pas que certains d'entre vous ne se reconnaissent déjà dans ce qui vient d'être dit. Avertis par leur propre expérience, ils ont déjà tout compris. Mais je me souviens de ce verset : «L'explication de tes paroles illumine, et elle donne l'intelligence aux petits[a].» C'est pourquoi, je pense qu'il faut m'étendre sur ce point un peu plus longuement. «L'Esprit de sagesse est bienveillant[b]», et il aime le maître bienveillant et zélé qui souhaite satisfaire les plus exigeants, sans dédaigner d'être attentif aux esprits plus lents[2]. Enfin, la Sagesse elle-même dit : «Ceux qui me mettent en lumière auront la vie éternelle[c]», et je ne voudrais pas être frustré de cette récompense. D'ailleurs, jusque dans les choses qui semblent évidentes, il y a parfois des sens cachés, qu'il ne sera pas inutile d'expliquer plus à fond à ceux-là même qui semblent plus doués et qui me devancent par l'agilité de leur intelligence.

SC 431, 42; SCt 22, 3, l. 1, SC 431, 176). Il le fait toujours pour s'excuser auprès des plus intelligents et des plus vifs d'esprit. Grâce à ces excuses, ses auditeurs sont tous censés avoir déjà une certaine expérience de Dieu et une certaine intelligence des Écritures. Ainsi ses appels à l'expérience évitent toute forme d'ésotérisme et de mystification. (Cf. Dil 1, l. 4-7, SC 393, 60).

II. Quomodo una anima equitatus multitudini assimiletur.

4. Sed vide iam similitudinem de Pharaone et exercitu eius, et Domini equitatu. Non inter ipsos exercitus similitudo data est, sed de ipsis. *Quae* enim *societas luci ad tenebras, aut quae pars fidelis cum infideli* [a]? Sed inter
5 sanctam spiritualemque animam et equitatum Domini plane comparatio est, et inter Pharaonem et diabolum amborumque exercitus. Nec miraberis unam animam equitatus multitudini similatam, si advertas quantae in ipsa una, quae tamen sancta anima sit, virtutum acies
10 habeantur : quanta in affectionibus ordinatio, quanta in moribus disciplina, quanta in orationibus armatura, quantum in actionibus robur, quantus in zelo terror, quanta denique ipsi cum hoste conflictuum assiduitas, numerositas triumphorum. Denique in consequentibus legitur :
15 *Terribilis ut castrorum acies ordinata* [b]; et item : *Quid videbis*, inquit, *in Sunamite, nisi choros castrorum* [c]? Aut si id tibi non placet, noveris huiuscemodi animam numquam esse sine angelorum custodia, qui *eam aemulantur Dei aemulatione*, solliciti suo *viro* servare, et *virginem castam exhibere Christo* [d]. Et *ne dixeris in corde*
20 *tuo* [e] : « Ubi sunt? Quis eos vidit? » Vidit eos propheta Elisaeus, insuper et fecit orando ut videret etiam Giezi [f]. Tu non vides, quia *non es Propheta, nec* puer *Prophetae* [g]. Vidit patriarcha Iacob, et ait : *Castra Dei sunt haec* [h]. Vidit
25 et Doctor gentium, qui dicebat : *Nonne omnes administratorii sunt spiritus, missi in ministerium propter eos, qui hereditatem capiunt salutis* [i]?

---

4. a. II Cor. 6, 14-15 ≠   b. Cant. 6, 3   c. Cant. 7, 1 ≠
d. II Cor. 11, 2 ≠   e. Deut. 8, 17 ≠   f. Cf. IV Rois 6, 17
g. Amos 7, 14 ≠   h. Gen. 32, 2   i. Hébr. 1, 14 ≠

---

1. Traduction plus libre : « On ne compare pas ces deux armées entre elles, mais on les compare à autre chose. »

II. Comment une seule âme est comparée à une nombreuse cavalerie.

4. Considère maintenant la comparaison tirée de Pharaon et de son armée, et de la cavalerie du Seigneur. On ne fait pas la comparaison de ces armées entre elles, mais on la tire seulement de ces armées[1]. «Quelle union en effet entre la lumière et les ténèbres, ou quelle relation entre le fidèle et l'infidèle[a]?» Mais la comparaison est, sans conteste, entre l'âme sainte et spirituelle et la cavalerie du Seigneur, de même qu'elle est entre Pharaon et le diable, et entre leurs deux armées. Tu ne t'étonneras pas qu'une seule âme soit comparée à une nombreuse cavalerie, si tu remarques quelle armée de vertus se trouve dans cette âme unique, pourvu qu'elle soit sainte. Quel bel ordre de sentiments, quelle discipline de mœurs, quelle armure de prières, quelle vigueur d'actions, quelle frayeur inspirée par le zèle, quelle continuité de combats avec l'ennemi, quel grand nombre de triomphes! Aussi lit-on dans la suite du texte : «Elle est redoutable comme une armée rangée pour la bataille[b].» Et encore : «Que verras-tu dans la Sunamite, sinon les chœurs d'un camp[c]?» Ou bien, si tu n'aimes pas cette interprétation, sache qu'une telle âme n'est jamais dépourvue de la garde des anges, qui «sont jaloux pour elle de la jalousie de Dieu», soucieux de la préserver «pour son Époux» et de la «présenter au Christ comme une vierge chaste[d]». Et «ne dis pas en ton cœur[e]» : «Où sont-ils, ces anges? Qui les a vus?» Le prophète Élisée les a vus, et il a même obtenu par sa prière que Giezi les voie à son tour[f]. Tu ne les vois pas, parce que «tu n'es ni prophète, ni serviteur du prophète[g]». Le patriarche Jacob les a vus et a dit : «Voici le camp de Dieu[h].» Le Docteur des Gentils les a vus aussi, lui qui disait : «Ne sont-ils pas tous des esprits chargés d'un ministère, envoyés pour servir ceux qui héritent du salut[i]?»

5. Ergo angelicis fulta ministeriis et superno stipata[a]
agmine sponsa incedens, similis est equitatui Domini, illi
utique qui quondam in curribus Pharaonis tam stupendo
divini adiutorii miraculo triumphavit[b]. Si enim diligenter
advertas, cuncta, quae ibi miraris magnifice perpetrata,
invenies hic nihilominus admiranda. Nisi quod in eo nunc
magnificentius triumphatur, quod quae illic corporaliter
praecesserunt, hic spiritualiter adimplentur. Annon tibi
nempe multo fortius longeque gloriosius esse videtur, diabolum prosternere quam Pharaonem, atque aerias
debellare potestates quam currus Pharaonis subvertere?
Ibi denique pugnatum est *adversus carnem et sanguinem*;
hic *adversus principes et potestates, adversus mundi rec-
tores tenebrarum harum, contra spiritualia nequitiae in
caelestibus*[c]. Et prosequere modo mecum singula pro-
portionis membra. Ibi populus eductus de Aegypto, hic
homo de saeculo; ibi prosternitur Pharao, hic diabolus;
ibi subvertuntur currus Pharaonis, hic *carnalia* et *saecu-
laria desideria, quae militant adversus animam*[d],
subruuntur; illi in fluctibus, isti in fletibus : marini illi,
amari isti. Puto et nunc clamitare daemonia, si forte
contingat incidere in talem animam : *Fugiamus Israelem,
quia Dominus pugnat pro eo*[e].

III. Tres Pharaonis principes et currus eorum exempli gratia describuntur.

Visne etiam aliquos de principibus Pharaonis propriis
tibi designem nominibus, et de curribus describam, ad
instar quorum tu quoque alios, si qui sunt, per teipsum

---

5. a. Cf. Cant. 2, 5   b. Cf. Ex. 14, 18   c. Éphés. 6, 12 ≠
d. I Pierre 2, 11 ≠   e. Ex. 14, 25 ≠

5. Ainsi, soutenue par l'assistance des anges et escortée[a] par les troupes célestes, l'épouse s'avance, semblable à cette cavalerie du Seigneur qui jadis triompha des chars de Pharaon par un si merveilleux miracle du secours divin[b]. Si tu fais bien attention, tout ce que tu admires dans ce miracle éclatant se reproduit ici d'une façon tout aussi admirable. A cette dif-férence près que ce nouveau triomphe est encore plus éclatant. Car les événements qui se produisirent alors sur le plan matériel s'accomplissent ici sur le plan spirituel. Ne te semble-t-il pas qu'il y a bien plus de bravoure et de gloire à terrasser le diable plutôt que Pharaon, et à dompter les puissances de l'air qu'à renverser les chars de Pharaon? Là, en effet, on se battit «contre la chair et le sang; ici contre les princes et les puissances, contre les dominateurs de ce monde de ténèbres, contre les esprits du mal répandus dans les régions célestes[c]». Examine maintenant avec moi chaque élément de la comparaison. Là, le peuple sorti d'Égypte, ici l'homme soustrait au siècle; là, Pharaon est terrassé, ici le diable; là, les chars de Pharaon sont renversés, ici sont abattus «les désirs charnels et mondains, qui assaillent l'âme[d]»; les premiers sombrent dans les flots, les seconds dans les larmes : les flots de la mer, les larmes de l'amertume[1]. S'il arrive que les démons rencontrent une telle âme, je pense qu'ils s'écrient eux aussi : «Fuyons devant Israël, car le Seigneur combat pour lui[e].»

III. Trois princes de Pharaon et leurs chars sont décrits à titre d'exemple.

Veux-tu encore que je te désigne par leurs noms quelques-uns des princes de Pharaon et que je te décrive l'un ou l'autre de leurs chars? Tu pourras ainsi, par ana-

---

1. *Marini illi, amari isti,* «Les flots de la mer, les larmes de l'amertume». Il est quasiment impossible de rendre l'opposition entre *marini* et *amari,* sinon en utilisant dans la traduction des périphrases dont les sons se répondent (l, a, r, m, e).

valeas invenire? Magnus quidam princeps spiritualis atque invisibilis regis Aegypti profecto Malitia est, magnus Luxuria, magnus Avaritia. Et hi quidem possident terminos
30 suos sub rege suo, sicut sui cuique assignati sunt. Nam Malitia in omni regione maleficiorum atque facinorum dominatur, Luxuria omni immunditiae et turpitudini carnis praeest, Avaritia in partes rapinae et fraudis sortita est principatum.

6. Accipe nunc quoque quales his suis principibus Pharao praeparaverit currus ad persequendum populum Dei. Habet namque Malitia currum suum rotis quatuor consistentem : Saevitia, Impatientia, Audacia, Impudentia.
5 Valde etenim *velox* est currus iste *ad effundendum san-guinem*[a], qui nec innocentia sistitur, nec patientia retardatur, nec timore frenatur, nec inhibetur pudore. Trahitur autem duobus admodum pernicibus equis, et ad omnem perniciem paratissimis, terrena Potentia et saeculari Pompa.
10 Tunc namque quadriga ista Malitiae *currit* valde *velo-*
22 *citer*[b], cum hinc quidem Potentiae effectus subest eius adimplendis malitiosis conatibus; inde plausus Pompae arridet perpetratis sceleribus, *ut sermo impleatur qui scriptus est*[c] : *Quoniam laudatur peccator in desideriis*
15 *animae suae, et iniquus benedicitur*[d]; *et iterum alia scriptura*[e] : *Haec est,* inquit, *hora vestra, et potestas tenebrarum*[f]. Porro praesident duobus equis aurigae duo, Tumor et Livor; et Tumor quidem Pompam, Livor vero Potentiam agit. Is enim rapido fertur diabolicarum amore
20 pomparum, cuius apud se cor prius intumuit. Nam quod in se firmiter stat timore compressum, gravitate modestum, humilitate solidum, puritate sanum, aura huius vanitatis

6. a. Ps. 13, 3 ≠   b. Ps. 147, 15 ≠   c. Jn 15, 25 ≠
d. Ps. 9, 24   e. Jn 19, 37   f. Lc 22, 53

1. «Malice, luxure, avarice». Bernard pense sûrement à *I Jean* 2, 16.

logie, trouver toi-même les autres, s'il y en a. Un grand
prince de ce roi spirituel et invisible de l'Égypte est assurément la Malice; un autre en est la Luxure; un autre
l'Avarice[1]. Ils possèdent leurs domaines sous l'autorité de
leur roi, selon que ces domaines ont été assignés à un
chacun. La Malice domine sur toute la contrée des méfaits
et des crimes; la Luxure préside à toutes les impuretés
et les turpitudes de la chair; l'Avarice a obtenu l'empire
sur les régions de la rapine et de la fraude.

6. Apprends maintenant quels chars Pharaon a pré-
parés à ses princes pour poursuivre le peuple de Dieu.
La Malice a son char porté par quatre roues : Cruauté,
Impatience, Audace, Impudence. Ce char est très «rapide
pour répandre le sang[a]». Il n'est ni arrêté par l'innocence, ni retardé par la patience, ni freiné par la crainte,
ni retenu par la pudeur. Il est tiré par deux chevaux très
fougueux et prêts à semer partout la ruine : la Puissance
terrestre et la Pompe mondaine. Aussi cet attelage de la
Malice «court-il très vite[b]», car d'un côté il a la Puissance pour mener à bien ses méchantes entreprises, de
l'autre la Pompe applaudit aux crimes commis. «Ainsi
s'accomplit cette parole de l'Écriture[c]» : «Le pécheur est
loué dans les désirs de son âme, et l'impie est béni[d]»;
«et cette autre[e]» : «C'est votre heure, c'est le pouvoir
des ténèbres[f].» Deux cochers conduisent les deux
chevaux : Morgue et Envie; Morgue mène la Pompe, Envie
la Puissance. Car il est vite entraîné par l'amour des
pompes diaboliques, celui dont le cœur s'est d'abord
gonflé de morgue. En revanche, le cœur qui demeure
ferme, freiné par la crainte, modeste parce que grave,
affermi par l'humilité, sain par sa pureté, ne sera pas
aisément emporté au souffle de cette vanité. De même,

Texte qui évoque l'orgueil de la vie, la concupiscence de la chair et
celle des yeux.

nequaquam leviter rapietur. Item terrenae iumentum
potentiae nonne invidia agitur, et quasi quibusdam livoris
25 urgetur hinc inde calcaribus suspicione utique decedendi,
et metu succumbendi? Aliud est enim quod suspectus est
successor, et aliud quod timetur invasor. His itaque sti-
mulis terrena Potentia continue agitatur. Et currus quidem
Malitiae sic se habet.

7. Luxuriae vero currus quadriga nihilominus volvitur
vitiorum, Ingluvie videlicet ventris, Libidine coitus, Mol-
litie vestium, otii soporisque Resolutione. Trahitur equis
aeque duobus, Prosperitate vitae et rerum Abundantia; et
5 qui his praesident duo : ignaviae Torpor, et infida Securitas, quia et copia ignaviam solvit et, secundum Scrip-
turam : *Prosperitas stultorum perdet illos* [a], non sane ob
aliud, nisi quoniam male securos reddat. *Cum autem
dixerint : Pax et securitas, tunc subitaneus superveniet eis
10 interitus* [b]. Hi calcaria minime habent, neque flagella, vel
aliquid huiusmodi; sed pro his utuntur conopeo ad
faciendam umbram et flabello ad citandum ventum. Porro
conopeum Dissimulatio est, umbram faciens et protegens
ab aestu curarum. Proprium namque est mollis et deli-
15 catae animae etiam necessarias dissimulare curas et, ne
aestuantes sollicitudines sentiat, sub latibulo dissimula-
tionis abscondi. Flabellum vero Effusio est, ventum adu-
lationis apportans. Largi sunt enim luxuriosi, ementes auro
ventum de ore adulatorum. Et de hoc satis.

---

7. a. Prov. 1, 32   b. I Thess. 5, 3 ≠

1. J. Leclercq a bien commenté les allégories expliquant les trois
chars du diable («L'art de la composition dans les sermons de
S. Bernard» dans LECLERCQ, *Recueil*, t. 3, p. 154-158). Cf. GUILL. DE
S.-TH., *Brevis commentatio* 23 (*CCM* 87, 181, 19-32).

2. * Bernard emploie 9 fois ce texte. Il n'a pas de texte fixe. Quatre
fois, on trouve chez lui, à la place de *repentinus (Vg)*, le mot *subitaneus,* comme c'est le cas ici. De nombreux Pères, ainsi que GEOFFROY
D'AUXERRE *(Entretien de Simon-Pierre avec Jésus* 21, l. 8, *SC* 364, 144),

le cheval de la puissance terrestre n'est-il pas mené par l'envie et pressé de part et d'autre, pour ainsi dire, par ses deux éperons : le soupçon de devoir céder sa place et la peur de succomber? Autre chose en effet est de se méfier d'un successeur, autre chose de craindre un usurpateur. La Puissance terrestre est sans cesse harcelée par ces aiguillons. Voilà donc pour le char de la Malice[1].

7. Le char de la Luxure, quant à lui, roule également sur quatre roues, qui sont ces quatre vices : la Gloutonnerie du ventre, la Volupté de l'accouplement, la Mollesse des habits, le Relâchement de l'oisiveté et de la somnolence. Il est tiré lui aussi par deux chevaux : la Prospérité de la vie et l'Abondance des biens. Ceux qui les conduisent s'appellent : la Torpeur de la paresse et la Sécurité trompeuse. Car la richesse lâche la bride à la paresse et, selon l'Écriture : «La prospérité des insensés les perdra[a]», pour cette seule raison qu'elle leur inspire une sécurité mal fondée. «Quand ils diront : Paix et sécurité, c'est alors que soudain fondra sur eux la perdition[b2].» Ces cochers-ci n'ont ni éperons, ni fouets, ni rien de semblable; en revanche, ils se servent d'un parasol pour se donner de l'ombre, et d'un éventail pour se faire du vent. Le parasol est la Dissimulation, qui donne de l'ombre et protège contre la brûlure des soucis. Car c'est le propre d'une âme molle et voluptueuse de dissimuler même les soucis nécessaires et de se cacher à l'abri de la dissimulation pour ne pas sentir la brûlure des préoccupations. Quant à l'éventail, c'est la Prodigalité, qui suscite le vent de la flatterie. Les luxurieux sont prodigues, en effet; ils achètent à prix d'or le vent qui sort de la bouche des flatteurs. En voilà assez sur ce point[3].

---

ont *subitaneus*, que l'édition critique de la *Vetus latina* édite. Voir aussi *SCt* 38, 1, l. 25 s., p. 142.

3. Sous le nom de «luxure», Bernard ne décrit pas seulement les excès de la *libido*, mais tous les défauts de la sensualité effrénée.

23   **8.** Iam vero Avaritia rotis et ipsa vehitur quatuor vitiorum, quae sunt Pusillanimitas, Inhumanitas, Contemptus Dei, mortis Oblivio. Porro iumenta trahentia, Tenacitas et Rapacitas, et his unus auriga ambobus praesidet, habendi Ardor.
5 Sola siquidem Avaritia, quoniam conducere plures non patitur, uno contenta est servitore. Ipse vero iniuncti operis promptus admodum atque infatigabilis executor, urgendis sane iumentis trahentibus, flagris utitur acerrimis, Libidine acquirendi et Metu amittendi.

IV. Nomina reliquorum Pharaonis principum, et qualiter ab his spiritualis Israel liberetur.

    9. Sunt et alii principes regis Aegypti, habentes et ipsi currus suos in expeditione domini sui, sicut Superbia, quae unus de maioribus est principibus, sicut inimica fidei Impietas, magnum et ipsa tenens locum in domo et regno
5 Pharaonis; et multi adhuc sunt alii inferioris ordinis satrapae et equites, *quorum non est numerus* [a] in Pharaonis exercitu : quorum et nomina et officia, necnon et arma, et apparatus eorum, vestris studiis, ut in his exerceamini, inquirenda relinquo. In istorum itaque principum
10 fortitudine curruumque suorum, invisibilis Pharao ubique discurrens, in omnem familiam Domini, quibus potest viribus, more tyrannico debacchatur, in his, etiam diebus his, *exeuntem Israel de Aegypto* [b] insequitur. At ille nec subvectus curribus, nec armis protectus, nihilominus tamen
15 sola *Domini manu confortatus* [c], secure decantat : *Cantemus Domino : Gloriose enim honorificatus est, equum et ascensorem proiecit in mare* [d]. Item : *Hi in curribus et hi*

---

9. a. Ps. 39, 13; Ps. 103, 25   b. Ps. 113, 1 ≠   c. Esd. 7, 28 ≠
d. Ex. 15, 1 (Lit.)

---

1. * L'une des 2 occurrences de ce verset, avec *honorificatus*

8. L'Avarice, elle aussi, est portée sur un char à quatre roues, qui sont ces vices : Mesquinerie, Inhumanité, Mépris de Dieu, Oubli de la mort. Les chevaux qui le tirent s'appellent Lésinerie et Rapacité. Un seul cocher les conduit, la Passion de posséder. Il n'y a que l'Avarice qui se contente d'un seul serviteur, parce qu'elle ne supporte pas d'en payer plusieurs. Mais celui-ci est très zélé et infatigable dans l'exécution du travail commandé. Pour presser les chevaux de l'attelage, il se sert de deux cravaches cinglantes : la Hantise d'acquérir et la Peur de perdre.

IV. Les noms des autres princes de Pharaon. Comment l'Israël spirituel en est délivré.

9. Il est encore d'autres princes du roi d'Égypte, qui ont eux aussi leurs chars dans l'armée de leur seigneur. Tel l'Orgueil, qui est l'un de ses plus grands princes ; telle l'Impiété ennemie de la foi, qui occupe elle aussi un rang élevé dans la maison et dans le royaume de Pharaon. Il y a encore bien d'autres satrapes et cavaliers d'un rang inférieur ; «leur nombre est infini[a]» dans l'armée de Pharaon. Je laisse à votre zèle – ce sera un excellent exercice – le soin de chercher leurs noms et leurs fonctions, leurs armes et leurs équipages. Ainsi, fort de ces princes et de leurs chars, le Pharaon invisible court partout. Comme un tyran, il fait rage de toutes ses forces contre la famille entière du Seigneur. Par ces princes et ces chars, il poursuit aujourd'hui encore «Israël sortant d'Égypte[b]». Sans être porté par des chars ni protégé par des armes, mais «fortifié par la seule main du Seigneur[c]», Israël chante en toute sécurité : «Chantons pour le Seigneur : il s'est couvert d'honneur et de gloire ; il a jeté à la mer cheval et cavalier[d1].» Et encore : «Les uns se fient à leurs chars, les autres à leurs chevaux ;

---

et *proiecit*, mots caractéristiques du répons *Cantemus Domino* du 4e dimanche de Carême ainsi que de la Nuit pascale.

in equis; nos autem in nomine Domini Dei nostri invocabimus[e]. Et haec dicta sint pro adducta similitudine de
20 equitatu Domini et curribus Pharaonis.

10. Post haec amica appellatur. Nam ipse et ante liberationem amicus erat : alioquin non liberasset quam non
amasset; sed illa beneficio liberationis adducta est, ut
esset amica. Audi denique confitentem : *Non quia dilexe-*
5 *rimus eum nos*, inquit, *sed ipse prior dilexit nos*[a].
Recordare nunc mihi Moysi et Aethiopissae[b], et agnosce
iam tunc praefiguratum coniugium Verbi et animae peccatricis; et discerne, si potes, quid tibi dulcius sapiat in
consideratione suavissimi sacramenti, Verbi ne nimium
24 10 benigna dignatio, an animae inaestimabilis gloria, an
inopinata fiducia peccatoris. Sed non *potuit* Moyses *Aethiopissae mutare pellem*[c], potuit Christus. Sequitur enim :
Pulchrae sunt genae tuae sicut turturis[d]. Sed hoc sermoni
alteri reservetur : ut semper quae in mensa sponsi nobis
15 apponuntur[e], cum aviditate sumentes, eructuemus *in* ipsius
laudem et gloriam[f], Iesu Christi Domini nostri, *qui est
Deus benedictus in saecula. Amen*[g].

---

e. Ps. 19, 8
10. a. I Jn 4, 10 ≠   b. Cf. Nombr. 12, 1   c. Jér. 13, 23 ≠
d. Cant. 1, 9   e. Cf. Prov. 23, 1 (Patr.)   f. I Pierre 1, 7 ≠
g. Rom. 9, 5 ≠

1. * Ici comme dans les 12 citations ou allusions similaires, Bernard inclut
toujours le mot *prior*. Ce mot n'est pas dans le texte critique du verset 10,
mais dans les manuscrits tardifs de *Vg* et chez plusieurs Pères. Ce n'est pas
pour Bernard un texte «en passant», mais il argumente chaque fois sur la
priorité, temporelle ou de grandeur, de l'amour de Dieu.

2. L'Éthiopienne devient ici l'image de l'âme pécheresse. L'explication
moralisante de sa noirceur est plutôt exceptionnelle. Cf. cependant l'allusion de NIL D'ANCYRE, *Commentaire sur le Cantique des cantiques* 13
(*SC* 403, 153, n. 3). ORIGÈNE, *In Cant.* II, 6 (*SC* 375, 265) : *Ego sum illa
aethiopissa : ego sum nigra quidem ignobilitate generis, formosa vero
propter paenitentiam et fidem*, «Je suis moi-même cette Éthiopienne :

nous, nous invoquerons le nom du Seigneur notre Dieu[e].» Voilà pour la comparaison tirée de la cavalerie du Seigneur et des chars de Pharaon.

10. Ensuite, l'épouse est appelée amie. Même avant sa délivrance, l'Époux était son ami : car il ne l'aurait pas délivrée s'il ne l'avait aimée. Mais elle, c'est par le bienfait de sa délivrance qu'elle est devenue son amie. Écoute celui qui déclare : «Ce n'est pas nous qui l'avons aimé, mais lui qui nous a aimés le premier[a1].» Rappelle-toi ici de Moïse et de l'Éthiopienne[b], et reconnais dans leur union la préfiguration du mariage entre le Verbe et l'âme pécheresse[2]. Distingue, si tu le peux, ce qui a une plus douce saveur pour toi dans la considération de ce lien sacré si suave : la complaisance pleine de bonté du Verbe, ou la gloire inestimable de l'âme, ou la confiance inattendue du pécheur. Mais Moïse «n'a pas pu changer la peau de l'Éthiopienne[c]», tandis que le Christ a pu le faire[3]. En effet, il est dit ensuite : «Tes joues sont belles comme celles de la tourterelle[d].» Mais réservons ce passage pour un autre sermon. Ainsi, mangeant toujours avec appétit les mets qui nous sont servis à la table de l'Époux[e4], nous en ferons jaillir «une louange à sa gloire[f]». C'est lui, notre Seigneur Jésus-Christ, «qui est Dieu béni dans les siècles. Amen[g]».

je suis noire par l'obscurité de la race, mais belle par la pénitence et la foi.» Il n'y a qu'Origène qui parle longuement de l'Éthiopienne. C'est lui qui a influencé la pensée de Bernard. Origène est le seul exégète des temps patristiques qui compare l'épouse éthiopienne de Moïse à la Sunamite de Salomon (qui est noire et belle).

3. Bernard évoque souvent cette différence entre Moïse et le Christ : *SCt* 3, 2, l. 10-11, *SC* 414, 102; *SCt* 64, 10 (*SBO* II, 171, 24-25). AELRED DE RIEVAULX, *De Iesu puero* III, 263 (*CCM* 1, 273; *SC* 60, III, 27, p. 112, 4-5).

4. * *Quae in mensa (...) nobis apponuntur* : allusion au «texte bernardin» de *Prov.* 23, 1 : *Ad mensam divitis vocatus, diligenter considera quae tibi apponuntur.* Ici comme souvent, cette «table du riche» avec ses mets désigne le festin céleste. Cf. *SC* 431, 378, n. 3 sur *SCt* 29, 2.

SERMO XL

I. Quae sit animae facies, unde pulchritudo eius perpenditur. – II. Quod duo in animae intentione sint consideranda, res et causa, quasi genae duae. – III. Quod solitudo turturis sit appetenda et quando praecipue, vel quid hanc solitudinem faciat. Item de non iudicando.

I. Quae sit animae facies, unde pulchritudo eius perpenditur.

1. *Pulchrae sunt genae tuae sicut turturis*[a]. Tenera est sponsae verecundia; et ad increpationem sponsi, puto, *facies* eius *rubore suffusa est*[b], pulchriorque ex eo apparens, illico audivit : *Pulchrae sunt genae tuae sicut*
5 *turturis.* Vide autem ne carnaliter cogite coloratam carnis putredinem, et purulentiam flavi sanguineive humoris, vitreae cutis superficiem summatim atque aequaliter suffundentem : e quibus sibi invicem moderate permixtis, ad venustandam genarum effigiem rubor subpallidus in effi-
10 cientiam corporeae pulchritudinis temperatur. Alioquin incorporea illa animae invisibilisque substantia, nec corporeis distincta membris, nec visibilibus exstat fucata coloribus. Tu vero spiritualem essentiam spirituali, si potes, attinge intuitu, et ad coaptandum propositae similitudinis
15 schema cogita animae faciem, mentis intentionem; ex qua

---

1. a. Cant. 1, 9   b. Nombr. 12, 14 ≠

---

1. *Animae faciem, mentis intentionem,* « Le visage de l'âme, c'est l'intention de l'esprit. » La beauté des joues révèle la perfection morale de l'épouse.

SERMON 40

I. Quel est le visage de l'âme qui permet d'apprécier sa beauté. – II. Dans l'intention de l'âme, il y a deux éléments à considérer : l'objet et le motif, qui sont comme les deux joues. – III. La solitude de la tourterelle doit être recherchée. A quels moments surtout il faut la rechercher et quelles sont les conditions qui créent cette solitude. Le devoir de ne pas juger.

I. Quel est le visage de l'âme qui permet d'apprécier sa beauté.

1. «Tes joues sont belles comme celles de la tourterelle[a].» Délicate est la pudeur de l'épouse, et je crois bien qu'aux reproches de l'Époux, son «visage s'est couvert d'une rougeur[b]» qui l'a fait paraître plus belle. Aussitôt, elle a entendu cette parole : «Tes joues sont belles comme celles de la tourterelle.» Mais garde-toi d'imaginer charnellement que la chair corruptible prenne de la couleur, et que l'épanchement d'une humeur jaune ou sanguine vienne inonder de façon égale toute la surface diaphane de la peau : comme si le mélange bien dosé de ces teintes composait une rougeur atténuée pour embellir l'aspect des joues et rehausser leur beauté physique. Car la substance incorporelle et invisible de l'âme ne se répartit pas selon les membres du corps et ne saurait se teindre de couleurs visibles. Toi donc, si possible, tâche d'atteindre l'essence spirituelle par un regard spirituel et, pour bien saisir l'image de la comparaison proposée, pense que le visage de l'âme, c'est l'intention de l'esprit[1]. Car c'est l'intention qui permet de juger de

25   nimirum rectitudo operis, sicut ex facie pulchritudo corporis, aestimatur. Porro verecundiam intellige, tamquam
colorem in facie, quod haec potissimum virtus et venus-
tatem ingerat, et augeat gratiam. *Pulchrae ergo sunt genae*
20   *tuae sicut turturis.* Poterat usitatius faciem ponere et des-
cribere pulchram, sicut solet, cuius pulchritudo laudatur,
pulchra facie[c] seu *decora facie*[d] dici; sed nescio quid
sibi voluerit, ut magis genas pluraliter dicendum puta-
verit, nisi quod minime id crediderim otiosum. Spiritus
25   namque sapientiae loquitur, cui non est fas vel modicum
quid omnino ascribere otiosum, aut secus dictum quam
oportuerit. Est itaque sine dubio causa, quaecumque illa
sit, cur pluraliter genas maluerit, quam singulariter faciem
dicere. Et si tu melius non habes, ego quod mihi videtur
30   aperio.

II. Quod duo in animae intentione sint consideranda, res et causa, quasi genae duae.

2. Duo quaedam in intentione, quam animae faciem
esse diximus, necessarie requiruntur : res, et causa, id est
quid intendas, et propter quid. Et ex his sane duobus
animae vel decor, vel deformitas iudicatur, ut, verbi
5   causa, anima, quae ambo ista recta et pudica habuerit,
illi merito veraciterque dicatur : *Pulchrae sunt genae tuae
sicut turturis*[a]. Quae vero altero horum caruerit, non
poterit dici de ea, quod *pulchrae* sint *genae tuae sicut
turturis*, propter eam, quae adhuc ex parte erit, defor-
10   mitatem. Multo autem minus illi hoc poterit convenire,
quae neutrum horum habere laudabile invenitur. At id

c. Gen. 39, 6   d. Gen. 29, 17; Esther 2, 7
2. a. Cant. 1, 9

la rectitude de l'acte, comme le visage permet de juger de la beauté du corps. Quant à la couleur du visage, entends par là la pudeur, puisque c'est cette vertu surtout qui donne du charme et augmente la grâce. «Tes joues sont belles comme celles de la tourterelle.» Il aurait pu, suivant l'usage plus fréquent, déclarer beau le visage et le décrire. Quand on loue la beauté de quelqu'un, on a coutume de dire qu'il a «un beau visage[c]», ou «un joli visage[d]». Je ne sais pas ce qu'il a voulu entendre de spécial, en préférant parler des joues au pluriel. Mais je n'oserais nullement croire que ce choix est sans fondement. C'est l'Esprit de sagesse qui parle ainsi, et il n'est pas permis de lui attribuer la moindre parole dite sans fondement, ou exprimée autrement qu'il n'aurait fallu. Il y a sans aucun doute une raison, quelle qu'elle soit, pour qu'il ait préféré parler des joues au pluriel, plutôt que du visage au singulier. Si tu n'as pas mieux à proposer, je vais expliquer ce qui m'en semble.

II. Dans l'intention de l'âme, il y a deux éléments à considérer : l'objet et le motif, qui sont comme les deux joues.

2. Dans l'intention, qui est, nous l'avons dit, le visage de l'âme, il y a deux éléments indispensables : l'objet et le motif, c'est-à-dire ce qu'on vise, et pourquoi. C'est à ces deux éléments qu'on juge de la beauté ou de la difformité de l'âme. Ainsi, par exemple, à l'âme chez qui ces éléments sont tous deux droits et purs on dira avec justice et vérité : «Tes joues sont belles comme celles de la tourterelle[a].» En revanche, si l'âme est dépourvue de l'un ou l'autre de ces éléments, on ne pourra pas lui dire : «Tes joues sont belles comme celles de la tourterelle», à cause de la difformité qui subsiste en partie. Et cet éloge conviendra beaucoup moins à l'âme qui n'est louable ni dans l'objet ni dans le motif de son intention. Mais tout

totum fiet planius in exemplis. Si, verbi causa, intendat quis animum inquirendae veritati, atque id solo veritatis amore, nonne is tibi videtur et rem et causam habere
15 honestam, meritoque sibi vindicare quod dicitur : *Pulchrae sunt genae tuae sicut turturis,* quippe cui in neutra genarum naevus reprehensionis appareat? Quod si minime quidem veritatis desiderio, sed aut *inanis gloriae* [b], aut alterius qualiscumque commodi temporalis
20 obtentu in veritatem intenderit, iam etsi unam genarum videatur habere formosam, non tamen, ut arbitror, dubitabis iudicare vel ex parte deformem, cuius alteram faciem causae turpitudo foedaverit. Si autem videris hominem nullis honestis studiis intendentem, sed carnis
25 irretitum illecebris, ventri et luxuriae deditum, quales sunt illi, *quorum Deus venter est, et gloria in confusione eorum qui terrena sapiunt* [c] : quid istum? Nonne ex utraque parte foedissimum iudicabis, in cuius utique intentione et res et causa reproba invenitur?

26   **3.** Ergo intendere non in Deum, sed in saeculum, saecularis animae est, nec ullam prorsus genarum speciosam habentis. Intendere autem quasi in Deum, sed non propter Deum, hypocritae plane animae est, cuius etsi una facies
5 decora videtur, quod ad Deum qualicumque intentione respiciat, ipsa tamen simulatio omne in ea decorum exterminat, magis per totum ingerit foeditatem. Si autem vel solum, vel maxime, ob vitae praesentis necessaria ad Deum converterit intentionem, non quidem faece hypo-
10 crisis putidam, pusillanimitatis tamen vitio dicimus subobscuram, et minus acceptam. Porro, e contrario, intendere

b. Gal. 5, 26   c. Phil. 3, 19 ≠

cela deviendra plus clair par des exemples. Prenons un homme qui applique son esprit à la recherche de la vérité, et cela uniquement par amour de la vérité; ne te semble-t-il pas que son intention a un objet et un motif également nobles? Cet homme pourra revendiquer le droit de s'entendre dire : « Tes joues sont belles comme celles de la tourterelle. » Car ni sur l'une ni sur l'autre joue on ne voit apparaître aucune tache répréhensible. Si au contraire il applique son esprit à la vérité, non par désir de la vérité, mais pour obtenir « de la vaine gloire[b] », ou n'importe quel autre avantage temporel, tu n'hésiteras pas, je pense, à le juger difforme, au moins en partie. Même si l'une de ses joues semble être belle, la bassesse du motif a défiguré l'autre. Si enfin tu vois un homme qui ne s'applique à aucune occupation honnête, pris aux appâts de la chair, adonné au ventre et à la débauche, comme ceux « qui ont pour Dieu leur ventre, qui mettent leur gloire dans leur honte et ne goûtent que les choses de la terre[c] » : que diras-tu de lui? Ne le jugeras-tu pas absolument laid en ses deux joues, puisque l'objet comme le motif de son intention sont également blâmables?

3. Tendre non pas vers Dieu, mais vers le monde est le propre d'une âme mondaine et dont les deux joues sont dépourvues de beauté. Tendre apparemment vers Dieu, mais non à cause de Dieu, est le propre d'une âme tout à fait hypocrite. Un côté de son visage semble beau, puisqu'il regarde vers Dieu, quelle que soit par ailleurs son intention. Pourtant, cette simulation même détruit dans l'âme toute beauté; mieux que cela, elle répand la laideur sur tout le visage. Si en revanche une âme tourne son intention vers Dieu uniquement ou surtout pour les nécessités de la vie présente, nous ne la disons pas souillée par la fange de l'hypocrisie, mais quelque peu ternie par le vice de la mesquinerie, et donc moins agréable. Par contre, tendre vers autre

in aliud quam in Deum, tamen propter Deum, non otium
Mariae, sed Marthae negotium est. Absit autem ut quae
huiusmodi est, quidquam illam dixerim habere deforme.
15 Nec tamen ad perfectum affirmaverim pervenisse decoris :
quippe quae adhuc *sollicita est et turbatur erga plurima*[a],
et non potest terrenorum actuum vel tenui pulvere non
respergi. Quem tamen cito facileque deterget, vel in hora
sanctae dormitionis, casta intentio et *bonae conscientiae*
20 *interrogatio in Deum*[b]. Ergo solum inquirere Deum
propter ipsum solum, hoc plane est utramque bipertitae
intentionis faciem habere pulcherrimam; atque id proprium ac speciale sponsae, cui merito singulari praerogativa audire conveniat : *Pulchrae sunt genae tuae sicut*
25 *turturis*[c].

III. Quod solitudo turturis sit appetenda et quando praecipue, vel quid hanc solitudinem faciat. Item de non iudicando.

4. Cur vero *sicut turturis?* Pudica avicula est, et conversatio eius non cum multis, sed solo degere fertur contenta
compare, ita ut, si illum amiserit, alterum non requirat,
sed sola deinceps conversetur. Tu ergo qui haec audis, ut
5 sane non otiose audias ea quae scripta sunt propter te[a],
et nunc propter te versantur et disputantur, tu, inquam, si

---

3. a. Lc 10, 41 ≠   b. I Pierre 3, 21 ≠   c. Cant. 1, 9
4. a. Cf. I Cor. 9, 10

---

1. La réflexion sur l'intention subjective mène Bernard à la distinction
traditionnelle entre la contemplation et l'action. Ici il donne l'avantage
à la vie contemplative de Marie, mais son choix reste prudent. Il nous
a donné un autre point de vue en *SCt* 9, 8 (*SC* 414, 212-213).

2. *Turtur,* «La tourterelle». Bernard résume ici tout un passage d'Ambroise, où celui-ci décrit la vie chaste des tourterelles, qui restent fidèles à
leur premier compagnon, même après sa mort. AMBROISE, *Exameron* 19 (*CSEL*

chose que Dieu, mais à cause de Dieu, ce n'est pas le repos de Marie, mais l'activité de Marthe[1]. Je me garderai bien de dire qu'une âme de cette sorte ait en elle quelque difformité. Je n'affirmerais pas pourtant qu'elle soit parvenue à la perfection de la beauté. Car elle «s'inquiète et s'agite pour beaucoup de choses[a]», et il n'est guère possible qu'elle ne soit pas couverte, fût-ce légèrement, de la poussière des actes terrestres. Mais cette poussière sera vite et aisément essuyée par l'intention chaste et «par l'engagement envers Dieu d'une bonne conscience[b]», au moins à l'heure où cette âme s'endormira dans une sainte mort. Donc, chercher Dieu seul pour lui seul, c'est cela avoir parfaitement belles les deux faces de l'intention. Tel est le privilège particulier et spécial de l'épouse, qui mérite d'entendre ces paroles : «Tes joues sont belles comme celles de la tourterelle[c].»

III. La solitude de la tourterelle doit être recherchée. A quels moments surtout il faut la rechercher et quelles sont les conditions qui créent cette solitude. Le devoir de ne pas juger.

4. Mais pourquoi «belles comme celles de la tourterelle»? C'est un petit oiseau chaste, qui ne vit pas en nombreuse compagnie. A ce qu'on dit, elle se contente toute sa vie d'un seul compagnon. Si elle le perd, elle n'en cherche pas un autre, mais vit désormais solitaire[2]. Toi qui écoutes ces paroles, n'écoute pas en vain ce qui a été écrit pour toi[a] et ce que nous sommes en train de méditer et d'expliquer pour toi. Toi, dis-je, si tu te

---

32/1, 187, 10-22; 188, 4-12). Cf. Isidore, *Etym.* XII, 7, 60 (*PL* 82, 467 B). Voir aussi Thomas Cantimpratensis, *Liber de natura rerum* (éd. H. Boese, Berlin, 1973) : *De turture... Aristoteles testatur quod mire pudicitie est. Socium diligit et soli fidem servat adeo, ut eo mortuo... alteri se non iungat, sed solitarie incedens siccis arborum ramis insidet gemens et tristis.*

ad istiusmodi Spiritus Sancti incitamenta moveris, et inar-
descis dare operam quomodo animam tuam facias
sponsam Dei, stude ambas speciosas habere has genas
10 tuae intentionis, ut, imitator castissimae volucris, *sedeas,*
secundum Prophetam, *solitarius, quoniam levasti te supra
te* [b]. Omnino supra te, angelorum Domino desponsari;
annon supra te, *adhaerere Deo atque unum spiritum esse
cum eo* [c]? Sede itaque solitarius, sicut turtur. Nihil tibi et
15 turbis, nihil cum multitudine ceterorum; etiamque ipsum
27   *obliviscere populum tuum, et domum patris tui, et concu-
piscet Rex decorem tuum* [d]. O sancta anima, sola esto, ut
soli omnium serves teipsam, quem ex omnibus tibi ele-
gisti. Fuge publicum, fuge et ipsos domesticos; secede ab
20 amicis et intimis, etiam et ab illo qui tibi ministrat. An
nescis te verecundum habere sponsum, et qui nequaquam
suam velit tibi indulgere praesentiam, praesentibus ceteris?
Secede ergo, sed mente, non corpore; sed intentione, sed
devotione, sed spiritu. *Spiritus* enim *ante faciem tuam
25 Christus Dominus* [e], spiritusque requirit non corporis solitudinem, quamquam interdum et corpore non otiose te
separas, cum opportune potes, praesertim in tempore ora-

---

b. Lam. 3, 28 ≠   c. I Cor. 6, 17 (Patr.)   d. Ps. 44, 11-12
e. Lam. 4, 20 (Patr.)

---

1. «N'est-ce pas au-dessus de tes forces de t'attacher à Dieu et d'être
un seul esprit avec Lui?» L'unité spirituelle avec Dieu est proposée
ailleurs comme le but ultime de l'amour de Dieu (*Dil* X, 27, *SC* 393,
128, 13). Aussi Bernard cite-t-il dix-sept fois le verset *I Cor.* 6, 17 dans
les *SCt.* * Allusion à l'un des textes que Bernard a le plus souvent
employés, en fait une cinquantaine de fois. *Deo* et *cum eo* sont patristiques. Cf. *SC* 431, 117, n. 2 sur *SCt* 19, 5.
2. Cf. Z. ALSZEGHY, art. «Fuite du monde», *DSp* 5 (1964), col. 1575-
1605 (surtout 1600-1605). *Fuge publicum,* «Fuis les réunions publiques.»
THOMAS A KEMPIS, *De disciplina claustralium* 6 (éd. M. Pohl, II, p. 292,
11); *De imitatione Christi* I, 20 (éd. M. Pohl, II, p. 37, 27-28 *Laudabile*

laisses toucher par ces incitations de l'Esprit-Saint, et si
tu brûles de t'employer à faire de ton âme l'épouse de
Dieu, efforce-toi de rendre belles l'une et l'autre joue de
ton intention. Imitant cet oiseau si chaste, «assieds-toi
dans la solitude», comme dit le Prophète, «puisque tu
t'es élevé au-dessus de toi-même[b]». Il est absolument
au-dessus de tes forces d'épouser le Seigneur des anges.
N'est-ce pas au-dessus de tes forces, de «t'attacher à
Dieu et d'être un seul esprit avec lui[c1]»? «Assieds-toi
donc dans la solitude», comme la tourterelle. N'aie
aucun commerce avec les foules, aucun avec la multitude; «oublie même ton peuple et la maison de ton
père, et le Roi désirera ta beauté[d]». Ame sainte,
demeure seule, afin de te réserver toute à celui-là seul
que tu t'es choisi entre tous. Fuis les réunions
publiques[2], fuis même les gens de ta maison; sépare-toi
de tes amis et de tes intimes, et même de celui qui est
à ton service. Ne sais-tu pas que tu as un Époux
pudique, qui ne voudrait en aucune manière t'accorder
sa présence en présence d'autrui? Retire-toi, mais par la
pensée, non par le corps; par l'intention, la ferveur,
l'esprit. Car «le Christ Seigneur est Esprit devant ta
face[e3]», et il exige la solitude de l'esprit, non du corps.
Pourtant, il te sera parfois profitable de t'isoler également de corps, quand tu peux le faire à propos,

---

est homini religioso raro foras ire, fugere videri, nolle etiam homines
videre, «Il est louable dans un religieux de sortir rarement, et de n'aimer
ni à voir les hommes ni à être vu d'eux.»
3. * On retrouvera ce texte en *SCt* 45, 5, l. 14 s., p. 264; en *SCt*
48, 6, l. 20 s., p. 322; et en *SCt* 48, 7, l. 22, p. 324; il est 21 fois
dans les *SBO*, dont 14 dans *SCt*. Origène, Ambroise peuvent être la
source de Bernard. Cf. *SC* 431, 128, n. 2 sur *SCt* 20, 3. Dans ces 3 passages, Bernard fait un usage plutôt occasionnel de ce verset; il ne
remonte pas jusqu'à la divinité du Verbe voilée par son humanité; en
SCt 48, 6-8, il traite des conséquences de la différence pour l'homme
entre foi et vision.

tionis. Tenes etiam in hoc et mandatum Sponsi, et
formam : *Tu*, inquit, *cum orabis, intra in cubiculum*
30 *tuum, et, clauso ostio, ora* [f]. Et quod dixit, fecit. *Solus in*
oratione pernoctabat [g], non modo abscondens se a
turbis [h], sed ne ullum quidem discipulorum nec ullum
domesticorum admittens. Denique tres secum intimos sibi
adduxerat, cum ultro properaret ad mortem [i]; *avulsus est*
35 *et ab ipsis, orare* [j] volens. Ergo *et tu fac similiter* [k], quando
orare volueris.

5. De cetero sola indicitur tibi mentis et spiritus solitudo.
Solus es, si non communia cogites, si non affectes praesentia, si despicias quod multi suspiciunt, si fastidias quod
omnes desiderant, si iurgia devites, si damna non sentias,
5 si non recorderis iniuriarum [a]. Alioquin nec si solus corpore
es, solus es. Videsne posse esse te et solum inter multos,
et inter multos solum? Solus es in quantacumque hominum
verseris frequentia : tantum cave alienae conversationis
esse aut temerarius iudex, aut curiosus explorator. Etiamsi
10 perperam actum quid deprehendas, nec sic iudices
proximum, magis autem excusa. Excusa intentionem, si
opus non potes : puta ignorantiam, puta subreptionem,
puta casum. Quod si omnem omnino dissimulationem rei
certitudo recusat, suade nihilominus ipse tibi, et dicito
15 apud temetipsum : «Vehemens fuit nimis tentatio; quid
de me illa fecisset, si accepisset in me similiter potes-

---

f. Matth. 6, 6 ≠   g. Lc 9, 18 ≠; 6, 12 ≠   h. Cf. Jn 12, 36
i. Cf. Matth. 26, 37   j. Lc 22, 41 ≠   k. Lc 10, 37
5. a. Cf. II Sam. 19, 19

---

1. La vraie prière exige l'isolement et la solitude. Bernard souligne
l'exemple du Christ à cet égard.
2. *Videsne posse esse te et solum inter multos et inter multos solum,*
«Vois-tu que tu peux être seul dans la multitude, et être dans la multitude tout en étant seul?» Cf. GUILL. DE S.-TH., *Expos. super Cant.* IV,

surtout au moment de l'oraison[1]. Tu as sur ce point à la fois le commandement et l'exemple de l'Époux : «Pour toi, dit-il, quand tu pries, entre dans ta chambre, ferme la porte, et prie[f].» Ce qu'il a dit, il l'a fait. «Il passait les nuits à prier seul[g]», non seulement en se cachant des foules[h], mais même en n'admettant aucun de ses disciples ou de ses familiers. Enfin, alors qu'il avait emmené avec lui ses trois intimes lorsqu'il se hâtait librement vers la mort[i], «il s'éloigna même de ceux-là, voulant prier[j]». «Toi aussi fais de même[k]», quand tu voudras prier.

5. Par ailleurs, on ne te prescrit que la solitude de la pensée et de l'esprit. Tu es seul, si ta pensée ne se ramène pas à des banalités, si tu ne t'affectionnes pas aux choses présentes, si tu dédaignes ce qu'admire la multitude; si tu ressens du dégoût pour ce que tous désirent, si tu évites les querelles, si tu restes insensible aux torts, si tu ne te souviens pas des injures[a]. Sinon, même dans la solitude du corps, tu n'es pas seul. Vois-tu que tu peux être seul dans la multitude, et être dans la multitude tout en étant seul[2]? Tu es seul, quelle que soit la foule des hommes alentour, pourvu que tu te gardes de juger avec témérité la conduite d'autrui ou de l'épier avec curiosité. Même si tu remarques quelque mauvaise action, ne juge pas ton prochain, excuse-le plutôt. Excuse l'intention, si tu ne peux pas excuser l'acte : suppose une ignorance, une inadvertance, un hasard. Et si l'évidence de la chose exclut toute ambiguïté, dis-toi ceci jusqu'à en être persuadé : «La tentation fut trop violente; qu'aurait-elle fait de moi, si elle avait pris sur moi un tel pouvoir?» Souviens-toi que pour

25 (*CCM* 87, 82, 61) : «La sagesse exige un cœur qui est solitaire même dans la foule.»

28 tatem?» Et memento, me modo alloqui sponsam, et non
amicum sponsi [b] instruere, cui alia ratio est diligentius
observandi ne quis peccet, et explorandi an peccet, et
20 emendandi si peccatum fuerit. A qua sane necessitate
sponsa libera est, soli vivens sibi, et ipsi quem diligit
Sponso pariter et Domino suo, *qui est benedictus Deus
in saecula. Amen* [c].

b. Jn. 3, 29 ≠   c. Rom. 9, 5 ≠

---

1. * «Ne vivant que pour elle seule et pour celui qu'elle aime», *soli
vivens sibi...* C'est là une expression parallèle à *habitavit secum,* «Il
habita *avec* lui-même.» Ces 2 expressions sont chères à Bernard et à
Grégoire le Grand. On lit 2 fois dans les *Moralia : Iob Deo soli sibique
cognitus,* «Job connu de Dieu seul et de lui-même», *Mor.* 3, 3 et 23,
1 (*CCL* 143, 116, 11 et 143 B, 1143, 7). Cf. *SC* 367, 416, n. 1 sur *MalS*
3. Pour Bernard, «vivre pour soi» peut être bien ou mal. «Bien»
chaque fois que c'est pour soi et pour Dieu, comme ici et en *Ep* 82,
1 (*SBO* VII, 215, 3) : *vacare Deo, vivere tibi,* «être occupé de Dieu,

l'instant je m'adresse à l'épouse ; je n'enseigne pas « l'ami de l'Époux[b] », qui a d'autres raisons de prendre garde que personne ne pèche, d'examiner si quelqu'un pèche, et de le corriger s'il y a eu péché. L'épouse est libre de ce devoir, ne vivant que pour elle seule et pour celui qu'elle aime[1], son Époux à la fois et son Seigneur, « qui est Dieu béni dans les siècles. Amen[c] ».

---

vivre pour toi ». Mais « vivre pour soi » est facilement douteux ou mauvais pour celui à qui une charge d'apôtre incombe : *SCt* 12, 8, l. 7, *SC* 414, 270 ; *Div* 3, 2 (*SBO* VI-1, 87, 15) ; *Ep* 4, 3, l. 6 et 20, *SC* 425, 136 et 138 ; *Ep* 155 (*SBO* VII, 362, 8). Bernard le rappelle à Eugène III : « Tu te dois aux sages comme aux insensés (*Rom.* 1, 14), et voici qu'à toi seul tu te refuses ? » (*Csi* 1, 6, *SBO* III, 400, 9). Nous rencontrons ici un thème cher à Bernard, formulé d'ordinaire : « Pour qui sera bon celui qui est mauvais pour lui-même ? » (*Sir.* 14, 5). L'abbé de Clairvaux n'a pas proposé de réflexion autre que le dilemme lui-même, se contentant de sa propre solution vécue.

SERMO XLI

I. De collo animae, quod intellectus bene accipitur. – II. Quibus competit dicere : *Murenulas aureas, etc.* – III. Quae sunt aureae murenulae et quomodo argento vermiculatae, et quod angelico ministerio visiones internae formentur. – IV. Quod sponsa aliud accipiat dum aliud petat : id est pro quiete contemplationis laborem praedicationis.

I. De collo animae, quod intellectus bene accipitur.

1. *Collum tuum sicut monilia*[a]. Solet ornari collum monilibus, non ipsis comparari. Sed hoc illae faciant, quibus, quia de proprio non inest decor, aliunde necesse est ut mendicent, unde se speciosas mentiantur. Nam
5 sponsae collum ita in seipso formosum, et tam decenter quasi natura formatum est, ut extrinsecus non requirat ornatum. Quid enim opus est peregrinorum fucos adhibere colorum, cui propria et tamquam innata sufficit pulchritudo, in tantum ut ipsorum quoque, quae ad ornandum
10 quaeruntur, monilium possit adaequare nitorem? Hoc nempe intelligi voluit, qui minime quidem a collo, ut assolet, pendere monilia, sed ipsum potius esse *sicut monilia* dixit. Nunc iam invocandus est nobis Spiritus Sanctus, ut sicut spirituales sponsae genas sua dignatione
15 tribuit invenire, ita etiam ipsius spirituale collum demons-

---

1. a. Cant. 1, 9

---

1. *Unde se speciosas mentiantur,* « pour donner l'illusion d'être belles ». On peut penser ici à la visite mémorable que l'unique sœur de Bernard, Hombeline, rendit à son frère abbé de Clairvaux

SERMON 41

I. Le cou de l'âme, interprété à juste titre comme le symbole de l'intelligence. – II. A qui revient-il de dire : «Nous te ferons des pendants d'or, etc.» – III. Quels sont ces pendants d'or et comment sont-ils incrustés d'argent. Les visions intérieures se forment par le ministère des anges. – IV. L'épouse reçoit autre chose que ce qu'elle demande : au lieu du calme de la contemplation, le travail de la prédication.

I. Le cou de l'âme, interprété à juste titre comme le symbole de l'intelligence.

1. «Ton cou est comme des colliers[a].» On a coutume de parer le cou de colliers, non de le comparer aux colliers. Mais qu'ainsi se parent les femmes qui, n'ayant pas de beauté naturelle, doivent la mendier ailleurs pour donner l'illusion d'être belles[1]. Le cou de l'épouse est par lui-même si beau et si bien façonné par la nature, qu'il ne demande aucune parure d'emprunt. Quel besoin en effet d'employer le fard de couleurs étrangères, lorsqu'on a assez de beauté native pour égaler l'éclat de ces colliers qu'on cherche pour s'en parer? Voilà ce qu'a voulu signifier celui qui a parlé, non pas de colliers suspendus au cou, selon l'usage, mais du cou lui-même qui est «comme des colliers». Il nous faut maintenant invoquer l'Esprit-Saint. Comme en sa bienveillance il nous a accordé de découvrir les joues spirituelles de l'épouse, qu'il daigne aussi nous expliquer le sens spirituel de son

(vers 1122). Elle y arriva en grand apparat. Mais Bernard ne voulut la recevoir qu'après des paroles de pénitence et des signes de conversion. Cf. GUILL. DE S.-TH., *Vita Bernardi* 30 (*PL* 185, 244 D-245 B).

trare dignetur. Et meo quidem intellectui, quia mihi
incumbit loqui quae sentio, nihil interim verisimilius pro-
babiliusve elucet, quam ipsum animae intellectum colli
nomine designari. Tu quoque idem, ut arbitror, appro-
20 babis, si advertas similitudinis rationem. Annon siquidem
29 tibi videtur colli quodam modo vice fungi intellectus, per
quem tua anima traicit in se spiritus vitalia alimenta, atque
in quaedam transfundit viscera morum affectuumque
suorum? Hoc igitur sponsae collum, id est purus et simplex
25 intellectus, cum *nuda et aperta* [b] veritate satis per seipsum
reniteat, non indiget ornamento; sed ipsum magis,
tamquam pretiosum monile, animam decenter exornat, ac
perinde simile monilibus ipsis describitur. Bonum monile
veritas, bonum puritas sive simplicitas, bonum plane
30 monile *sapere ad sobrietatem* [c]. Philosophorum vel haereticorum intellectus non habet hunc in se puritatis veri-
tatisque nitorem; et ideo multam curam gerunt ipsum
colorare et fucare phaleris verborum et versutiis syllogis-
morum, ne, si nudus appareat, falsi etiam appareat tur-
35 pitudo.

II. Quibus competit dicere : *Murenulas aureas, etc.*

2. Sequitur : *Muraenulas aureas faciemus tibi, vermiculatas argento* [a]. Si «faciam» singulariter, et non plura-

---

b. Hébr. 4, 13   c. Rom. 12, 3
2. a. Cant. 1, 10

---

1. *sapere ad sobrietatem,* «la sagesse sobre et mesurée». L'original
grec de *Rom.* 12, 3 ne parle pas de sobriété mais de juste mesure.
«Si l'on ajoute ou retranche quelque chose à la vertu, cela est désormais
péché selon l'avis des anciens philosophes» (GUILL. DE S.-TH., *Exp.
super Epist. ad Rom.* VII, 106-107, *CCM* 86, 167).

2. *phaleris verborum,* «le clinquant des mots». *Phalerae* signifie

cou. Voici donc la lumière qui se présente à mon intelligence, puisqu'il me revient de dire ce que je ressens. Pour le moment, aucun sens ne me paraît plus vraisemblable ou plus probable que celui-ci : c'est l'intelligence même de l'âme qui est désignée par le nom de cou. Je pense que toi aussi, tu approuveras cette interprétation, si tu remarques le pourquoi de la comparaison. Ne te semble-t-il pas que l'intelligence remplit en quelque sorte les fonctions du cou ? C'est par l'intelligence que ton âme fait passer en elle-même les aliments vitaux de l'esprit et les répand, pour ainsi dire, dans les entrailles de ses mœurs et de ses affections. Ce cou de l'épouse – c'est-à-dire l'intelligence dans sa pureté et sa simplicité, puisqu'elle brille assez par elle-même de la vérité «nue et évidente[b]» – n'a pas besoin de parure. C'est plutôt le cou lui-même qui, comme un collier précieux, pare l'âme de beauté, et c'est pourquoi il est assimilé aux colliers. C'est un collier de prix que la vérité, un collier de prix que la pureté ou la simplicité; un vrai collier de prix que «la sagesse sobre et mesurée[c1]». L'intelligence des philosophes ou des hérétiques ne possède pas par elle-même cet éclat de la pureté et de la vérité. C'est pourquoi ils consacrent tant de soin à colorer et à farder leur intelligence par le clinquant des mots[2] et les artifices des syllogismes. Car si cette intelligence se montrait à nu, elle montrerait aussi la laideur de la fausseté.

II. A qui revient-il de dire : «Nous te ferons des pendants d'or, etc.»

2. Il est dit ensuite : «Nous te ferons des pendants d'or incrustés d'argent[a].» S'il avait dit «je ferai» au sin-

---

d'abord «collier de femme», «collier de perles». Ensuite tout ornement, même au sens figuré.

liter «faciemus», dixisset, absolute et indubitanter et hoc
loqui sponsum pronuntiassem. Nunc autem vide ne forte
5 magis sodalibus eius congruentiusque assignemus,
sponsam quasi consolantibus tali promissione, quod donec
perveniat ad visionem eius, cuius desiderio sic flagrat,
facturi sint illi muraenulas pulchras et pretiosas, quae sunt
aurium ornamenta. Atque hoc propterea, ut opinor, quia
10 *fides ex auditu* [b] : quamdiu *per fidem ambulatur et non
per speciem* [c], danda opera potius instruendo auditui, quam
visui exserendo. Frustra namque intenditur oculus, qui
non sit fide mundatus [d], cum solis, qui mundo sunt corde,
videndi copia promittatur [e]. Scriptum vero est : *Fide
15 mundans corda eorum* [f]. Quia ergo *fides ex auditu*, et ex
illa visus purgatio est, merito illi ornandis auribus inten-
debant, dum auditus, sicut ratio docuit, visus sit praeparatio. «Tu», inquiunt, «o sponsa, intuendae dilecti inhias
claritati; sed hoc alterius temporis est. Damus autem in
20 praesentiarum ornamenta auribus tuis, quod erit tibi
interim consolatio, erit et praeparatio ad hoc ipsum quod
postulas»; ac si illud Prophetae ei dicant : «*Audi, filia,
et vide* [g]. Videre desideras, sed audi prius. Gradus est
auditus ad visum. Proinde *audi, et inclina aurem tuam* [h]
30 25 ornamentis quae tibi facimus, ut per auditus oboedientiam
ad gloriam pervenias visionis. Nos *auditui tuo damus
gaudium et laetitiam* [i]. Nam visui non est nostrum dare,

---

b. Rom. 10, 17   c. II Cor. 5, 7 ≠   d. Cf. Act. 15, 9 (Patr.)
e. Cf. Matth. 5, 8   f. Act. 15, 9 (Patr.)   g. Ps. 44, 11
h. Ps. 44, 11 ≠   i. Ps. 50, 10 ≠

---

1. Les Grecs ont donné la première place à la vue, les juifs à l'ouïe.
S. Paul se rend compte qu'il adresse la parole de Dieu à l'ouïe de ses
auditeurs : *Fides ex auditu*, «La foi vient de l'ouïe» (*Rom.* 10, 17).
2. *Fide mundans corda eorum*, «Purifiant leurs cœurs par la foi».
La *Vg* a la leçon *Purificans* (*Actes* 15, 9). *Mundans* se lit chez Augustin,
Tract. eu. Ioh. 68, 3, 7 (*CCL* 36, 499, 7) et 80, 3, 17 (*CCL* 36, 529, 17).

gulier, au lieu de «nous ferons» au pluriel, j'aurais affirmé
sans hésitation et sans aucun doute que c'est l'Époux qui
a prononcé aussi ces paroles. Mais en réalité considère
s'il ne serait pas plus à propos d'attribuer ces paroles à
ses compagnons, comme s'ils voulaient consoler l'épouse
par cette promesse. En attendant qu'elle parvienne à la
vision de celui dont le désir la brûle ainsi, ils lui promettent de lui faire de beaux et précieux pendants
d'oreilles. Et cela, je pense, parce que «la foi vient de
l'ouïe[b]» : tant que «nous marchons dans la foi, et non
dans la claire vision[c]», il faut nous employer à instruire
l'ouïe plutôt qu'à dévoiler le mystère à la vue[1]. C'est en
vain que les yeux s'efforcent de voir, s'ils ne sont pas
purifiés par la foi[d]. Car la faculté de voir est promise à
ceux-là seuls qui ont le cœur pur[e]. Il est écrit en effet :
«Purifiant leurs cœurs par la foi[f2].» Puisque «la foi vient
de l'ouïe», et qu'elle purifie la vue, c'est à juste titre que
les compagnons se proposaient de parer les oreilles de
l'épouse. Car l'ouïe prépare la vue, ainsi que la raison
nous l'a appris. «Toi, disent-ils à l'épouse, tu désires
ardemment contempler la clarté de ton bien-aimé ; mais
cela est réservé pour un autre temps. En attendant, nous
donnons des parures à tes oreilles. Ce sera ta consolation dans la vie présente, ce sera aussi ta préparation
à recevoir cela même que tu demandes.» C'est comme
s'ils lui disaient ces paroles du Prophète : «'Écoute, ma
fille, et vois[g].' Tu désires voir, mais écoute d'abord. L'ouïe
est un degré pour parvenir à la vue. 'Écoute donc, et
tends tes oreilles[h]' aux parures que nous te faisons. Ainsi,
par l'obéissance de l'ouïe, tu parviendras à la gloire de
la vision. 'Nous donnons à ton ouïe la joie et l'allégresse[i].' Car il ne nous appartient pas de les donner à

---

in quo plenitudo gaudii et tui desiderii adimpletio est,
sed illius *quem diligit anima tua*[j]. Ipse, *ut gaudium*
30 *plenum sit*[k], ostendet seipsum tibi[l], ipse *adimplebit te*
laetitia cum vultu suo[m]. Tu interim accipe ad consolationem muraenulas has de manu nostra; ceterum *delec-*
tationes in dextera eius usque in finem[n].»

III. Quae sunt aureae murenulae et quomodo argento vermiculatae, et quod angelico ministerio visiones internae formentur.

3. Advertendum cuiuscemodi muraenulas ei offerunt:
Aureas, inquit, et *vermiculatas argento*[a]. Aurum divini-
tatis est fulgor, aurum *sapientia quae desursum est*[b]. Hoc
auro fulgentia quaedam quasi veritatis signacula spondent
5 se figuraturos hi, quibus id ministerii est, superni aurifices, atque internis animae auribus inserturos. Quod ego
non puto esse aliud quam texere quasdam spirituales
similitudines, et in ipsis purissima divinae sapientiae sensa
animae contemplantis conspectibus importare, ut *videat,*
10 saltem *per speculum et in aenigmate*, quod nondum *facie*
ad faciem[c] valet ullatenus intueri. Divina sunt, et nisi
expertis prorsus incognita, quae effamur, quomodo videlicet *in hoc mortali corpore*[d], fide adhuc habente statum,

---

j. Cant. 1, 6 ≠   k. Jn 16, 24 ≠   l. Cf. Jn 14, 21
m. Ps. 15, 11 ≠   n. Ps. 15, 11 ≠
   3. a. Cant. 1, 10 ≠   b. Jac. 3, 17 ≠   c. I Cor. 13, 12 (Patr.)
d. Rom. 6, 12 ≠

---

1. *superni aurifices,* «les orfèvres célestes». Belle expression qui
désigne les anges de Dieu.
2. *internis auribus animae,* «aux oreilles intérieures de l'âme».
Origène a été le premier à parler des cinq sens intérieurs ou spirituels
de l'âme. Cf. K. Rahner, «Le début d'une doctrine des cinq sens

la vue, où se trouve la plénitude de la joie et l'accomplissement de ton désir. Cela appartient au 'bien-aimé de
ton âme[j]. Lui-même, 'pour que la joie soit à son comble[k]',
il se manifestera à toi[l], lui-même 'te comblera de joie
par son visage[m]'. En attendant, reçois de notre main ces
pendants d'oreilles pour ta consolation ; 'quant aux délices,
elles demeurent dans sa droite jusqu'à la fin des temps[n]'. »

III. Quels sont ces pendants d'or et comment sont-ils incrustés d'argent. Les visions intérieures se forment par le ministère des anges.

3. Il nous faut remarquer de quelle sorte sont ces pendants d'oreilles qu'ils lui offrent : « D'or, est-il dit, et incrustés
d'argent[a]. » L'or est l'éclat de la divinité, l'or est « la sagesse
qui vient d'en haut[b] ». C'est avec cet or que les orfèvres
célestes[1], à qui revient ce ministère, promettent de façonner,
pour ainsi dire, des symboles éclatants de la vérité et de
les suspendre aux oreilles intérieures de l'âme[2]. Cela, je
pense, ne peut avoir d'autre signification que celle-ci : tisser
certaines similitudes spirituelles, et présenter par elles les
pensées très pures de la divine sagesse aux regards de
l'âme qui contemple. Ainsi pourra-t-elle « voir, au moins
dans un miroir et en énigme », ce qu'elle ne peut pas
encore regarder « face à face[c 3] ». Ce sont des réalités divines,
inconnues de qui n'en a pas l'expérience, que nous
énonçons ici. A nous qui vivons « dans ce corps mortel[d] »
et sommes encore sous le régime de la foi, la substance

spirituels chez Origène », *RAM* 13 (1932), p. 134-145. *Eph.* 1, 18
mentionne les yeux illuminés du cœur.
3. * Ce *et* reliant *speculum* à *aenigmate* est devenu traditionnel peu
à peu au Moyen Age. Cf. *SC* 431, 100, n. 1 sur *SCt* 18, 6. C'est un
atque au sens équivalent que l'on retrouve en *SCt* 41, 4, l. 18, p. 194 ;
il y a un *et* en *SCt* 48, 8, l. 17, p. 326.

et necdum propalata perspicui substantia luminis interni,
15 purae interdum contemplatio veritatis partes suas agere
intra nos vel ex parte praesumit, ita ut liceat usurpare
etiam alicui nostrum, cui *hoc datum desuper fuerit*[e], illud
Apostoli : *Nunc cognosco ex parte*[f]; item : *Ex parte cognos-
cimus, et ex parte prophetamus*[g]. Cum autem divini aliquid
20 raptim et veluti in velocitate corusci luminis interluxerit
menti, spiritu excedenti[h], sive ad temperamentum nimii
splendoris, sive ad doctrinae usum, continuo, nescio unde,
adsunt imaginatoriae quaedam rerum inferiorum similitudines, infusis divinitus sensis convenienter accommodatae,
25 quibus quodam modo adumbratus purissimus ille ac splen-
didissimus veritatis radius, et ipsi animae tolerabilior fiat,
et quibus communicare illum voluerit capabilior. Existimo
tamen ipsas formari in nobis sanctorum suggestionibus
angelorum, sicut e contrario contrarias et malas ingeri
30 *immissiones per angelos malos*[i] non dubium est.

31   **4.** Et fortassis hinc illud est *speculum atque aenigma*[a],
ut dixi, per quod videbat Apostolus ex istiusmodi puris
pulchrisque imaginationibus angelorum quasi manibus
fabricatum, quatenus et Dei esse, quod purum et absque
5 omni phantasia corporearum imaginum cernitur, sentiamus,

---

e. Jn 19, 11 ≠   f. I Cor. 13, 12   g. I Cor. 13, 9   h. Cf.
II Cor. 5, 13   i. Ps. 77, 49 ≠
4. a. I Cor. 13, 12 ≠

1. *raptim et veluti in velocitate corusci luminis,* « en passant et avec
la rapidité d'une lumière fulgurante ». Bernard considère tout expérience
directe de Dieu comme une grâce passagère. Cf. *Dil* 27 (*SC* 393, 128-
129), *SCt* 18, 6 (*SC* 431, 100-101).

2. *imaginatoriae quaedam rerum inferiorum similitudines,* « un
éventail de similitudes imagées, tirées des réalités d'ici-bas ». Bernard
signale la différence entre l'extase elle-même et sa conceptualisation en
pensée ou par écrit. L'expression verbale ne peut jamais se passer
d'images et de comparaisons tirées des réalités visibles. Autant dire que

de la claire lumière intérieure n'est pas encore manifestée. Dans ces conditions, il s'agit de comprendre comment la contemplation de la vérité pure ne laisse pas de se produire en nous, au moins partiellement. Ainsi, même tel d'entre nous, à qui «ce don a été fait d'en haut[e]», peut s'approprier cette parole de l'Apôtre : «A présent ma connaissance est partielle[f]»; et encore : «Partielle est notre connaissance, et partielle notre prophétie[g].» Lorsque quelque chose de divin, en passant et avec la rapidité d'une lumière fulgurante[1], a brillé dans notre esprit et l'a ravi en extase[h], aussitôt, soit pour en tamiser la splendeur trop vive, soit pour en instruire les autres, il se présente je ne sais d'où un éventail de similitudes imagées, tirées des réalités d'ici-bas[2]. Elles correspondent bien aux inspirations reçues de Dieu. Enveloppé d'elles comme d'une ombre, ce rayon très pur et très éclatant de la vérité devient à la fois plus soutenable pour l'âme elle-même et plus aisément saisissable par ceux à qui elle voudra le communiquer. Je crois cependant que ces similitudes sont formées en nous par les suggestions des saints anges, comme à l'opposé «les inspirations» contraires et mauvaises nous sont sans aucun doute présentées «par les mauvais anges[3]».

4. Peut-être aussi «ce miroir et cette énigme[a]» à travers lesquels l'Apôtre voyait, comme je viens de le dire, étaient-ils faits de ce genre d'imaginations pures et belles, façonnées, semble-t-il, par les mains des anges. Ainsi nous pourrons reconnaître comme venant de Dieu ce qui est perçu dans sa pureté et sans aucune apparence d'images

toute expression des réalités mystiques descend au niveau des communications indirectes.

3. Ces idées bernardines sur le ministère des bons et des mauvais anges ont été reprises par Ignace de Loyola, dans ses Règles pour le discernement des esprits. Cf. *Exercices spirituels* 313-336 (éd. É. Gueydan, *Christus* 61, Paris 1986, p. 183-193).

et elegantem quamlibet similitudinem, qua id digne vestitum apparuerit, ministerio deputemus angelico. Quod signasse expressius videtur alia interpretatio, dicens : *Simi-litudines auri fabri faciemus tibi, cum distinctionibus*
10 *argenti* [b]. Unum est, *cum distinctionibus argenti*, et *ver-miculatas argento.* In quo mihi significare videtur non modo similitudines intus per angelos suggeri, sed nitorem quoque eloquii per ipsos extrinsecus ministrari, quo congrue atque decenter ornatae, et facilius ab auditoribus
15 capiantur et delectabilius. Quod si dixeris : «Quid eloquio et argento?» dicit tibi Propheta : *Eloquia Domini, eloquia casta, argentum igne examinatum* [c]. Ita ergo caelestes illi *administratorii spiritus* [d] peregrinanti in terris sponsae faciunt *muraenulas aureas, vermiculatas argento.*

IV. Quod sponsa aliud accipiat dum aliud petat : id est pro quiete contemplationis laborem praedicationis.

5. Vide autem quomodo illa aliud cupit, et aliud accipit : et nitenti ad contemplationis quietem labor praedicationis

---

b. Cant. 1, 10 (Patr.)   c. Ps. 11, 7   d. Hébr. 1, 14

---

1. * Bernard insiste, par *expressius* sur la différence mieux marquée par le texte *VI* entre l'être même de Dieu et l'image qui en est donnée. *Distinctionibus (VI)* est bien quelque chose de «séparé», de différent, de «distingué» : le bijou n'est pas seulement «bicolore», mais aussi le travail fait sur lui «saute aux yeux».

2. * Bernard, comme parfois, signale qu'il propose une traduction dif-férente de *Vg.* En *Div* 96, 2 (*SBO* VI-1, 356, 5), on trouve une brève allusion mi-*VI* mi-*Vg : auri similitudines... vermiculandas argento.* Ambroise, Jérôme et Augustin ont chacun un unique texte très voisin de celui de Bernard et purement *VI.* On trouve aussi ce texte chez plusieurs Pères : dans *PL* 58, 768 A et chez Pierre Damien, chez Honorius d'Autun. Toutefois, à la différence de Bernard, ils omettent tous *fabri*, en or «travaillé». Ces textes *VI* suivent pour partie notre Septante.

corporelles. Et nous pourrons attribuer au ministère angélique toute élégante similitude dont ce rayon divin se revêt pour se manifester dignement à nos yeux. C'est ce que semble avoir exprimé plus clairement[1] une autre traduction de notre texte : «Nous te ferons des images en or travaillé, rehaussé d'argent[b2].» «Rehaussé d'argent» et «incrusté d'argent», c'est la même chose. Cela signifie, me semble-t-il, que non seulement les anges nous suggèrent intérieurement les similitudes, mais qu'ils nous donnent aussi de les exprimer à l'extérieur dans un langage élégant. Ainsi ces similitudes, ornées avec une sobre grâce, seront saisies plus aisément et plus agréablement par les auditeurs. Si tu dis : «Quel rapport y a-t-il entre le langage et l'argent?», le Prophète te dit : «Le langage du Seigneur est un langage sincère, c'est de l'argent éprouvé au feu[c].» C'est ainsi que ces «esprits célestes, chargés de nous servir[d]», façonnent «des pendants d'or incrustés d'argent» pour l'épouse, durant son exil sur terre.

IV. L'épouse reçoit autre chose que ce qu'elle demande : au lieu du calme de la contemplation, le travail de la prédication.

5. Remarque comment l'épouse demande une chose et en reçoit une autre. Elle aspire au calme de la contemplation, et on lui impose le travail de la prédication; elle

---

En proposant cette 2ᵉ traduction afin «d'exprimer plus clairement» les images du *Cantique*, Bernard paraît avoir visé non les bijoux plus ou moins différents ainsi désignés, mais l'apport des mots *similitudines* et *distinctionibus : similitudines* à propos des dons de Dieu qui sont «semblables» à lui; *distinctiones*, c'est techniquement les «*rehauts*» des bijoux, des dons de Dieu. Mais cette précision apportée, il en nie l'importance («c'est la même chose»), au profit, semble-t-il, de la relation à Dieu comme un absolu, un tout.

imponitur, et sitienti sponsi praesentiam filiorum sponsi
pariendorum alendorumque sollicitudo iniungitur. Neque
tantum accidit illi hoc nunc; sed et alia vice, ut memini,
cum sponsi amplexus et oscula suspirasset, responsum
est ei : *Quia meliora sunt ubera tua vino*[a], ut ex hoc se
intelligeret matrem, atque ad hoc dandum *lac parvulis*[b]
nutriendumque filios revocari. Fortassis et in aliis Cantici
huius locis hoc ipsum tu quoque, nisi piger sis ad inqui-
rendum, per te ipsum advertere poteris. Annon res ista
quondam in sancto patriarcha Iacob praefigurabatur, cum
frustratus optatis diuque exspectatis Rachelis amplexibus,
pro sterili et decora fecundam et lippam invitus atque
ignarus accepit[c]? Ita ergo nunc sponsa scire cupiens et
inquirens ubi in meridianis horis dilectus pascat et cubet[d],
muraenulas pro eo reportat *aureas, vermiculatas argento,*
id est sapientiam cum eloquentia, haud dubium quin ad
praedicationis opus.

6. Docemur ex hoc sane intermittenda plerumque dulcia
oscula propter lactantia ubera, nec quemque sibi, sed illi
omnes qui mortuus est pro omnibus esse vivendum[a]. Vae
qui bene de Deo et sentire et eloqui acceperunt, si
quaestum aestiment pietatem[b], si convertant ad *inanem
gloriam*[c] quod ad lucra Dei acceperant erogandum, si
alta sapientes, humilibus non consentiant[d]. Paveant quod

32

5. a. Cant. 1, 1   b. I Cor. 3, 1-2 ≠   c. Cf. Gen. 29, 17-25
d. Cf. Cant. 1, 6
6. a. Cf. II Cor. 5, 15   b. I Tim. 6, 5 (Patr.)   c. Phil. 2, 3
d. Rom. 12, 16 ≠

1. «Elle devait comprendre qu'elle était mère.» Cf. *SCt* 23, 2 (*SC* 431,
202-205, surtout 204, n. 1).
2. L'abbé de Clairvaux rappelle à ses auditeurs l'histoire de Rachel
et de Léa, les deux épouses de Jacob. Cf. *SCt* 9, 8 (*SC* 414, 210-213).
Pour l'adjectif *lippam,* «chassieuse», cf. *Gen.* 29, 17 : *Lea lippis erat
oculis,* «Léa avait les yeux malades.»

a soif de la présence de l'Époux, et on lui enjoint d'en-
fanter des fils à l'Époux et de les nourrir. Mais cela ne
lui arrive pas seulement aujourd'hui. Une autre fois déjà,
je m'en souviens, lorsqu'elle soupirait après les baisers et
les étreintes de l'Époux, il lui fut répondu : «Car tes seins
sont plus délectables que le vin[a].» Par là, elle devait
comprendre qu'elle était mère, et donc qu'il lui revenait
«d'allaiter ses petits[b]» et de nourrir ses fils[1]. Peut-être
aussi en d'autres passages de ce Cantique pourras-tu toi-
même remarquer cela, si tu te donnes la peine de
chercher. N'est-ce pas ce qui était préfiguré jadis dans le
saint patriarche Jacob? Privé des étreintes désirées et longtemps attendues de Rachel, il reçut malgré lui et sans
s'en apercevoir une femme féconde et chassieuse au lieu
d'une femme stérile et belle[c][2]. De même l'épouse désire
savoir et demande où son bien-aimé mène paître le
troupeau et se repose à l'heure de midi[d]. Mais, au lieu
de cela, elle obtient «des pendants d'or incrustés
d'argent», c'est-à-dire la sagesse avec l'éloquence : sans
aucun doute, pour les besoins de la prédication.

6. Cela nous apprend qu'il faut bien souvent inter-
rompre les doux baisers pour donner le lait de nos seins.
Car nous devons vivre, non pas chacun pour soi, mais
tous pour celui qui est mort pour tous[a]. Malheur à ceux
qui ont reçu la grâce de penser juste et de bien parler
de Dieu, «s'ils estiment que la piété est source de
profit[b][3]», s'ils détournent pour «la vaine gloire[c]» ce qu'ils
ont reçu pour le dépenser dans l'intérêt de Dieu, «s'ils
se complaisent dans leur haute sagesse et ne se laissent
pas attirer par ce qui est humble[d]». Qu'ils redoutent ces

---

3. * Chacune des 10 allusions à ce verset est libellée *aestim(antes)*,
à l'imitation de quelques Pères – dont Maxime de Turin – alors que
Vg a quasi unanimement *existimantes*.

in Propheta legitur, dicente Domino : *Dedi eis aurum*
meum et argentum meum; ipsi autem de argento et auro
10 *meo operati sunt Baal*[e]. Tu vero audi quid sponsa, accepta
hinc quidem increpatione, inde vero promissione, respon-
derit. Neque enim vel de promissis extollitur, vel pro
repulsa irascitur; sed, sicut scriptum est : *Corripe*
sapientem, et amabit te[f], et item, quod ad donationes et
15 promissiones spectat : *Quanto maior es, humilia te in*
omnibus[g] : quod ex eius responsione melius utrumque
patebit. Sed ipsa, si placet, discussio in aliud sermonis
principium differatur, et de his quae dicta sunt, glorifi-
cemus sponsum Ecclesiae, Dominum nostrum Iesum
20 *Christum, qui est Deus benedictus in saecula. Amen*[h].

---

e. Os. 2, 8 ≠   f. Prov. 9, 8 ≠   g. Sir. 3, 20 (Patr.)
h. Rom. 9, 5 ≠

---

1. Cette citation du prophète *Osée* 2, 8 se trouve telle quelle dans
Jérôme, *In Esaiam* I, 2 (*CCL* 73, 38, 10). Texte identique dans Raban
Maur, *Comm. sur la Sagesse, PL* 109, 733 D.

paroles du Seigneur qu'on lit dans le Prophète : «Je leur ai donné mon or et mon argent; mais eux de mon argent et de mon or ont fabriqué un Baal[e1].» Toi, écoute ce qu'a répondu l'épouse, après avoir reçu d'un côté une réprimande, et de l'autre une promesse. Elle ne s'enorgueillit pas des promesses, ni ne se fâche pour le refus. Mais elle fait comme il est écrit : «Corrige le sage, il t'aimera[f2]»; et, pour ce qui est des dons et des promesses : «Plus tu es grand, plus il faut t'humilier en toutes choses[g3].» L'un et l'autre point deviendra plus clair par la réponse de l'épouse. Mais, si vous voulez, remettons-en l'examen au développement d'un autre sermon. Et pour ce qui a été dit, glorifions l'Époux de l'Église, notre Seigneur «Jésus-Christ, qui est Dieu béni dans les siècles. Amen[h]».

2. Cette citation se trouve chez Augustin, *Epist*. 210 (*CSEL* 57, 355, 3); 220, 12 (*ibidem*, 441, 9).

3. * Bernard cite 7 fois ce texte, 1 fois avec *magnus, Vg,* et 6 fois avec *maior;* de plus, il ajoute 5 fois *tanto (humilis).* Jérôme a 2 fois le même texte que Bernard. On va retrouver une allusion avec *maiorem* et *tanto* en *SCt* 42, 9, l. 23, p. 222.

SERMO XLII

33   I. Qua consequentia dicatur : *Cum esset rex in accubitu, etc.* – II. De
correptionibus minus benigne acceptis ex contemptu vel impatientia vel
impudentia. – III. De motu animi sui pro fratre correptoet contemnente.
– IV. De gemina humilitate affectus et cognitionis, et qua humilitate se
Christus humiliavit. – V. Qualiter ex humilitate cognitionis ascendimus
ad humilitatem dilectionis. – VI. Quomodo et quae humilitas det odorem
ut nardus. – VII. Quod regis Filii accubitus sit Pater, et qualiter hic
locus Scripturae Ecclesiae primitivae congruit.

I. Qua consequentia dicatur : *Cum esset rex in accubitu, etc.*

1. *Cum esset rex in accubitu suo, nardus mea dedit
odorem suum*[a]. Haec sunt verba sponsae, quae in
hodiernum diem distulimus, hoc responsum, quod dedit,
ubi increpata est a sponso, non tamen sponso, sed eius
5 sodalibus, quod facile est advertere ex verbis ipsis. Cum
enim non dicit, quasi ad secundam personam : «Cum
esses rex in accubitu tuo», sed : *Cum esset in accubitu
suo*, patet quod non ad ipsum loquitur, sed de ipso. Puta
proinde sponsum, ubi eam – quatenus visum fuit – aut
10 corripuit, aut repressit, comperta ex suffusione genarum

---

1. a. Cant. 1, 11 ≠

---

1. Bernard évoque plusieurs fois les alternances de la présence et
de l'absence de l'Époux. Cf. *SCt* 9, 1 et 4 (*SC* 414, 196-199 et 202-
205). Ces considérations se rapportent toujours au sens littéral du Cantique : «Tel est l'enchaînement du texte selon la lettre.» Présence et
absence sont tout aussi importantes pour le sens érotique que pour le
sens mystique.

SERMON 42

I. Comment ces paroles : «Tandis que le roi se reposait sur sa couche etc.», se relient-elles à ce qui précède?

1. «Tandis que le roi se reposait sur sa couche, mon nard a exhalé son parfum[a].» Telles sont les paroles de l'épouse que nous avons remises à aujourd'hui. Telle est la réponse qu'elle a donnée, après la réprimande de l'Époux, non pas à l'Époux, mais à ses compagnons. On le remarque aisément à ces paroles mêmes. Elle ne dit pas, à la deuxième personne : «Tandis que toi, mon roi, tu te reposais sur ta couche», mais : «Tandis qu'il se reposait sur sa couche.» Il est donc manifeste qu'elle parle, non pas à lui, mais de lui. Imagine donc que l'Époux, après avoir tancé ou repoussé l'épouse, comme nous l'avons dit, et avoir perçu sa honte à la rougeur de ses joues, s'est éloigné de là. Ainsi, en son absence, elle pourrait plus librement exprimer son sentiment[1]. D'autre part, ses compagnons pourraient la ranimer par

verecundia, cessisse loco, ut illa se absente loqueretur
liberius quae sentiret, sed et si pavidior, ut assolet, quam
oportuerit, et deiectior animo facta esset, sodalium eam
consolationes erigerent. Quod tamen et per seipsum facere
15 non neglexit, quantum iudicavit pro tempore oportere.
Nam ut clarum relinqueret quantum sibi in illa correptione complacuit, quippe quam sensit digne et prout
oportuit acceptari, non sane ante se absentavit quam *ex*
abundantia – quod non est dubium – *cordis*[b] prorum-
20 peret in laudes eius, et genarum collique ipsius pulchritudinem commendaret. Propterea et qui cum ipsa
remanent, blande loquuntur illi, et munera offerunt,
scientes Domini voluntatem. Ad ipsos ergo responsio eius.
Et litteralis quidem contextio schematis ita se habet.

2. Sed priusquam ex hac testa nucleum spiritus elicere
inchoemus, dico unum breviter.

II. De correptionibus minus benigne acceptis ex contemptu vel impatientia vel impudentia.

34   Felix, cui sua obiurgatio sic respondet, quemadmodum
habemus formam praesentis loci. Utinam magis neminem
5 obiurgare necesse sit! Hoc enim melius. Sed quoniam *in*
multis offendimus omnes[a], mihi tacere non licet, cui ex
officio incumbit *peccantes arguere*[b]; magis autem *urget*
caritas[c]. Quod si arguero, et fecero quod meum est, illa

---

b. Matth. 12, 34

2. a. Jac. 3, 2   b. I Tim. 5, 20 ≠   c. II Cor. 5, 14 ≠

---

1. *In illa correptione*, «lors de cette réprimande». Il peut s'agir
aussi bien de l'ignorance de Dieu (*SCt* 38) que des trois chars du diable
(*SCt* 39, 5-6).

2. *ex hac testa nucleum spiritus elicere*, «Dégager de la coquille l'amande
du sens spirituel». Cf. HONORIUS D'AUTUN, *in Cant.*, *PL* 172, 466 B : *Nux*
etiam est sacra scriptura, cuius cortex vel testa est littera, nucleus vero spi-
ritualis intelligentia, «La sainte Écriture est une noix dont l'écorce ou la

leurs consolations si, à son habitude, elle se montrait plus effrayée ou plus abattue qu'il ne faudrait. Il n'a pas négligé, cependant, de la consoler lui-même, dans la mesure où il l'a jugé opportun selon la circonstance. Car il a voulu montrer clairement combien lui avait plu, lors de cette réprimande[1], la façon digne et convenable dont l'épouse l'avait acceptée. C'est ainsi qu'il ne s'est pas absenté avant d'avoir proclamé «de l'abondance du cœur[b]» les louanges de l'épouse – cela ne fait aucun doute – et avant d'avoir vanté la beauté de ses joues et de son cou. C'est pourquoi ceux qui restent avec l'épouse lui parlent avec douceur et lui offrent des présents, sachant la volonté du Seigneur. C'est donc à eux qu'elle adresse sa réponse. Tel est l'enchaînement du texte selon la lettre.

2. Mais avant que nous commencions à dégager de cette coquille l'amande du sens spirituel[2], je vais faire une brève remarque.

II. Les réprimandes reçues moins docilement, par mépris, par impatience ou par impudence.

Heureux celui dont les reproches produisent le même effet que nous leur voyons dans le présent passage. Si seulement nous n'avions jamais à faire de reproches à personne! Ce serait beaucoup mieux. Mais puisque «à maintes reprises nous commettons tous des écarts[a]», je ne puis me taire, moi à qui il incombe, du fait de ma charge, de «reprendre ceux qui pèchent[b]»; «la charité m'y presse[c]» bien plus que le devoir[3]. Si donc je

coquille est le sens littéral, mais l'amande symbolise l'intelligence spiri- tuelle.» Cf. H. DE LUBAC, *Exégèse médiévale,* I, p. 586-620.

3. «La charité m'y presse bien plus que le devoir.» Bernard ne refuse pas de parler de sa tâche d'abbé et des difficultés qu'il doit affronter. Voir *SCt* 9, 3 (*SC* 414, 200-203). Ici il décrit avec grande finesse les aléas de la correction fraternelle, qui occupe une grande place dans la *RB,* 28 et 64 (*SC* 182, 550-554 et 648-653).

autem procedens increpatio minime quod suum est *faciat*
10 neque *ad quod misi illam*, sed *revertatur ad me vacua*[d],
tamquam iaculum feriens et resiliens, quid me animi tunc
habere putatis, fratres? Nonne angor? Nonne torqueor? Et
ut mihi usurpem aliquid ex verbis Magistri, quia de
sapientia non possum, prorsus *coarctor ex duobus, et quid*
15 *eligam nescio*[e], placere ne mihi in eo quod locutus sum,
quoniam quod debui feci, an paenitentiam agere super
verbo meo, quia quod volui non recepi. Volui nimirum
perimere hostem et eripere fratrem, et non feci sic; magis
autem contrarium accidit, nam laesi animam[f] et culpam
20 auxi : siquidem accessit et contemptus. *Nolunt audire te*,
inquit, *quia nolunt audire me*[g]. Vides quae maiestas
contemnitur. Non te putes me solum sprevisse[h]. Dominus
locutus est, et quod dixit Prophetae, dixit et Apostolis :
Qui vos spernit, ait, *me spernit*[i]. Non sum Propheta, non
25 sum Apostolus : et Prophetae tamen et Apostoli, audeo
dicere, vice fungor; et quibus non aequor meritis, eorum
implicor curis. Etsi ad meam multam confusionem, etsi
ad grande periculum mihi, *super cathedram Moysi sedeo*[j],
cuius tamen non vindico mihi vitam, nec experior gratiam.
30 Quid tamen? Non ideo cathedrae non deferetur, quoniam
occupata est ab indigno? Etiamsi *Scribae et Pharisaei in*
ea sedeant, inquit : *Quae dicunt facite*[k].

3. Plerumque etiam impatientia contemptui iungitur, ita
ut aliquis non solum non curet corrigi obiurgatus, sed
insuper obiurganti indignetur, more phrenetici manum

d. Is. 55, 11 ≠   e. Phil. 1, 23. 22 ≠   f. Cf. Prov. 8, 36
g. Éz. 3, 7 ≠   h. Cf. Is. 1, 2   i. Lc 10, 16   j. Matth. 23, 2 ≠
k. Matth. 23, 2. 3 (RB)

1. * *Quae dicunt, facite :* ce texte concis à la place des 7 mots de
Vg est 4 fois chez Bernard. Il provient d'un Père (Augustin l'a écrit
80 fois), ou plutôt de *RB* 4, 61. Cf. *Pre* 56 (*SBO* III, 291, 2).

reprends quelqu'un, comme je le dois, et que la
semonce sortie de ma bouche «ne réussit pas sa mission
comme elle le devrait, mais revient à moi sans
résultat[d]», telle un javelot qui rebondit sur sa cible, que
pensez-vous que je ressente alors, frères? Ne suis-je pas
dans l'angoisse? Ne suis-je pas à la torture? Pour
prendre à mon compte une parole du Maître, puisque je
ne puis présumer de ma sagesse, «je suis pris dans un
dilemme et ne sais que choisir[e]». Dois-je être satisfait de
ce que j'ai dit, puisque j'ai fait mon devoir, ou dois-je
me repentir de ma parole, parce que je n'ai pas obtenu
ce que je voulais? Je voulais anéantir l'ennemi et délivrer
le frère, et je n'y suis pas parvenu. C'est plutôt le
contraire qui est arrivé. J'ai blessé une âme[f] et accru sa
faute, car le mépris s'y est ajouté. «Ils ne veulent pas
t'écouter, dit l'Écriture, parce qu'ils ne veulent pas
m'écouter[g].» Vois quelle majesté se trouve méprisée. Ne
pense pas n'avoir méprisé que moi seul[h]. C'est le Seigneur qui a parlé, et ce qu'il a dit au Prophète, il l'a
dit aussi aux Apôtres : «Qui vous méprise, me
méprise[i].» Je ne suis pas prophète, je ne suis pas
apôtre : cependant, j'ose le dire, je remplis les fonctions
de prophète et d'apôtre. Je n'égale pas leurs mérites,
mais je suis affronté aux mêmes soucis. A ma grande
confusion, à mon grand péril, «je siège dans la chaire
de Moïse[j]», sans pour autant m'attribuer sa vie exemplaire ni expérimenter sa grâce. Mais quoi? Refusera-t-on
le respect à cette chaire parce qu'elle est occupée par
un indigne? Même si «les scribes et les pharisiens y
siègent», le Seigneur dit : «Ce qu'ils vous disent, faites-
le[k 1].»

3. Très souvent, l'impatience s'ajoute au mépris. Non
seulement, après des reproches, on ne se soucie pas de
s'amender, mais de plus on se fâche contre l'auteur de ces
reproches, comme un fou qui repousse la main du

medici repellentis. Mira perversitas! Medicanti irascitur qui
5 non irascitur sagittanti! Est enim qui *sagittat in obscuro*
rectos corde[a], qui et teipsum nunc sagittavit ad mortem;
et in illum non commoveris? Mihi indignaris, qui sanum
te fieri cupio? *Irascimini et nolite peccare*[b], inquit. Si
peccato irasceris, non solum minime peccas, sed et quod
10 peccaras exterminas. Nunc vero et peccatum retines, medi-
camentum respuendo, et *peccare apponis*[c] irrationabiliter
irascendo : et est *supra modum peccans peccatum*[d].

4. Aliquoties additur et impudentia, ut non modo impa-
tienter ferat quod corripitur, sed etiam id, unde repre-
henditur, impudenter defendat. Hoc plane desperatio.
Frons, inquit, *mulieris meretricis facta est tibi, noluisti eru-*
5 *bescere*[a]; et ait : *Recessit zelus meus a te, ultra non irascar*
tibi[b]. Solo auditu contremisco. Sentisne quanti periculi,
quantique horroris et tremoris res sit peccati defensio?
Dicit iterum : *Ego quos amo, arguo et castigo*[c]. Si ergo
te zelus deseruit et amor, nec eris amore dignus, qui
10 indignus[d] castigatione censeris. Vides quia tunc magis

---

3. a. Ps. 10, 3 ≠   b. Ps. 4, 5   c. Ps. 77, 17 ≠   d. Rom.
7, 13
4. a. Jér. 3, 3   b. Éz. 16, 42 ≠   c. Apoc. 3, 19
d. Cf. Eccl. 9, 1

---

1. «Comme un fou qui repousse la main du médecin.» *RB* compare
la correction aux remèdes, aux onguents et aux médicaments d'un sage
médecin : *RB* 28 (*SC* 182, 550-553). Les paragraphes 2 à 5 donnent un
commentaire de la Règle plus que du Cantique.

2. * Bernard cite identiquement ce verset en *Div* 5, 4, version définitive
et texte «L» (*SBO* VI-1, 102, 5 et 15), seule autre occurrence dans les
SBO. Son texte se démarque, presque pour chacun des mots, de *Vg;* on
le retrouve identique dans GEOFFROY D'AUXERRE, *Entretien de Simon-Pierre*
avec Jésus 18 (*SC* 364, 132, 15). Avec telle ou telle variation, il est 6 fois
chez Jérôme, 5 avec *recessit*, 1 avec le futur, *recedet;* il est dans CASSIEN,
Collationes 6, 11 (*SC* 42, 236); il est une fois chez Grégoire le Grand,
qui présente les deux membres de phrase comme deux citations différentes; il est dans RAOUL ARDENT, *PL* 155, 1317 A (la *PL* omet *non* avant

médecin[1]. Étonnante aberration! Il se fâche contre celui qui lui apporte le remède, l'homme qui ne se fâche pas contre celui qui lui lance des flèches! Il y a quelqu'un qui «dans l'ombre lance des flèches contre les cœurs droits[a]». Toi aussi, il vient de te frapper à mort. Et toi, tu ne t'emportes pas contre lui? Tu te fâches contre moi, qui désire te rendre la santé? «Mettez-vous en colère et ne péchez pas[b]», dit l'Écriture. Si tu te mets en colère contre le péché, non seulement tu ne pèches point, mais tu anéantis le péché commis. Toi, en revanche, tu gardes le péché en toi, puisque tu recraches le remède, et «tu pèches de plus belle[c]» par une colère déraisonnable. Ainsi «le péché se déploie dans toute sa virulence de péché[d].»

4. Parfois aussi l'impudence vient s'y ajouter. Non seulement on supporte impatiemment la correction, mais encore on justifie avec impudence ce dont on est repris. Il y a de quoi désespérer. «Tu t'es fait un front de prostituée, dit l'Écriture, tu n'as pas voulu rougir[a].» Et ailleurs: «Ma jalousie s'est détournée de toi, je ne me mettrai plus en colère contre toi[b2].» Rien qu'à entendre ces paroles, je tremble. Comprends-tu combien la justification de son péché est chose dangereuse, horrible et redoutable? Le Seigneur dit aussi: «Ceux que j'aime, je les reprends et je les châtie[c].» Si donc la jalousie de Dieu s'est éloignée de toi, son amour aussi s'est éloigné. Tu ne seras pas digne d'amour, toi qui es jugé indigne[d] de châtiment. Tu

---

irascar, mais le contexte éclaire le propos), etc. Le sens – l'exégèse de ce texte – depuis Cassien par Raoul Ardent jusqu'à Bernard est constant: plus que la colère de Dieu, son indifférence est à craindre. Bernard l'exprime fortement: «Je tremble» et: «Je veux ta colère contre moi.» Ici, le manque de foi en la miséricorde, aussi bien que le retour à la chair après la vie de l'esprit (par ex. en *SCt* 35, 1 s.), justifient des paroles aussi dures. Bernard va sortir de son propos de crainte en affirmant ses sentiments paternels (ou maternels: «Quelle est la mère...», au § 5) et en proposant son remède, l'humilité (§ 6).

irascitur Deus, cum non irascitur : *Misereamur impio,*
inquit, *et non discet facere iustitiam* ᵉ. Misericordiam hanc
ego nolo. Super omnem iram miseratio ista, saepiens mihi
vias iustitiae. Satius profecto mihi, iuxta Prophetae
15 consilium, *apprehendere disciplinam, nequando irascatur
Dominus et peream de via iusta* ᶠ. Volo irascaris mihi,
Pater misericordiarum ᵍ : sed illa ira qua corrigis devium,
non qua extrudis de via. Illud tua nobis benigna ani-
madversio parit, haec formidolosa nutrit dissimulatio. Non
20 cum nescio, sed cum sentio te iratum, tunc maxime
confido propitium : etenim *cum iratus fueris, misericordiae
recordaberis* ʰ. *Deus,* inquit, *tu propitius fuisti eis, et
ulciscens in omnes adinventiones eorum* ⁱ. Moysen loquitur
et Aaron, atque Samuelem, quos modo praemiserat ʲ; et
25 hoc vocat propitiationem, quod eorum Deus non pepercit
excessibus. I nunc tu ergo, atque hanc tibi excludito in
aeternum, defendendo errorem et accusando correptionem.
An non istud est *malum dicere bonum, et bonum
malum* ᵏ? Annon ex odiosa hac impudentia pullulabit mox
30 impaenitentia, mater desperationis? Quem enim paeniteat
super bono quod putat? *Vae illis* ˡ, inquit. Vae istud
aeternum est. Aliud est quemque *tentari a propria concu-*
36   *piscentia abstractum et illectum* ᵐ, et aliud sponte appetere
malum tamquam bonum, ad mortem quasi ad vitam male
35 securum properare.

---

e. Is. 26, 10 ≠   f. Ps. 2, 12 ≠   g. II Cor. 1, 3   h. Hab.
3, 2   i. Ps. 98, 8   j. Cf. Ps. 98, 6   k. Is. 5, 20 ≠
l. Is. 5, 20 ≠   m. Jac. 1, 14 (Patr.)

---

1. * Chacun des 8 emplois de ce texte par Bernard comporte l'adjectif *propria (concupiscentia)* que l'on trouve dans Cassien, Cassiodore
et Hugues de Saint-Victor et qui paraît insister davantage que le *sua*
de *Vg* sur l'intériorité de la concupiscence.

vois que la colère de Dieu est plus forte lorsqu'il ne se met pas en colère. «Ayons pitié de l'impie, dit-il, et il n'apprendra pas à pratiquer la justice[e].» Cette miséricorde, je n'en veux pas. Plus redoutable que toute colère est cette compassion qui me ferme les voies de la justice. Il est bien préférable pour moi, selon le conseil du Prophète, «de recevoir la correction, pour que le Seigneur ne se mette pas en colère et que je ne me perde hors de la voie droite[f].» Je veux que tu te mettes en colère contre moi, «Père des miséricordes[g]» : mais de cette colère par laquelle tu corriges l'égaré, non de celle par laquelle tu le rejettes hors de la voie. Ta rigueur bienveillante produit la correction, ton indifférence redoutable provoque le rejet. Ce n'est pas lorsque j'ignore ta colère, mais lorsque je te sens irrité que j'ai la plus grande confiance en ta faveur. «Lorsque tu te seras mis en colère, tu te souviendras de la miséricorde[h].» «Mon Dieu, dit le psalmiste, tu leur as été favorable, même en punissant tous leurs méfaits[i].» Il parle de Moïse, d'Aaron et de Samuel, qu'il avait cités auparavant[j]; et il appelle faveur le fait que Dieu n'a pas été indulgent pour leurs écarts. Vas-y donc toi aussi, et exclus-toi de cette faveur pour l'éternité, puisque tu défends ta faute et accuses celui qui te corrige. N'est-ce pas là «déclarer mal le bien, et bien le mal[k]»? Cette odieuse impudence, ne produira-t-elle pas aussitôt l'impénitence, mère du désespoir? Qui pourrait en effet se repentir de ce qu'il croit être bien? «Malheur à eux[l]», dit l'Écriture. Ce malheur est éternel. Autre chose est «d'être tenté par sa propre convoitise, qui entraîne et séduit[m1]» chacun; autre chose est de vouloir de son plein gré le mal, comme s'il était le bien, et de se précipiter dans la mort faussement assuré de courir à la vie.

III. De motu animi sui pro fratre correptoet contemnente.

Pro huiusmodi, dico, mallem aliquando tacuisse et dissimulasse quod *agi perperam*[n] deprehendi, quam ad tantam reprehendisse perniciem.

5. Dicas forsan mihi, quod bonum meum ad me revertatur[a], et quia *liberavi animam meam*[b], et *mundus sim a sanguine*[c] hominis, cui *annuntiavi et locutus sum*[d], *ut averteretur a via* sua mala, *et viveret*[e]. Sed etsi innumera
5 talia addas, me tamen minime ista consolabuntur, mortem filii intuentem, quasi vero meam illa reprehensione liberationem quaesierim, et non magis illius. Quae enim mater, etsi omnem quam potuit curam et diligentiam aegrotanti filio adhibuisse se sciat, si demum se frustratam viderit,
10 et omnes labores suos esse penitus inefficaces, illo nihilominus moriente, propterea umquam a fletibus temperavit? Et illa quidem hoc pro morte temporali; quanto magis me pro morte aeterna filii mei manet utique *ploratus et ululatus multus*[f], etiamsi *nihil mihi conscius
15 sum*[g], quominus annuntiaverim illi? Vides etiam a quantis e regione malis, et se, et nos liberat, qui correptus mansuete respondet, verecunde acquiescit, modeste obtemperat, humiliter confitetur. Huic ego animae in omnibus me profitear debitorem, huic me ministrum et servum,
20 tamquam dignissimae Domini mei sponsae, et quae revera dicere possit : *Cum esset rex in accubitu suo, nardus mea dedit odorem suum*[h].

---

n. I Cor. 13, 4 ≠

5. a. Cf. Is. 55, 11   b. Job 33, 28 ≠   c. Dan. 13, 46 ≠
d. Ps. 39, 6   e. Éz. 3, 18 ≠   f. Matth. 2, 18   g. I Cor. 4, 4
h. Cant. 1, 11 ≠

---

1. Bernard compare souvent la sollicitude de l'abbé à celle d'une mère. Cf. *SCt* 41, 6 et *SCt* 23, 2 : «Apprenez que vous devez être mères.» Cf. Caroline W. BYNUM, *Jesus as Mother : Studies in the*

III. Les sentiments personnels de Bernard lorsqu'un frère méprise la correction.

A cause de ces personnes, dis-je, j'aimerais mieux parfois m'être tu et avoir dissimulé «le mal[n]» que j'avais surpris, plutôt que d'avoir exprimé mes reproches avec un résultat si désastreux.

5. Tu me diras peut-être que le bien que j'ai voulu faire rejaillira sur moi[a], et que «j'ai sauvé mon âme[b]». Car «je suis pur du sang[c]» de cet homme, à qui «j'ai adressé mes avertissements[d]» «pour qu'il se détourne de sa voie mauvaise et qu'il vive[e]». Mais tu auras beau multiplier à l'infini de telles considérations, elles ne me consoleront point de voir la mort de mon fils. Comme si, par ma réprimande, j'avais cherché mon salut, et non plutôt le sien! Quelle est la mère qui, tout en sachant qu'elle a prodigué à son fils tous les soins possibles, a jamais modéré ses pleurs, si elle voit son espérance frustrée et toutes ses peines complètement inefficaces, puisque l'enfant meurt? Or, si elle pleure, c'est pour une mort temporelle. Combien plus me revient-il «de pleurer et de gémir longuement[f]» pour la mort éternelle de mon fils, même si «je suis conscient[g]» de l'avoir bien mis en garde[1]? Tu vois, inversement, de quels malheurs se délivre, et nous délivre en même temps, celui qui accepte avec douceur nos reproches, y acquiesce avec retenue, s'y plie modestement et y répond par un humble aveu. De cette âme-là je me déclare le débiteur en toutes choses, le serviteur et l'esclave. Car elle est la très digne épouse de mon Seigneur, et elle peut dire en vérité : «Tandis que le roi se reposait sur sa couche, mon nard a exhalé son parfum[h].»

Spirituality of the High Middle Ages (Publications of the Center for Medieval and Renaissance Studies 16), Berkeley (Calif.) 1982, p. 115-119.

6. Bonus humilitatis odor, qui de hac valle plorationis [a] ascendens, perfusis circumquaque vicinis regionibus, ipsum quoque regium accubitum grata suavitate respergat.

IV. De gemina humilitate affectus et cognitionis, et qua humilitate se Christus humiliavit.

Est nardus humilis herba, quam et calidae ferunt esse
5 naturae hi, qui herbarum vires curiosius explorarunt. Et ideo per hanc videor mihi non inconvenienter hoc loco virtutem humilitatis accipere, sed quae sancti amoris vaporibus flagret. Quod propterea sane dico, quoniam est humilitas quam caritas format, et inflammat; et est humi-
10 litas, quam nobis veritas parit, et non habet calorem. Atque haec quidem in cognitione, illa consistit in affectu.
37 Etenim tu si temetipsum intus ad lumen veritatis, et sine dissimulatione inspicias, et sine palpatione diiudices, non dubito quin humilieris et tu in oculis tuis, factus vilior
15 tibi ex hac vera cognitione tui, quamvis necdum fortasse id esse patiaris in oculis aliorum. Eris igitur humilis, sed de opere interim veritatis, et minime adhuc de amoris infusione. Nam si veritatis ipsius, quae te tibi veraciter atque salubriter demonstravit, sicut splendore illuminatus,
20 ita affectus amore fuisses, voluisses procul dubio, quod in te est, eamdem de te omnes tenere sententiam, quam

6. a. Cf. Ps. 83, 7

1. * « Quel bon parfum que celui de l'humilité qui monte de cette vallée de larmes... » : *(con)vallis plorationis* est une expression que Bernard emploie en 5 passages. Le plus souvent, il s'agit de « monter » de cette vallée, joyeux, grâce à une humilité bien assumée. *(Con)vallis plorationis* est dans le Psautier romain et, d'une manière répétitive, dans Augustin. Cf. *Ep* 83, 1 (*SBO* VII, 217, 6).

6. Quel bon parfum que celui de l'humilité, qui monte de cette vallée de larmes[a][1], se répand dans toutes les régions d'alentour et embaume de ses doux effluves la couche même du roi!

IV. La double humilité : du sentiment amoureux et de la connaissance. L'humilité dont s'humilia le Christ.

Le nard est une humble plante qui, au dire de ceux qui ont étudié de près les vertus des plantes, est de nature chaude. Je pense donc que je n'ai pas tort d'y reconnaître, dans ce passage, la vertu d'humilité, mais de cette humilité qui s'allume aux feux du saint amour[2]. Je donne cette précision, parce qu'il est une humilité qui est le fruit brûlant de la charité; et il est une humilité qui est le produit de la vérité, et qui n'a aucune chaleur. La deuxième relève de la connaissance; la première du sentiment amoureux. Si tu t'examines toi-même intérieurement à la lumière de la vérité, et sans dissimulation, et que tu te juges sans flatterie, je ne doute pas que tu ne t'humilies à tes propres yeux. Car cette vraie connaissance de toi va te rendre plus vil à ton jugement, même si tu ne supportes pas encore qu'elle paraisse aux yeux des autres. Tu seras donc humble, mais pour l'instant par un effet de la vérité, et pas encore par une inspiration de l'amour. Car si tu étais touché par l'amour, comme tu as été éclairé par la splendeur de la vérité, qui t'a sainement montré à toi-même sous ton véritable aspect, tu voudrais sans aucun doute, autant qu'il dépend de toi, que tous portent sur toi le même jugement que la vérité

---

2. Description très semblable par GUILL. DE S.-TH. (*Exp. super Cant.* 77, *SC* 82, 191) : «Le nard est une herbe peu élevée... : elle symbolise l'humilité féconde en vertus. Elle est chaude et désigne l'ardeur du saint désir.» Voir aussi : *Brevis commentatio* 26 (*CCM* 87, 184, 18-21).

ipsam apud te veritatem habere cognoscis. Sane «quod
in te est» dixerim, quoniam plerumque non expedit inno-
tescere omnibus omnia quae nos scimus de nobis, atque
25 ipsa veritatis caritate et caritatis veritate vetamur palam
fieri velle, quod noceat agnoscenti. Alioquin si privato
amore tui tentus, detines pariter intra te iudicium veritatis inclusum, cui dubium est minus te veritatem diligere,
cui proprium praefers vel commodum, vel honorem?

7. Vides igitur non esse idipsum, hominem de seipso
non altum iam *sapere*, veritatis lumine redargutum, *et
humilibus* sponte *consentire*[a], munere caritatis adiutum.
Illud enim necessitatis est, hoc voluntatis. *Semetipsum exi-*
5 *nanivit*, inquit, *formam servi accipiens*[b], et formam humilitatis tradens. Ipse se exinanivit, ipse se humiliavit, non
necessitate iudicii, sed nostri caritate. Poterat nimirum
vilem se et contemptibilem demonstrare, sed plane non
reputare, quoniam sciebat seipsum. Voluntate proinde
10 humilis fuit, et non iudicio, qui talem se obtulit, qualem
esse nescivit; magis autem placuit minimum reputari, qui
se summum non ignoravit. Denique ait : *Discite a me
quia mitis sum et humilis corde*[c]. «Corde» dixit, cordis
affectu, id est voluntate. Itaque necessitatem exclusit qui
15 voluntatem confessus est. Non enim quomodo ego
vel tu invenimus nos in veritate dignos dedecore et
contemptu, dignos omni extremitate et inferioritate, dignos

---

7. a. Rom. 12, 16 ≠   b. Phil. 2, 7   c. Matth. 11, 29

---

1. *ipsa veritatis caritate et caritatis veritate,* «l'amour même de la
vérité et la vérité de l'amour». Inversion de deux notions. Le procédé
revient souvent dans les écrits de GUILL. DE S.-TH., *De contemplando
Deo* 1 (*SC* 61 bis, 58, 10-12).

2. *qui se summum non ignoravit,* «lui qui n'ignorait pas sa suprême

elle-même porte, et dont tu es bien conscient. Je dis
bien : autant qu'il dépend de toi; car d'ordinaire il n'est
pas utile de faire connaître à tous tout ce que nous
savons de nous-mêmes. L'amour même de la vérité et la
vérité de l'amour[1] nous interdisent de vouloir publier ce
qui pourrait faire du mal à celui qui l'apprendrait. Mais
si, prisonnier de ton amour-propre, tu tiens également
enfermé en toi-même le jugement de la vérité, qui pourrait
douter que tu n'aimes guère la vérité, puisque tu lui préfères ou ton avantage, ou ton honneur?

7. Tu vois que ce n'est pas la même chose de « ne plus
se tenir soi-même en haute estime », parce que la lumière
de la vérité nous démasque, ou bien de « consentir spontanément à ce qui est humble[a] », grâce au don de la charité.
La première attitude est le fait de la nécessité; la seconde,
de la volonté. « Il s'est anéanti lui-même, dit l'Écriture,
prenant la condition de serviteur[b] », et nous laissant
l'exemple de l'humilité. Lui-même s'est anéanti, lui-même
s'est humilié, non pas poussé par la nécessité de son
jugement, mais par charité pour nous. Il pouvait certes
prendre une apparence vile et méprisable, mais non pas
s'estimer tel, puisqu'il se connaissait lui-même. Il fut donc
humble par un acte de sa volonté, et non de son jugement,
lui qui se présenta tel qu'il savait n'être pas. Il préféra être
estimé le plus petit, lui qui n'ignorait pas sa suprême
grandeur[2]. Enfin, il dit : « Apprenez de moi que je suis
doux et humble de cœur[c]. » Il a dit « de cœur », par les
sentiments du cœur, c'est-à-dire par la volonté. Il a ainsi
exclu la nécessité, lui qui a ouvertement parlé de volonté.
Car il n'en va pas de lui comme de moi ou de toi. Nous
nous découvrons dans la vérité dignes de honte et de
mépris, dignes de tout abaissement et de la dernière place,

grandeur ». Bernard attribue au Christ la connaissance et la conscience
de sa grandeur divine.

etiam suppliciis, dignos plagis, non, inquam, ita et ille :
quae tamen omnia expertus est, *quia voluit*[d], tamquam
20 humilis corde, humilis videlicet illa humilitate quam cordis
suasit affectio, non quam extorsit discussio veritatis.

V. Qualiter ex humilitate cognitionis ascendimus ad humilitatem dilectionis.

8. Propterea dixi hanc voluntariae humilitatis speciem
non redargutione veritatis, sed caritatis intra nos infusione
38 creari, quia cordis est, quia affectionis, quia voluntatis;
an vero recte, tu iudica. Itemque etiam hoc tuo aeque
5 examinetur iudicio, digne ne eamdem Domino assignarim,
quem caritate constat *exinanitum*[a], caritate *minoratum
ab angelis*[b], caritate *parentibus subditum*[c], caritate Baptistae manibus inclinatum[d], caritate carnis infirma passum,
caritate postremo morti obnoxium, cruce inglorium exsti-
10 tisse. Sed et hoc unum adhuc tui sit considerare arbitrii,
recte ne etiam hanc ipsam humilitatem ita caritate
calentem, herba humili et calida, id est nardo, putaverim
designatam. Et si ita cuncta probaveris – probabis enim
rationi manifestissimae acquiescens –, tunc si iam apud
15 teipsum humiliatus es necessaria illa humilitate quam
scrutans corda et renes[e] Veritas sensibus ingerit vigilantis,
adhibe voluntatem, et fac de necessitate virtutem, quia
nulla est virtus sine convenientia voluntatis. Sic autem fiet
istud, si nolis alter apparere foris, quam te invenis intus.

d. Is. 53, 7 ≠
8. a. Phil. 2, 7 ≠   b. Hébr. 2, 9 ≠   c. Lc 2, 51 ≠
d. Cf. Matth. 3, 16   e. Ps. 7, 10

1. «Car cette humilité relève du cœur, de l'affection, de la volonté.»
Énumération intéressante des facultés humaines par lesquelles la charité
agit et transforme le comportement. Comme elle a transformé aussi l'activité divine du Christ.

dignes même de supplices, dignes de coups. Pour lui, dis-je, il n'en va pas ainsi. Certes, il a fait l'expérience de tout cela, mais «parce qu'il l'a voulu[d]». Car il était «humble de cœur», c'est-à-dire humble de cette humilité que lui inspira l'affection du cœur, non pas de celle que lui aurait imposée le jugement de la vérité.

V. Comment nous montons de l'humilité de la connaissance à l'humilité de l'amour.

8. C'est pourquoi j'ai dit que cette sorte d'humilité volontaire n'est pas produite par la vérité qui nous démasque, mais par la charité qui se répand en nous. Car cette humilité relève du cœur, de l'affection, de la volonté[1]. Juge toi-même si je n'ai pas raison. Et encore, que ton jugement examine également ceci : si c'est à bon droit que j'ai attribué cette humilité au Seigneur. Il est évident : c'est par charité «qu'il s'est anéanti[a]»; par charité «qu'il s'est rendu inférieur aux anges[b]»; par charité «qu'il s'est soumis à ses parents[c]»; par charité qu'il s'est incliné sous les mains de Jean-Baptiste[d]. C'est par charité qu'il a souffert les infirmités de la chair; par charité enfin qu'il s'est assujetti à la mort et a été crucifié sans gloire. Mais il te reste encore à juger de ce seul point : ai-je eu raison de penser que cette même humilité, si brûlante de charité, soit désignée par une plante humble et chaude, c'est-à-dire le nard? Si tu me donnes ton assentiment sur tous ces points – et tu me le donneras, car tu te rendras à une raison tellement évidente –, si de plus tu es déjà humilié en toi-même par cette humilité nécessaire inspirée à une âme vigilante par la Vérité «qui scrute les reins et les cœurs[e]» : alors, ajoutes-y la volonté, et fais de nécessité vertu, puisqu'il n'y a aucune vertu sans l'accord de la volonté. Il en sera ainsi, si tu ne veux pas paraître au-dehors autre que tu ne te découvres au-dedans. Sinon, crains d'être visé par ces

20 Alioquin time, ne de te ipso legas : *Quoniam dolose egit
in conspectu eius, ut inveniatur iniquitas eius ad odium* [f].
Pondus, inquit, *et pondus, abominatio est apud Deum* [g].
Quid enim? Tu te depretiaris in secreto apud teipsum,
Veritatis trutina ponderatus, et foris alterius pretii men-
25 tiens, maiori te pondere vendis nobis, quam ab ipsa accepisti? *Time Deum* [h], et noli hanc *rem pessimam facere* [i],
ut quem humiliat Veritas, extollat voluntas : hoc enim est
resistere Veritati [j], hoc *pugnare contra Deum* [k]. Magis
autem acquiesce Deo, et sit voluntas subdita Veritati, nec
30 tantum subdita, sed et devota. *Nonne Deo*, inquit, *subiecta
erit anima mea* [l]?

9. At parum est esse *subiectum* Deo, nisi sit et *omni
humanae creaturae propter Deum* : sive abbati, *tamquam
praecellenti* [a], sive prioribus ab eo constitutis. Ego plus dico :
subdere paribus et minoribus. *Sic enim decet nos*, inquit,
5 *omnem implere iustitiam* [b]. Vade et tu ad minorem, si vis
in iustitia esse perfectus; defer inferiori, iuniori te inclinato.
Hoc enim faciens, trahes et ipse ad te sponsae sermonem
quem dixit, quia *nardus mea dedit odorem suum* [c].

VI. Quomodo et quae humilitas det odorem ut nardus.

39
Odor devotio est, odor bona opinio, quae ad omnes
10 pervenit, ut *Christi sis bonus odor in omni loco* [d], spectabilis omnibus, amabilis omnibus. Non potest hoc ille
humilis, quem veritas ad humilitatem cogit, quoniam sibi
habet illam, et exire non patitur, ut sparsa foris redoleat.

f. Ps. 35, 3   g. Prov. 20, 10 ≠   h. Eccl. 12, 13 ≠   i. Gen.
44, 5 ≠   j. II Tim. 3, 8 ≠   k. Sir. 46, 8 ≠; II Macc. 7, 19 ≠
l. Ps. 61, 2
9. a. I Pierre 2, 13 ≠   b. Matth. 3, 15 ≠   c. Cant. 1, 11
d. II Cor. 2, 14-15 ≠

paroles que tu lis dans l'Écriture : « Il a agi avec ruse en sa présence, afin que son iniquité le rende odieux[f]. » « Avoir deux poids, est-il dit, est une abomination devant Dieu[g]. » Quoi donc ? Tu te déprécies dans le secret de ton cœur, lorsque tu te pèses sur la balance de la Vérité ; mais au-dehors, tu simules un autre prix, et tu te vends à nous en déclarant un poids supérieur à celui que tu as appris de la balance ? « Crains Dieu[h] », et ne commets pas « cette action si mauvaise[i] » : que la volonté exalte celui que la Vérité humilie. Car c'est là « résister à la Vérité[j] », c'est là « combattre contre Dieu[k] ». Rends-toi plutôt à Dieu, et que la volonté soit soumise à la Vérité ; non seulement soumise, mais aussi fervente. « Mon âme, est-il écrit, ne sera-t-elle pas soumise à Dieu[l] ? »

9. Mais c'est peu d'être « soumis » à Dieu, si on ne l'est pas aussi « à toute créature humaine à cause de Dieu » : soit à l'abbé, « en sa qualité de supérieur[a] », soit aux prieurs institués par lui. Je vais plus loin : sois soumis à tes égaux et à tes inférieurs. « C'est ainsi qu'il nous convient d'accomplir toute justice[b] », est-il dit. Toi aussi, va vers celui qui est inférieur, si tu veux être parfait dans la justice ; traite ton inférieur avec déférence, incline-toi devant un frère plus jeune que toi. En faisant ainsi, tu pourras prendre à ton compte ces paroles qu'a prononcées l'épouse : « Mon nard a exhalé son parfum[c]. »

VI. Quelle est l'humilité qui embaume comme le nard, et de quelle manière.

Le parfum, c'est la ferveur ; le parfum, c'est le bon renom qui parvient à tous, afin qu'« en tout lieu tu sois la bonne odeur du Christ[d] », perceptible à tous, agréable à tous. Cela est impossible à l'humble que la vérité force à l'humilité. Car il garde l'humilité pour lui, et ne lui permet pas de sortir pour se répandre à l'extérieur et

Magis autem non habet odorem, quia non habet devo-
15 tionem, utpote qui non sponte neque libenter se humiliat.
Sponsae vero humilitas, tamquam nardus, spargit odorem
suum, amore calens, devotione vigens, opinione redolens.
Sponsae humilitas voluntaria est, perpetua est, fructifera
est. Odor eius nec reprehensione exterminatur, nec laude.
20 Audierat : *Pulchrae sunt genae tuae sicut turturis, et collum
tuum sicut monilia* [e]. Acceperat et repromissionem ornatus
aurei, et nihilominus tamen cum humilitate respondet; et
quanto maiorem se audit, *tanto humiliat se in omnibus* [f].
Non gloriatur se in meritis, nec inter laudes suas humi-
25 litatis obliviscitur, quam et humiliter confitetur sub nardi
nomine, ac si voce virginis Mariae dicat : Nullius mihi
meriti conscia sum ad tantam dignitatem, nisi quod Deus
respexit humilitatem ancillae suae [g]. Nam quid est aliud :
Nardus mea dedit odorem suum, quam : Placuit mea humi-
30 litas? Non mea, inquit, sapientia, non mea nobilitas, non
mea pulchritudo, quae nulla erant mihi, sed quae sola
inerat humilitas dedit odorem suum, id est solitum. Solito
placet Deo humilitas, solito plane atque ex consueto
excelsus Dominus humilia respicit [h]; et ideo *cum esset Rex
35 in accubitu suo* [i], id est *in excelso habitaculo suo* [j], illuc
quoque humilitatis odor ascendit. *In altis habitat*, inquit,
et humilia respicit in caelo et in terra [k].

   10. Ergo : *Cum esset Rex in accubitu suo, nardus mea
dedit odorem suum* [a].

---

   e. Cant. 1, 9 ≠   f. Sir. 3, 20 (Patr.)   g. Lc 1, 48   h. Ps.
137, 6 ≠   i. Cant. 1, 11 ≠   j. Deut. 26, 15 ≠   k. Ps. 112,
5-6

   10. a. Cant. 1, 11 ≠

---

   1. * Cf. p. 201, n. 3 sur *Sir.* 3, 20 cité en *SCt* 41, 6, l. 15 s., p. 200.
   2. L'humilité exemplaire de Marie va être évoquée une seconde fois
dans *SCt* 45, 2.

embaumer. Ou plutôt, il n'a aucun parfum, car il n'a
aucune ferveur, puisqu'il ne s'humilie pas spontanément,
ni volontiers. Mais l'humilité de l'épouse, comme le nard,
répand son parfum, car elle est embrasée d'amour, pleine
de ferveur; elle embaume d'une bonne réputation. L'humilité de l'épouse est volontaire, elle est constante, elle
porte des fruits. Son parfum n'est éventé ni par la réprimande, ni par la louange. Elle avait entendu ces paroles :
«Tes joues sont belles comme celles de la tourterelle, et
ton cou comme des colliers[e].» Elle avait reçu la promesse d'une parure d'or, et néanmoins elle répond avec
humilité. «Plus on l'exalte, plus elle s'humilie en toutes
choses[f1].» Elle ne se glorifie pas de ses mérites. Au
milieu des louanges, elle n'oublie pas l'humilité, qu'elle
confesse humblement sous le nom de nard, comme si
elle disait avec la voix de la Vierge Marie : «Je n'ai
conscience d'aucun mérite qui puisse me valoir un tel
honneur, sinon que Dieu 'a jeté les yeux sur l'humilité
de sa servante[g2'].» Car ces paroles : «Mon nard a exhalé
son parfum», que signifient-elles d'autre, sinon : «Mon
humilité a trouvé grâce»? Non pas ma sagesse, ma
noblesse, ma beauté, qui ne se trouvaient pas en moi;
mais la seule chose que j'avais, l'humilité, a exhalé son
parfum, c'est-à-dire, le parfum qui lui est ordinaire. D'ordinaire l'humilité plaît à Dieu; «le Seigneur très-haut a
coutume de jeter d'ordinaire les yeux sur ce qui est
humble[h]». Ainsi, «tandis que le roi se reposait sur sa
couche[i]», c'est-à-dire, «dans sa très-haute demeure[j]», le
parfum de l'humilité est monté jusque-là. «Il habite les
hauteurs, est-il écrit, et il jette les yeux sur ce qui est
humble au ciel et sur la terre[k].»

10. Donc : «Tandis que le roi se reposait sur sa couche,
mon nard a exhalé son parfum[a].»

VII. Quod regis Filii accubitus sit Pater, et qualiter hic locus Scripturae Ecclesiae primitivae congruit.

Accubitus Regis, sinus est Patris[b], quia semper in Patre Filius[c]. Nec dubites Regem hunc esse clementem, cui per-
5 ennis accubitus est paternae benignitatis diversorium. Merito *clamor* humilium *ascendit ad eum*[d], cui fons pie-tatis est mansio, cui familiaris suavitas, cui consubstan-tialis bonitas est : cui ideo totum quod est de Patre est, ut nil prorsus in regia maiestate, nisi paternum, humilium
10 trepidatio suspicetur. Denique *propter miseriam inopum et gemitum pauperum, nunc exsurgam, dicit Dominus*[e].

40   Horum igitur conscia sponsa, utpote domestica atque carissima, non se putat arctandam sponsi gratia penuria meritorum, sola de humilitate praesumens. Regem denique
15 nominat : nam sponsum interim, territa increpatione, non audet; et *in alto habitare*[f] fatetur : nec sic tamen diffidit humilitas.

11. Primitivae Ecclesiae potes hunc congruentissime aptare sermonem, si recordaris dies illos, quibus, *assumpto Domino ubi erat prius et sedente in dextera Patris*[a], illo suo antiquo, nobili atque glorioso accubitu, *discipuli erant*
5 *congregati*[b] *in loco uno, perseverantes unanimiter in ora-tione cum mulieribus et Maria matre Iesu et fratribus eius*[c]. Nonne tibi videtur revera tunc temporis nardum parvulae et trepidantis sponsae dare odorem suum? Denique cum *factus est repente de caelo sonus, tamquam*

b. Cf. Jn 1, 18   c. Cf. Jn 10, 38; cf. Jn 14, 10-11   d. Ex. 2, 23 ≠   e. Ps. 11, 6   f. Ps. 112, 5 ≠
11. a. Jn 6, 63 ≠; Mc 16, 19 ≠   b. Jn 20, 19 ≠   c. Act. 2, 1 ≠; 1, 14

1. «Le Fils est toujours dans le Père.» Guillaume de Saint-Thierry dira avec plus de précision à propos du Fils : *Semper in Patre, semper*

VII. La couche du roi, le Fils, est le Père. Comment ce passage de l'Écriture s'applique à l'Église primitive.

La couche du roi est le sein du Père[b], car le Fils est toujours dans le Père[c1]. Ne doute pas de la clémence de ce roi, qui a pour couche éternelle la demeure de la bonté paternelle. Il mérite que «le cri» des humbles «monte jusqu'à lui[d]» dont le séjour est la source de la pitié. La douceur lui est naturelle, la bonté est sa substance même. Tout ce qui est au Père est à lui; ainsi, la crainte des humbles n'imagine dans sa majesté royale rien qui ne soit paternel. Enfin, «à cause de la misère des indigents et du gémissement des pauvres, je vais maintenant me lever, dit le Seigneur[e]». L'épouse sait bien tout cela, car elle est très chère à l'Époux et son intime. Elle ne pense donc pas que la pénurie de ses mérites doive l'exclure de la grâce de l'Époux. Car elle ne met sa confiance qu'en l'humilité. Elle l'appelle roi : effrayée par la réprimande, elle n'ose pas l'appeler Époux pour l'instant. Elle reconnaît «qu'il habite les hauteurs[f]»; néanmoins, son humilité ne désespère pas.

11. Tu peux appliquer fort à propos ce discours à la primitive Église, si tu te souviens des jours qui ont suivi «l'élévation du Seigneur là où il était auparavant et son intronisation à la droite du Père[a]», son ancienne, noble et glorieuse couche. En ces jours-là, «les disciples étaient réunis[b]» «en un même lieu, persévérant unanimes dans la prière avec les femmes, et Marie, mère de Jésus, et ses frères[c]». Ne te semble-t-il pas qu'en ce temps-là vraiment le nard de la petite et craintive épouse exhalait son parfum? Or, «il y eut soudain un bruit venant du

de Patre, «Toujours demeurant dans le Père et toujours venant du Père» (*Aenigma fidei, PL* 180, 427 D).

10 *advenientis spiritus vehementis, et replevit totam domum*
ubi erant sedentes[d], annon merito paupercula tunc dicere
potuit : *Cum esset rex in accubitu suo, nardus mea dedit*
odorem suum[e]? Patuit pro certo omnibus in loco manentibus, quam gratus humilitatis et quam beneplacitus odor
15 ascenderat, cui mox tam copiosa et gloriosa remunera-
tione responsum est. Ceterum illa non ingrata beneficii
fuit. Audi enim quomodo mox repleta devotione parat se
ad omnia mala perferenda pro nomine eius; nam sequitur :
Fasciculus myrrhae dilectus meus mihi, inter ubera mea
20 *commorabitur*[f]. Infirmitas mea non sinit ulterius progredi.
Hoc solum dico, quia tribulationum amaritudines sub
myrrhae nomine dicit se subire paratam amore dilecti.
Reliquum capituli alias prosequemur, si tamen exoratus a
vobis Spiritus Sanctus affuerit, qui intelligere nos faciat
25 verba sponsae, quae ipse inspirando formavit, sicut novit
illius, cuius ipse Spiritus est, laudibus convenire sponsi
Ecclesiae, Iesu Christi Domini nostri, *qui est Deus bene-*
dictus in saecula. Amen[g].

---

d. Act. 2, 2   e. Cant. 1, 11 ≠   f. Cant. 1, 12
g. Rom. 9, 5 ≠

---

1. A la Pentecôte, le parfum de l'humilité a obtenu pour l'Église
primitive le don du Saint-Esprit.

ciel, semblable à celui d'un violent coup de vent, qui remplit toute la maison où ils étaient assis[d].» L'humble et pauvre épouse n'eut-elle pas raison de dire alors : «Tandis que le roi se reposait sur sa couche, mon nard a exhalé son parfum[e]»? Oui, il fut manifeste à tous ceux qui demeuraient en ce lieu combien le parfum de l'humilité, qui était monté vers Dieu, était agréable et bien reçu, puisqu'il avait obtenu aussitôt en réponse une récompense si abondante et si glorieuse[1]. D'ailleurs, l'épouse ne fut pas ingrate envers un tel bienfait. Écoute comment, remplie aussitôt de ferveur, elle se prépare à supporter toutes sortes de maux pour le nom du Seigneur ; car elle poursuit : «Mon bien-aimé est pour moi un bouquet de myrrhe ; il restera entre mes seins[f].» Ma faible santé ne me permet pas d'aller plus loin. Je me contente de dire ceci : par la myrrhe elle désigne l'amertume des tribulations[2], qu'elle se déclare prête à subir pour l'amour du bien-aimé. Nous exposerons une autre fois la suite du passage, si du moins l'Esprit-Saint, en réponse à vos prières, nous fait comprendre par sa présence les paroles de l'épouse. Lui-même a formulé par son inspiration ces paroles telles qu'elles conviennent, il le sait, aux louanges de celui dont il est l'Esprit : l'Époux de l'Église, Jésus-Christ notre Seigneur, «qui est Dieu béni dans les siècles. Amen[g]».

---

2. *tribulationum amaritudines,* «l'amertume des tribulations». Cf. Jérôme, *Nom. Hebr.* (*CCL* 72, 147, 10-11) : *Myrra amara,* «Myrrhe signifie amer.»

SERMO XLIII

41

I. Cui fasciculus myrrhae Christus sit, et quid myrrha.

1. *Fasciculus myrrhae dilectus meus mihi, inter ubera mea commorabitur*[a]. Ante «rex», modo «dilectus»; ante «in accubitu regio», modo «inter ubera sponsae». Magna humilitatis virtus, cui etiam Deitatis maiestas tam facile se
5 inclinat. Cito reverentiae nomen in vocabulum amicitiae mutatum est; et *qui longe erat, factus est* in brevi *prope*[b]. *Fasciculus myrrhae dilectus meus mihi.* Myrrha amara res, dura et aspera tribulationum significat. Ea sibi dilecti causa imminere prospiciens, gratulabunda id loquitur, confidens
10 se omnia viriliter subituram. *Ibant*, inquit, *gaudentes discipuli a conspectu concilii, quoniam, digni habiti sunt pro nomine Iesu contumeliam pati*[c]. Propterea denique non fascem, sed fasciculum dilectum dicit, quod leve prae amore

---

1. a. Cant. 1, 12   b. Éphés. 2, 13 ≠   c. Act. 5, 41 ≠

---

1. *Qui longe erat, factus est in brevi prope*, «Celui qui était loin s'est fait rapidement tout proche.» L'opposition loin-proche a été reprise par les béguines du treizième siècle. Le Père Porion traduit l'expression *verre-bi* de Hadewijch II par «présence d'absence» (*Hadewijch d'Anvers*, Paris, 1954, p. 133 et p. 136, n. 1). Marguerite Porete fera de l'expression «loing-près» une sorte de nom divin (*Mirouer des ames simples*, CCM 69, 168, 20 et 25).

SERMON 43

I. Pour qui le Christ est un bouquet de myrrhe. Signification de la myrrhe.

1. « Mon bien-aimé est pour moi un bouquet de myrrhe ; il restera entre mes seins [a]. » Auparavant, c'était « le roi » ; maintenant, « le bien-aimé ». Auparavant, il se reposait « sur sa couche royale » ; maintenant, « entre les seins de l'épouse. » Grande est la vertu de l'humilité, puisque même la majesté divine se penche si aisément jusqu'à elle. L'appellation respectueuse s'est vite changée en un nom d'amitié ; et « celui qui était loin s'est fait rapidement tout proche [b][1] ». « Mon bien-aimé est pour moi un bouquet de myrrhe. » La myrrhe est une plante amère ; elle signifie la dureté et l'âpreté [2] des tribulations. Prévoyant qu'elle devra bientôt passer par là à cause de son bien-aimé, l'épouse s'en félicite, dans la confiance qu'elle supportera virilement toutes ces épreuves. « Les disciples, dit l'Écriture, sortaient tout joyeux du Sanhédrin, parce qu'ils avaient été jugés dignes de subir des outrages pour le nom de Jésus [c]. » C'est pourquoi l'épouse n'appelle pas son bien-aimé une botte de myrrhe, mais un bouquet. Car par amour de lui elle

2. * *RB* 58, 8.

ipsius ducat quidquid laboris immineat et doloris. Bene fas-
15 ciculus, quia *parvulus natus est nobis*[d]. Bene fasciculus,
quia *non sunt condignae passiones huius temporis ad futuram
gloriam quae revelabitur in nobis*[e]. *Id enim,* inquit, *quod
in praesenti est momentaneum et leve tribulationis nostrae,
supra modum in sublimitatem aeternum pondus gloriae ope-*
20 *ratur in nobis*[f]. Erit ergo quandoque nobis ingens cumulus
gloriae, qui modo est *fasciculus myrrhae.* Annon fasciculus,
cuius *iugum suave et onus leve*[g]? Non quia leve in se
– nec enim levis passionis asperitas, mortis amaritudo –, sed
levis tamen amanti. Et ideo non ait tantum : *Fasciculus
25 myrrhae dilectus meus*; sed *mihi,* inquit, quae diligo, fas-
42 ciculus est. Unde et dilectum nominat, monstrans et dilectionis vim omnem amaritudinum superare molestiam, et
quia fortis est ut mors dilectio[h]. Et ut scias non in se illam,
sed in Domino gloriari[i], neque de propria virtute, sed de
30 Domini virtute praesumere fortitudinem[j], dicit illum inter
ubera sua commoraturum, cui secura decantet : *Etiam si
ambulavero in medio umbrae mortis, non timebo mala,
quoniam tu mecum es*[k].

II. Quomodo inter laeta et tristia fasciculum hunc inter ubera collocemus suo docet exemplo.

2. Memini me in uno superiorum sermonum duo sponsae
ubera congratulationem dixisse atque compassionem, iuxta
Pauli doctrinam dicentis : *Gaudere cum gaudentibus, flere*

---

d. Is. 9, 6   e. Rom. 8, 18   f. II Cor. 4, 17 ≠   g. Matth. 11,
30 ≠   h. Cant. 8, 6   i. I Cor. 1, 31 ≠   j. Cf. Judith 6, 15
k. Ps. 22, 4 ≠

---

1. «Par amour de lui elle trouve légères toutes les peines et les souffrances qui la menacent.» GUILL. DE S.-TH. (*Exp. super Cant.* 83, *SC* 82,
200-201) dit plus brièvement : *Qui amat non laborat,* «Qui aime ne
sent pas de peine.»
2. Voir *SCt* 10, 3 : «Le sein de la joie partagée produit le lait de

trouve légères toutes les peines et les souffrances qui la menacent[1]. C'est fort à propos qu'elle l'appelle un bouquet, puisqu'« un petit enfant nous est né[d] ». Oui, un bouquet, parce que « les souffrances du temps présent sont sans proportion avec la gloire future qui doit être révélée en nous[e] ». « Car, dit l'Apôtre, ce qui dans la vie présente n'est que tribulation légère et transitoire, produit en nous au-delà de toute mesure un poids éternel de gloire sublime[f]. » Ce qui n'est maintenant qu'« un bouquet de myrrhe », sera un jour pour nous le comble d'une gloire infinie. N'est-ce pas un bouquet, celui dont « le joug est aisé et le fardeau léger[g] » ? Non qu'il soit léger en soi – elles ne sont pas légères, les affres de la Passion et l'amertume de la mort –, mais il est léger à l'âme qui aime. Aussi l'épouse ne dit-elle pas seulement : « Mon bien-aimé est un bouquet de myrrhe » ; mais elle dit : il est un bouquet « pour moi » qui aime. De là vient aussi qu'elle l'appelle son bien-aimé. Elle montre ainsi que la force de l'amour surpasse toute la peine des amertumes, et « que l'amour est fort comme la mort[h] ». Pour que tu saches qu'elle ne se glorifie pas en elle-même, mais dans le Seigneur[i], et qu'elle ne compte pas sur sa propre force, mais sur la force du Seigneur[j], elle dit qu'il restera entre ses seins. Pour lui, elle chante avec assurance : « Marcherais-je au milieu de l'ombre de la mort, je ne craindrai aucun mal, parce que tu es avec moi[k]. »

II. L'épouse nous apprend par son exemple comment, entre les joies et les tristesses, placer ce bouquet entre nos seins.

2. Je me souviens que, dans un des sermons précédents, j'ai nommé les deux seins de l'épouse « joie partagée » et « compassion[2] », selon l'enseignement de Paul : « Réjouissez-vous, dit-il, avec ceux qui sont dans la joie ;

l'exhortation, tandis que celui de la compassion donne le lait de la consolation » (*SC* 414, 221-223).

cum flentibus [a]. Quia vero inter adversa et prospera versans,
5 novit utrobique pericula non deesse, medium huiuscemodi
uberum suorum vult habere dilectum, cuius adversus
utraque continua protectione munitam nec laeta extollant,
nec tristia deiciant. Tu quoque, si sapis, imitaberis sponsae
prudentiam, atque hunc myrrhae tam carum fasciculum de
10 principali tui pectoris, nec ad horam patieris auferri, amara
illa omnia quae pro te pertulit, semper in memoria retinens
et assidua meditatione revolvens, quo possis dicere et tu :
*Fasciculus myrrhae dilectus meus mihi, inter ubera mea
commorabitur* [b].

3. Et ego, fratres, ab ineunte mea conversione, pro
acervo meritorum quae mihi deesse sciebam, hunc mihi
fasciculum colligare et *inter ubera mea* collocare curavi,
collectum ex omnibus anxietatibus et amaritudinibus
5 Domini mei, primum videlicet infantilium illarum neces-
sitatum, deinde laborum quos pertulit in praedicando, fati-
gationum in discurrendo, vigiliarum in orando, tentationum
in ieiunando, lacrimarum in compatiendo, insidiarum in
colloquendo, postremo *periculorum in falsis fratribus* [a],
10 conviciorum, sputorum, colaphorum, subsannationum,
exprobrationum, clavorum horumque similium, quae in
salutem nostri generis silva evangelica copiosissime nos-
citur protulisse. Ubi sane inter tot odoriferae myrrhae
huius ramusculos minime praetermittendam putavi etiam
15 illam myrrham, qua in cruce potatus est [b]; sed neque

---

2. a. Rom. 12, 15   b. Cant. 1, 12
3. a. II Cor. 11, 26 ≠   b. Cf. Mc 15, 23

---

1. La croix est le vray livre du Chrestien, et je vous prens a tesmoin,
ô Bernard, tres doux et devot docteur, car ou aves vous repeu vostre
entendement de la tres douce et tres souëfve doctrine..., sinon en ce
livre, quand vous disiez : *Fasciculus myrrhae dilectus meus mihi*, « Mon
bien-aimé est pour moi un bouquet de myrrhe» (FRANÇOIS DE SALES,
Œuvres VII, Annecy 1896, p. 174).
2. «Pour moi, frères...» Bernard ne parle pas seulement de ses

pleurez avec ceux qui pleurent[a].» L'épouse, qui passe par des échecs et des succès, sait que les dangers ne manquent pas de part et d'autre. Elle veut donc avoir son bien-aimé au milieu de ses deux seins, pour que sa protection continue la garde contre ce double péril : l'orgueil dans les joies, et l'abattement dans les tristesses. Toi aussi, si tu es sage, tu imiteras la prudence de l'épouse. Tu ne permettras pas que soit enlevé un seul instant de ton cœur ce si précieux bouquet de myrrhe. Toujours tu garderas en mémoire et rumineras dans une méditation assidue toutes les amertumes que le Christ a endurées pour toi. Ainsi tu pourras dire à ton tour : «Mon bien-aimé est pour moi un bouquet de myrrhe; il restera entre mes seins[b1].»

3. Pour moi, frères[2], dès les débuts de ma vie monastique, sachant bien le tas de mérites qui me manquaient, j'ai pris soin de lier pour moi ce bouquet et de le placer «entre mes seins[3]». Ce bouquet se compose de toutes les souffrances et amertumes de mon Seigneur : d'abord les besoins de son enfance, puis les labeurs qu'il a endurés dans la prédication, la fatigue de ses marches, ses veillées de prière, ses tentations durant le jeûne, ses larmes de compassion, les embûches qu'on lui tendait dans les discussions; enfin «les dangers des faux frères[a]», les outrages, les crachats, les soufflets, les moqueries, les huées, les clous et tout ce que, on le sait, la forêt de l'évangile a produit de pareil en très grande abondance pour le salut du genre humain. Certes, parmi tous ces rameaux de myrrhe odoriférante, je me suis bien gardé d'oublier cette myrrhe dont il fut abreuvé sur la croix[b4], et

difficultés comme abbé. Ici il révèle plutôt un aspect de sa vie spirituelle et sa façon de prier.

3. Le texte latin juxtapose les verbes *colligare*, *collocare* et *colligere*. Il est impossible de garder ces assonances en français.

4. Le Christ en croix ne fut pas abreuvé de myrrhe, mais de vinaigre (*Matth.* 27, 48). Sans doute est-ce le goût amer qui est cause de cette erreur.

illam, qua unctus est in sepultura[c]. Quarum in prima applicuit sibi meorum amaritudinem peccatorum, in secunda futuram incorruptionem mei corporis dedicavit. *Memoriam abundantiae suavitatis* horum *eructabo*[d], quoad vixero; *in aeternum non obliviscar* miserationes istas, *quia in ipsis vivificatus sum*[e].

4. Has olim sanctus David cum lacrimis requirebat : *Veniant mihi*, inquiens, *miserationes tuae, et vivam*[a]. Has et alius quidam Sanctorum cum gemitu memorabat, dicens : *Misericordiae Domini multae*[b]. Quam *multi reges et prophetae voluerunt videre, et non viderunt*[c]! Ipsi *laboraverunt, et ego in labores eorum introivi*[d] : ego *messui myrrham*[e], quam illi plantaverunt. Mihi hic salutaris fasciculus servatus est; *nemo tollet eum a me*[f] : *Inter ubera mea commorabitur*[g].

III. Quod Christi passionnes meditari sua sit sublimior philosophia.

Haec meditari dixi sapientiam, in his iustitiae mihi perfectionem constitui, in his plenitudinem scientiae, in his *divitias salutis*[h], in his copias meritorum. Ex his mihi interdum potus salutaris amaritudinis, ex his rursum suavis unctio consolationis. Haec me erigunt in adversis, in prosperis reprimunt et, inter laeta tristiaque vitae praesentis *via regia*[i] incedenti, tutum praebent utrobique ducatum, hinc inde mala imminentia propulsando. Haec mihi conciliant mundi Iudicem, dum tremendum potestatibus mitem humilemque figurant, dum non solum placabilem, sed et imitabilem repraesentant eum, qui inaccessibilis est prin-

---

c. Cf. Jn 19, 39   d. Ps. 144, 7 ≠   e. Ps. 118, 93 ≠
4. a. Ps. 118, 77   b. Ps. 118, 156 ≠   c. Lc 10, 24 ≠
d. Jn 4, 38 ≠   e. Cant. 5, 1 ≠   f. Jn 10, 18 ≠   g. Cant. 1, 12
h. Is. 33, 6 ≠   i. Nombr. 21, 22

non plus celle dont il fut oint lors de l'ensevelissement[c]. Par la première, il prit sur lui l'amertume de mes péchés ; par la seconde, il inaugura l'incorruptibilité future de mon corps. Tant que je vivrai, «je célébrerai la mémoire de cette abondante douceur[d]» de grâces ; «jamais je n'oublierai» ces miséricordes, «car c'est en elles que j'ai trouvé la vie[e].»

4. Ces miséricordes, le saint roi David les implorait jadis avec larmes, en disant : «Que tes miséricordes viennent sur moi, et je vivrai[a].» Un autre saint[1] aussi les rappelait en gémissant : «Les miséricordes du Seigneur sont nombreuses[b].» «Que de rois et de prophètes ont voulu les voir, et ne les ont pas vues[c]!» Eux «ont peiné, et moi j'ai pénétré dans ce qui leur a coûté tant de peines[d]» : «j'ai récolté la myrrhe[e]» qu'ils avaient plantée. C'est pour moi que ce bouquet salutaire a été gardé ; «personne ne me l'enlèvera[f]» : «il restera entre mes seins[g]».

III. Méditer les souffrances du Christ est la plus sublime philosophie de Bernard.

J'ai dit que la sagesse consiste à méditer tout cela. Là j'ai placé pour moi la perfection de la justice, là la plénitude de la science, là «les richesses du salut[h]», là l'abondance des mérites. C'est là que je puise tantôt le breuvage d'une salutaire amertume, tantôt l'onction d'une douce consolation. Voilà ce qui me relève dans les échecs, me modère dans les succès. Voilà ce qui m'offre un guide sûr, pour m'avancer «sur la voie royale[i]» entre les joies et les tristesses de la vie présente, repoussant de part et d'autre les maux qui me menacent. Voilà ce qui me concilie le Juge du monde, car celui qui fait trembler les Puissances m'apparaît alors doux et humble, et non seulement favorable, mais aussi imitable, lui qui

---

1. «Un autre saint». Le saint roi David, l'auteur des psaumes.

cipatibus, *terribilis apud reges terrae*[j]. Propterea haec mihi
in ore frequenter, sicut vos scitis; haec in corde semper,
sicut scit Deus; haec stilo meo admodum familiaria, sicut
apparet; haec mea sublimior, interim philosophia, *scire*
25 *Iesum, et hunc crucifixum*[k]. Non requiro, sicut sponsa,
ubi cubet in meridie[l], quem laetus amplector mea inter
ubera commorantem. Non requiro *ubi pascat in meridie*[m],
quem intueor Salvatorem in cruce. Illud sublimius, istud
suavius : panis illud, hoc lac; hoc viscera reficit parvu-
30 lorum[n], hoc replet ubera matrum : et ideo *inter ubera
mea commorabitur.*

5. Hunc et vos, dilectissimi, tam dilectum fasciculum
colligite vobis, hunc medullis inserite cordis, hoc munite
44 aditum pectoris, ut et vobis inter ubera commoretur.
Habete illum semper non retro in humeris, sed ante prae
5 oculis, ne portantes et non odorantes, et onus premat,
et odor non erigat. Mementote, quia *accepit eum Simeon
in ulnis suis*[a], Maria gestavit in utero, fovit in gremio,
sponsa sibi inter ubera collocavit. Et, ne quid praeter-
mittam, factum est verbum in manu Zachariae prophetae
10 necnon et quorumdam aliorum[b]. Arbitror et *Ioseph virum
Mariae*[c] super genua illi frequenter arrisisse. Hi omnes
ante se eum habuerunt, et nullus retro. *Exemplo* ergo sint
vobis, ut et vos similiter *faciatis*[d]. Si enim ante oculos
habueritis quem portatis, pro certo, *videntes angustias*[e]
15 Domini, levius vestras portabitis, ipso auxiliante Ecclesiae
sponso, *qui est* Deus *benedictus in saecula. Amen*[f].

---

j. Ps. 75, 13 ≠   k. I Cor. 2, 2 ≠   l. Cant. 1, 6 ≠   m. Cant. 1,
6 ≠   n. Cf. I Cor. 3, 1-2

5. a. Lc 2, 28 ≠   b. Cf. Zach. 1, 1; Aggée 1, 1; etc.   c. Matth.
1, 16 ≠   d. Jn 13, 15 ≠   e. Gen. 42, 21 ≠   f. Rom. 9, 5 ≠

---

1. *Sublimior philosophia interim*, «Ma philosophie la plus sublime ici-
bas». L'édition *SBO* choisit la leçon *subtilior interior*. Nous préférons
la leçon des manuscrits MC qui donne *sublimior interim*.

est inaccessible aux Principautés, «terrible aux rois de la terre[j]». C'est pourquoi tout cela est si souvent dans ma bouche, vous le savez; et toujours dans mon cœur, Dieu le sait. Voilà ce qui vient habituellement sous ma plume, comme on peut le voir. Voilà ma philosophie la plus sublime[1] ici-bas : «connaître Jésus, et Jésus crucifié[k]». Je ne cherche pas, comme l'épouse, «où il se repose à midi[l]», puisque je l'embrasse avec joie tandis qu'il reste entre mes seins. Je ne cherche pas «où il mène paître son troupeau à midi[m]», car je le contemple comme mon Sauveur sur la croix. La première connaissance est plus sublime; la deuxième, plus douce. La première est du pain; la deuxième, du lait. Ce lait nourrit les petits enfants[n] et remplit les seins des mères. C'est pourquoi «il restera entre mes seins».

5. Vous aussi, frères très chers, cueillez-vous ce bouquet si cher. Mettez-le au cœur de votre cœur, garnissez-en l'entrée de votre poitrine, afin qu'il reste entre vos seins à vous aussi. Tenez-le toujours non pas derrière vous, sur votre dos, mais devant vous, sous vos yeux. Sinon, vous le porteriez sans en respirer le parfum; son poids vous accablerait et son parfum ne ranimerait pas vos sens. Souvenez-vous : «Siméon l'a reçu dans ses bras[a]»; Marie l'a porté dans ses entrailles, caressé sur son giron; l'épouse l'a placé entre ses seins. Pour ne rien omettre, il s'est fait parole dans la main de Zacharie le prophète et de plusieurs autres[b]. Je pense que «Joseph aussi, l'époux de Marie[c]», l'a souvent pris sur ses genoux pour lui sourire. Tous ils l'ont tenu devant eux, aucun derrière soi. «Qu'ils vous servent d'exemple, pour que vous fassiez[d]» de même. Car si vous gardez devant les yeux celui que vous portez, il est bien sûr qu'«en voyant les tourments[e]» du Seigneur, vous porterez plus aisément les vôtres, avec son aide à lui, l'Époux de l'Église, «qui est Dieu béni dans les siècles. Amen[f]».

SERMO XLIV

I. Quomodo sponsus sit botrus Cypri, et quid significet Engaddi.
– II. Quae vineae Engaddi vel quod earum balsamum. Quis botrus
Cypri vel quod eius vinum. – III. Unde fit mansuetudinis suavitas et
quae muscae hanc exterminant. – IV. Quomodo mansuetudo per gratiam
recuperatur, vel quomodo vinum zeli ex botro Cypri exprimatur.

I. Quomodo sponsus sit botrus Cypri, et quid significet Engaddi.

1. *Botrus Cypri dilectus meus mihi in vineis Engaddi*[a].
Si dilectus in myrrha, multo magis in botri suavitate. Ergo
Dominus meus Iesus myrrha mihi in morte, botrus in
resurrectione, seipsum mihi saluberrimum temperavit in
5 *potum, in lacrimis in mensura*[b]. *Mortuus est propter
peccata nostra, et resurrexit propter iustificationem
nostram*[c], *ut, peccatis mortui, iustitiae vivamus*[d]. Itaque
tu, si peccata luxisti, bibisti amaritudinem; si autem iam
respirasti *in spem vitae*[e] vita sanctiori, mutata est tibi
10 myrrhae amaritudo in *vinum*, quod *laetificat cor hominis*[f].
Et fortassis hoc illud significaverit, quod Salvatori oblatum
est in cruce myrrhatum[g]; *et* ideo *noluit bibere*[h], quia
istud sitiebat. Tu ergo post myrrhae, ut dixi, amaritudines,
vinum iucunditatis experiens, haud temere et ipse dicere

---

1. a. Cant. 1, 13   b. Ps. 79, 6 ≠   c. I Cor. 15, 3 ≠; Rom.
4, 25   d. I Pierre 2, 24 ≠   e. Tite 1, 2   f. Ps. 103, 15 ≠
g. Cf. Mc 15, 23   h. Matth. 27, 34 ≠

---

1. «Le vin mêlé de myrrhe». Dans *Matth.* 27, 34 on peut lire : *vinum
cum felle mistum,* «du vin mêlé de fiel». Cf. p. 233, n. 4 sur *SCt* 43, 3.

SERMON 44

I. Comment le Christ est une grappe de Chypre. Signification du mot «Engaddi». – II. Quelles sont les vignes d'Engaddi et quel est leur baume. Quelle est la grappe de Chypre et quel est son vin. – III. D'où naît la douceur de la mansuétude, et quelles mouches la gâtent. – IV. Comment on recouvre la mansuétude par la grâce, et comment on exprime le vin du zèle de la grappe de Chypre.

I. Comment le Christ est une grappe de Chypre. Signification du mot «Engaddi».

1. «Mon bien-aimé est pour moi une grappe de Chypre dans les vignes d'Engaddi[a].» Si le bien-aimé est figuré par la myrrhe, il l'est bien davantage par la douceur de la grappe. Mon Seigneur Jésus est myrrhe pour moi dans sa mort, grappe de raisin dans sa résurrection. Il s'est donné lui-même à moi comme «un breuvage» très salutaire, mêlé «de larmes à pleine mesure[b]». «Il est mort pour nos péchés et ressuscité pour notre justification[c], afin que, morts à nos péchés, nous vivions pour la justice[d].» Ainsi donc, si tu as pleuré tes péchés, tu as bu l'amertume. Si en revanche, par une vie plus sainte, tu as déjà repris souffle «dans l'espérance de la vie[e]», l'amertume de la myrrhe s'est changée pour toi en ce «vin qui réjouit le cœur de l'homme[f]». Peut-être est-ce là ce que signifie le vin mêlé de myrrhe[1] offert au Sauveur sur la croix[g]; «il n'en voulut pas boire[h]» parce qu'il avait soif de cet autre vin. Toi donc qui, après les amertumes de la myrrhe, expérimentes, comme je l'ai dit, le vin de l'allégresse, tu peux dire toi aussi sans

15 poteris : *Botrus Cypri dilectus meus mihi in vineis Engaddi.*
Engaddi duplicem habet interpretationem, et uni ambae
intellectui serviunt. Dicitur namque fons haedi, et bap-
tisma gentium lacrimasque peccantium aperte designat.
Dicitur et oculus tentationis, qui et lacrimas aeque fundat,
20 et *tentationes,* quae minime umquam desunt *vitae hominis
super terram*[i], prospiciat. Sed et *populus gentium, qui
ambulabat in tenebris*[j], numquam per se laqueos tentationum agnoscere, ac per hoc nec evadere potuit, donec
per gratiam illius qui *illuminat caecos*[k], recepit oculos
25 fidei; donec venit ad Ecclesiam, quae habet oculum tentationis; donec se tradidit viris spiritualibus instruendum,
qui, illuminati spiritu sapientiae et suo experimento docti,
possunt veraciter dicere : «Quia *non ignoramus astutias
diaboli et cogitationes eius*[1]».

II. Quae vineae Engaddi vel quod earum balsamum. Quis botrus Cypri vel quod eius vinum.

2. Ferunt in Engaddi arbusculas balsami crescere, quae
in modum vinearum ab indigenis excoluntur : et inde forsitan «vineas» appellavit. Alioquin quid faceret botrus
Cypri in vineis Engaddi? Quis umquam botros de vineis
5 in vineas transportavit? Solet siquidem, ubi deest, aliunde

---

i. Job 7, 1 (Patr.)   j. Is. 9, 1-2 ≠   k. Ps. 145, 8
l. II Cor. 2, 11 (Patr.)

---

1. JÉRÔME, *Nom. Hebr.,* CCL 72, 93, 17 : *Engaddi fons haedi; idem,*
131, 27 : *Engaddi oculus vel fons haedi;* ORIGÈNE, *Homélies sur le Cant.*
II, 3 (*SC* 37 bis, 114, 11-12) : *oculus tentationis.* Cf. *Comm. in Cant.*
II, 11, 10 (*SC* 375, 460).

2. * Allusion au texte *VI* souvent cité par Augustin. On a une citation
Vg en *SCt* 26, 1, l. 20, *SC* 431, 278 et une autre *VI* en *SCt* 70, 9 (*SBO*
II, 213, 16). Cf. *SC* 393, 274, n. 1 sur *Gra* 13.

3. * Cf. p. 54, n. 2 sur *II Cor.* 2, 11 cité en *SCt* 33, 9, l. 6.

présomption : «Mon bien-aimé est pour moi une grappe de Chypre dans les vignes d'Engaddi.» Le mot «Engaddi» présente deux interprétations possibles[1]; l'une et l'autre se rapportent au même sens. Il signifie en effet la fontaine du bouc, et par là il désigne ouvertement le baptême des nations et les larmes des pécheurs. Il signifie aussi l'œil de la tentation. Cet œil à la fois verse des larmes et prévoit «les tentations», qui ne manquent jamais «à aucune vie d'homme sur la terre[i2]». Mais «le peuple des nations, qui marchait dans les ténèbres[j]», n'a jamais pu reconnaître par lui-même les pièges des tentations, ni par conséquent les éviter, jusqu'au jour où il reçut les yeux de la foi, par la grâce de celui qui «illumine les aveugles[k]». Alors il entra dans l'Église, dont l'œil est capable de discerner la tentation. Il se mit à l'école de ces hommes spirituels qui, illuminés par l'Esprit de sagesse et instruits par leur propre expérience, peuvent dire en vérité : «Nous n'ignorons pas les ruses du diable ni ses intentions[13].»

II. Quelles sont les vignes d'Engaddi et quel est leur baume. Quelle est la grappe de Chypre et quel est son vin.

2. On dit qu'à Engaddi poussent des arbustes à baume[4], que les indigènes cultivent à la façon des vignes; c'est pourquoi, peut-être, l'épouse les a appelés vignes. Sinon, que viendrait faire ce raisin de Chypre dans les vignes d'Engaddi? Qui a jamais transporté des grappes d'un vignoble à l'autre? On en apporte d'habitude là où elles manquent, non pas là où il y en a déjà. L'épouse appelle

---

4. «On dit qu'à Engaddi poussent des arbres à baume.» Cf. ORIGÈNE, *Comm. in Cant.* II, 11, 2 : «Or Engaddi est une contrée de la terre de Judée où fleurissent moins les vignes que les baumiers» (*SC* 375, 457).

evehi, non ubi adest. Ergo vineas Engaddi dicit plebes
Ecclesiae, quae habet balsami liquorem, spiritum mansuetudinis, in quo *parvulorum* adhuc *in Christo*[a] teneri-
tudinem blande fovet, et dolores paenitentium consolatur.
10 Sed et *si quis* frater *in aliquo delicto praeoccupatus fuerit*,
vir ecclesiasticus, qui hunc spiritum iam accepit, curabit
huiusmodi mox *instruere in* eodem *spiritu lenitatis, considerans seipsum, ne et ipse tentetur*[b]. In hoc typo quotquot
baptizandi sunt, etiam corporaliter Ecclesia oleo materiali
15 ungere consuevit.

3. Quia vero vulnera illius, qui incidit in latrones et,
iumento corporis pii Samaritani, Ecclesiae est deportatus in
46 stabulum, non in solo oleo, sed in vino simul et oleo sanitatem recipiunt[a], necessarium habet spiritualis medicus
5 etiam vinum fervidi zeli cum oleo mansuetudinis, cui sane
convenit non modo *consolari pusillanimes*, sed et *corripere
inquietos*[b]. Si enim viderit illum qui vulneratus est, id est
qui peccavit, blandis ac lenibus hortamentis, quae in eum
praerogata sunt, minime emendatum, magis autem forte
10 etiam abutentem sua mansuetudine et patientia negligen-
tiorem fieri, et in peccato suo etiam securius obdormire,
frustrato ita suavium oleo monitorum oportebit sane mor-
dacioribus uti medicamentis, et *vinum compunctionis*[c]
infundere, duris videlicet cum eo increpationibus atque
15 invectionibus agere et, si causa requirit et duritia tanta est,
etiam censurae ecclesiasticae baculo percellere contemp-
torem. Sed unde illi hoc vinum? Nec enim in vineis Engaddi
vinum invenitur, sed oleum. Quaerat ergo in Cypro, nam
illa insula ferax est vini, et vini optimi, tollensque inde sibi

---

2. a. I Cor. 3, 1 ≠   b. Gal. 6, 1 ≠
3. a. Cf. Lc 10, 30-34   b. I Thess. 5, 14 ≠   c. Ps. 59, 5 ≠

---

1. Allusion manifeste à la parabole du bon Samaritain (*Lc* 10, 34).

donc vignes d'Engaddi les peuples de l'Église qui possède
la liqueur de ce baume, l'esprit de mansuétude. Par lui,
l'Église prodigue de tendres soins à la fragilité de ceux
qui sont encore «tout-petits dans le Christ[a]», et console
les souffrances des pénitents. «Si un frère a été pris en
faute», le ministre de l'Église, qui a déjà reçu cet esprit,
prendra soin «de redresser un tel frère dans ce même
esprit de douceur; car il s'examinera lui-même, de peur
d'être tenté lui aussi[b]». D'après cette préfiguration
l'Église a coutume d'oindre d'une huile matérielle même
le corps de tous ceux qui doivent être baptisés.

3. Mais l'huile ne suffit pas à guérir les blessures de
l'homme tombé aux mains des brigands et transporté à
l'auberge de l'Église par le bon Samaritain, qui a fait de
son propre corps une monture. Il y faut un mélange de
vin et d'huile[a 1]. Le médecin spirituel a donc besoin du
vin d'un zèle fervent autant que de l'huile de la mansuétude. Car il lui revient non seulement de «consoler
les faibles», mais aussi de «corriger les turbulents[b]». Il
remarque parfois que l'homme qui a été blessé, c'est-à-
dire qui a péché, ne s'amende point par les exhortations
douces et bienveillantes qu'il lui adresse, mais au contraire,
abusant peut-être de sa mansuétude et de sa patience,
devient plus négligent et s'endort dans son péché avec
une assurance accrue. Puisque l'huile des remontrances
aimables s'est révélée inefficace, il lui faudra employer
des remèdes plus énergiques, et y verser «le vin de l'affliction[c]», c'est-à-dire user avec cet homme de rudes réprimandes et semonces. Et si besoin est, parce que le
pécheur est trop endurci, il ira jusqu'à frapper ce
contempteur par le bâton de la censure ecclésiastique.
Mais où le médecin prendra-t-il ce vin? Car dans les
vignes d'Engaddi on ne trouve pas de vin, mais de l'huile.
Qu'il le cherche donc à Chypre, car cette île est riche
en vin, et en vin excellent. Il en emportera une énorme

20 ingentem botrum, quem olim exploratores de Israel in vecte
ferebant[d], chorum propheticum praecedentem, et subse-
quentem apostolicum, medium autem Iesum pulchro
schemate figurantes, hunc ergo botrum accipiens sibi, dicat :
Botrus Cypri dilectus meus mihi[e].

III. Unde fit mansuetudinis suavitas et quae muscae hanc exterminant.

4. Vidimus botrum; videamus qualiter zeli vinum exprimatur ex eo. Etenim si peccanti homini homo peccator
minime indignatur, sed magis quasi quemdam ei suavissimi balsami rorem sudans, pium exhibet compassionis
5 affectum, hoc scimus unde venit, et iam audistis, sed non
advertistis forsitan. Dictum namque est quod ex consideratione suiipsius cuique veniat *mansuetum esse ad
omnes*[a], dum *homo*, consilio sapientissimi Pauli, ut pie
condescendere sciat *praeoccupatis in peccato, considerat
10 seipsum, ne et ipse tentetur*[b]. Annon hinc denique amor
proximi radicem trahit, de quo in lege mandatur : *Diliges
proximum tuum sicut teipsum*[c]? Ex intimis sane humanis
affectibus primordia ducit sui ortus fraterna dilectio, et de
insita homini ad seipsum naturali quadam dulcedine,
15 tamquam de humore terreno, sumit procul dubio vege-
tationem et vim, per quam, spirante quidem gratia desuper,
fructus parturit[d] pietatis, ut quod sibi anima naturaliter

---

d. Cf. Nombr. 13, 24   e. Cant. 1, 13
4. a. II Tim. 2, 24   b. Gal. 6, 1 ≠   c. Matth. 19, 19
d. Cant. 7, 12 ≠

---

1. «Car Chypre est riche en vin, et en vin excellent.» Cf. Guill. de
S.-Th., *Exp. super Cant.* 85. «La gloire de Chypre, c'est la fertilité de
ses vignes» (*SC* 81, 203). Idée semblable chez Apponius, *Comm. in
Cant.* III, 15 (*SC* 420, 305, n. 3).

2. Cf. *SCt* 44, 2 : «Le ministre de l'Église prendra soin de redresser

grappe, celle que jadis les éclaireurs d'Israël portaient au moyen d'une perche[d], préfigurant par un beau symbole le chœur des prophètes qui précède, le chœur des apôtres qui suit, avec Jésus au milieu. Prenant donc pour soi cette grappe, il dira : «Mon bien-aimé est pour moi une grappe de Chypre[e1].»

III. D'où naît la douceur de la mansuétude, et quelles mouches la gâtent.

4. Nous avons vu la grappe ; voyons comment on en exprime le vin du zèle. Si un homme pécheur ne s'indigne point contre un autre homme qui pèche, mais plutôt lui témoigne un tendre sentiment de compassion, répandant pour ainsi dire la rosée de ce baume très doux, nous savons d'où cela vient. Vous l'avez déjà entendu, mais peut-être n'y avez vous pas prêté attention. Nous avons dit en effet que l'examen de soi-même produit en chacun «la mansuétude à l'égard de tous[a2]». «L'homme» suit alors le très sage conseil de Paul, pour savoir montrer une tendre compréhension «à ceux qui ont été pris en faute : il s'examine lui-même, de peur d'être tenté lui aussi[b]». N'est-ce pas là que s'enracine l'amour du prochain, qui nous est ainsi commandé par la loi : «Tu aimeras ton prochain comme toi-même[c]»? La dilection fraternelle tire son origine première des sentiments humains les plus profonds. C'est dans une certaine tendresse innée et naturelle de l'homme pour lui-même, comparable à une terre irriguée, que la dilection fraternelle puise sans aucun doute sa force vitale, par laquelle, fécondée par le souffle de la grâce, elle «produit les fruits[d]» de la compassion. Alors, ce que l'âme désire naturellement pour elle-même, elle ne pensera pas devoir le refuser, au contraire, elle le partagera de son plein gré

un tel frère dans le même esprit de douceur, car il s'examinera lui-même, de peur d'être tenté lui aussi.»

appetit, naturae consorti, id est alteri homini, iure quodam
47   humanitatis, ubi poterit et oportuerit, non aestimet dene-
20 gandum, sed sponte ac libens impertiat. Inest ergo naturae,
si peccato non obsolescat, istiusmodi gratae et egregiae
quasi suavitatis liquor, ut molliorem magis ad compa-
tiendum peccantibus quam ad indignandum asperiorem
se sentiat.

5. Verum quia, Sapientis iuxta sententiam, *muscae mori-*
turae exterminant hoc suavitatis unguentum[a], et minime
habet in se natura unde id reparet sibi semel amissum,
sentit se dolenda mutatione corruere in illud quod
5 veraciter ait Scriptura : *Proni sunt sensus hominis et*
cogitationes in malum ab adolescentia[b]. Non bona
adolescentia, in qua filius iunior portionem sibi paternae
substantiae postulat sequestrari, et bonum incipit sibi velle
dividere[c], quod in commune dulcius possidetur, et habere
10 solus quod participatione non minuitur, partitione amittitur.
Denique : *Omnia,* inquit, *bona sua dissipavit, vivendo*
luxuriose cum meretricibus[d]. Quaenam hae meretrices?
Vide ne ipsae sint, *quae exterminant suavitatis*
unguentum[e], carnales videlicet concupiscentiae, de quibus

---

5. a. Eccl. 10, 1 (Patr.)   b. Gen. 8, 21 ≠   c. Cf. Lc 15, 12
d. Lc 15, 13. 30 ≠   e. Eccl. 10, 1 (Patr.)

---

1. Cette fin de paragraphe évoque l'amour du prochain. La longue
phrase répète une pensée analogue du *Dil* 23, l. 20 s., *SC* 393, 118 s..
2. * Bernard emploie 6 fois ce verset (citations ou quasi citations),
avec deux mots *Vl : moriturae,* participe futur, et non le présent
morientes, ainsi que *exterminant,* verbe plus fort que *perdunt;* quant
au complément «parfum de qualité», il est rendu de manières très
diverses. Augustin a 4 textes identiques ou voisins de ceux de Bernard.
Plusieurs Pères ont des textes semblables, en particulier Raban Maur et
Paschase Radbert. Le verbe *exterminant* est le point commun de tous
ces textes influencés par la *Vl.* En *SCt* 12, 8, l. 12, *SC* 414, 270, seul
moriturae est *Vl.*

avec une nature semblable, c'est-à-dire avec un autre homme, chaque fois qu'il sera possible et opportun, et cela par une sorte de loi inscrite dans l'humanité[1]. La nature, si elle n'est pas détériorée par le péché, possède donc en elle cette liqueur d'une douceur si agréable et si exquise. C'est ainsi qu'elle se sent bien plus portée vis-à-vis des pécheurs à une tendre compassion qu'à une farouche colère.

5. Cependant, selon la maxime du Sage, «les mouches, en mourant dans le baume, gâtent la suavité du parfum[a][2]», et la nature n'a guère en elle-même de quoi le recouvrer une fois perdu. Elle se sent donc entraînée par une déplorable transformation en cet état dont l'Écriture dit avec justesse : «Les sens et les pensées de l'homme sont portés au mal dès l'adolescence[b][3].» Ce n'est pas une bonne adolescence que celle de ce fils cadet, qui réclame sa part de la fortune paternelle et va vouloir diviser pour soi un bien[c] qu'il était plus doux de posséder en commun[4]. Il veut avoir pour lui seul ce que la communion n'amoindrit pas et que le partage anéantit. Enfin, dit l'Écriture, «il dissipa tous ses biens en vivant dans la débauche avec des prostituées[d].» Quelles sont ces prostituées? Vois si ce ne sont pas[5] celles mêmes qui «gâtent la suavité du parfum[e]», c'est-à-dire les convoitises charnelles. A leur sujet l'Écriture

3. * C'est la forme habituelle de ce verset chez Bernard, elle lui semble particulière. Cf. *SC* 431, 386, n. 2 sur *SCt* 29, 4 et *SC* 393, 336, n. 1 sur *Gra* 42. Ce texte va être réinséré par Bernard au § 6; il souligne alors «l'adolescence mauvaise» et s'appuie sur plusieurs textes bibliques de même venue, dont les mouches de *Eccl*. 10, 1, qui gâtent le parfum.

4. «Il va vouloir diviser pour lui seul ce que la communion n'amoindrit pas et que le partage anéantit.» Belle description des riches trésors de la vie commune.

5. *Vide ne ipsae sint,* «Vois si ce ne sont pas celles...» Dans le latin chrétien l'adverbe interrogatif *ne* peut s'écrire d'une manière non enclitique, comme *num* et *nonne* sont des mots indépendants et séparés (A. BLAISE, *Manuel du latin chrétien*, Turnhout 1986, n° 272 bis).

15 saluberrime Scriptura te admonens : *Post concupiscentias*,
inquit, *tuas non eas*[f]. Et merito morituras describit Sapiens,
quoniam *et mundus transit, et concupiscentiae eius*[g]. His
ergo dum satisfacere singulariter volumus, boni nos socialis
atque communis singulari suavitate privamus. Hae prorsus
20 muscae sordidae et pungentes, quae in nobis decorem
naturae foedant, mentem curis et sollicitudinibus lacerant,
socialis gratiae suavitatem exterminant. Hinc homo iunior
filius appellatur[h], quod natura quodam insensatae lubrico
adolescentiae depravata, omnem virilis maturitatis ac
25 sapientiae succum amiserit et, versus in asperum, arente
animo, praeter se universos despiciat, factus *sine affectione*[i].

IV. Quomodo mansuetudo per gratiam recuperatur, vel quomodo vinum zeli ex botro Cypri exprimatur.

6. Igitur *ab* ineunte *adolescentia* ista pessima atque
miserrima, *proni sunt sensus hominis et cogitationes in
malum*[a], etiam natura ad indignandum quam ad com-
patiendum paratior. Inde homo, tamquam omnino exutus
5 homine, in quo vult sibi, cum opus habet, ab hominibus
subveniri, non vult ipse hominibus opus habentibus sub-
venire; magis autem iudicat, spernit, irridet homo homines,
delinquentes peccator, *non considerans seipsum, ne et ipse
tentetur*[b]. A quo malo minime per se, ut dixi, natura
10 resurget, neque recuperabit oleum ingenitae mansuetudinis, quod semel est exterminatum in ea. Verumtamen
quod non potest natura, potest gratia. Quem ergo
hominum unctio Spiritus miserata, perfundere denuo sua

48

---

f. Sir. 18, 30   g. I Jn 2, 17 ≠   h. Cf. Lc 15, 12   i. Rom.
1, 31
6. a. Gen. 8, 21 ≠   b. Gal. 6, 1 ≠

t'adresse cet avertissement très salutaire : «Tu ne suivras pas tes convoitises[f].» A juste titre le Sage les décrit comme mourantes, puisque «le monde passe, et avec lui ses convoitises[g]». Tandis que nous voulons les satisfaire, chacun pour soi, nous nous privons de la douceur unique du bien social et commun. Vraiment ces convoitises sont des mouches infectes et piquantes, elles qui défigurent en nous la beauté de la nature, nous tourmentent l'esprit par des soucis et des préoccupations, «gâtent pour nous la douceur» de la grâce sociale. De là vient que l'homme est appelé le fils cadet[h]. Car la nature, dépravée par la lubricité d'une folle adolescence, a perdu toute la sève de la maturité et de la sagesse viriles. Ainsi l'homme devient hargneux et son cœur se dessèche; désormais «incapable d'affection[i]», il méprise tout le monde à l'exception de lui-même.

IV. Comment on recouvre la mansuétude par la grâce, et comment on exprime le vin du zèle de la grappe de Chypre.

6. C'est donc «dès le début de cette adolescence» si mauvaise et si misérable que «les sens et les pensées de l'homme sont portés au mal[a]»; et la nature, elle aussi, est prompte à la colère plus qu'à la compassion. De là vient que l'homme, comme dépouillé de toute humanité, là où il veut, lorsqu'il en a besoin, être secouru par les hommes, ne veut pas, lui, secourir les hommes lorsqu'ils en ont besoin. Bien plutôt, il juge, méprise, ridiculise les hommes, lui homme, les fautifs, lui pécheur, «sans se considérer lui-même, de peur d'être tenté lui aussi[b]». De ce malheur, je l'ai dit, la nature ne peut pas se relever elle-même. Elle ne recouvrera pas, une fois gâtée, l'huile de la mansuétude innée. Mais ce que ne peut la nature est au pouvoir de la grâce. L'homme que l'onction de l'Esprit en sa miséricorde daignera arroser à nouveau de

benignitate dignabitur, is continuo revertetur in hominem,
15 insuper et aliquid melius a gratia quam a natura recipiet.
In fide et lenitate sanctum faciet illum, et dabit illi[c] non
oleum, sed balsamum *in vineis Engaddi*[d].

7. Nec enim dubium ex fonte haedi profluere *charismata meliora*[a], cuius utique tinctio haedos vertit in
agnos, et de sinistra transfert in dexteram peccatores[b],
abundantius quidem ante perfusos unctione misericordiae,
5 ut *ubi superabundaverunt delicta, superabundet et gratia*[c].
Annon vere videtur tibi redisse quodammodo is homo in
hominem, qui, animi saecularis feritate deposita, et recu-
perata, etiam cum fenore gratiae, humanae unctione mansuetudinis, quam in eo muscae carnalium cupiditatum
10 penitus exterminarant[d], de suo quem gestat homine, immo
qui ipse est, et materiam sumit et formam miserendi hominibus aliis, ita ut tamquam feralem quemdam ritum
inhorreat, non solum cuiquam facere hominum quod pati
ipse nolit[e], sed etiam non facere omnia omnibus quae-
15 cumque sibi fieri velit[f]?

8. En unde oleum. Vinum unde? Profecto ex botro
Cypri. Etenim si amas *Dominum* Iesum *toto corde, tota
anima, tota virtute tua*[a], numquid, si videris eius iniurias
contemptumque ferre ullatenus aequo animo poteris?
5 Minime; sed mox arreptus *spiritu iudicii et spiritu*

---

c. Sir. 45, 4. 6 ≠   d. Cant. 1, 13
7. a. I Cor. 12, 31 ≠   b. Cf. Matth. 25, 33   c. Rom. 5, 20 ≠
d. Cf. Eccl. 10, 1 (Patr.)   e. Cf. Tob. 4, 16   f. Cf. Matth. 7, 12
8. a. Mc 12, 30 ≠

---

1. * A son habitude, Bernard écrit *maiora, VI,* «plus grands», et non
meliora, Vg, «meilleurs». Cf. *SC* 431, 383, n. 2 sur *SCt* 29, 3. Bernard,
semble-t-il, a fait précéder à dessein la formule paulinienne *charismata
meliora* de *profluere,* «coulant à profusion». On lit en effet dans *Miss*
I, 1 (*SC* 390, 108, 27) : *profluxerunt aromata,* allusion *VI* à *Cant.* 4,
16 (cf. Leclercq, *Recueil,* t. 3, p. 215). Les sonorités *aromata / cha-*

sa bonté, redeviendra aussitôt un homme. De plus, il
recevra de la grâce un don meilleur que celui de la
nature. La grâce «le sanctifiera dans la foi et la douceur.
Elle lui donnera[c]», non pas l'huile, mais le baume «dans
les vignes d'Engaddi[d]».

7. Sans aucun doute, de la fontaine du bouc coulent
à profusion «les charismes les meilleurs[a 1]». L'eau de cette
fontaine change les boucs en agneaux[2], et fait passer les
pécheurs de la gauche à la droite[b], après les avoir abondamment arrosés de l'onction de la miséricorde. Ainsi,
«là où les péchés ont surabondé, la grâce a surabondé
elle aussi[c 3]». Ne crois-tu pas que cet homme est vraiment,
pour ainsi dire, redevenu homme? Le voici qui, dépouillant
la bestialité d'un esprit épris du monde, recouvre, avec
aussi le surcroît de la grâce, l'onction de l'humaine mansuétude, que les mouches des convoitises charnelles
avaient complètement gâtée[d] en lui. De l'homme qu'il
porte en lui, ou mieux qu'il est lui-même, il tire à la
fois la matière et la forme de la compassion pour les
autres hommes. Il a désormais horreur, comme d'une
coutume bestiale, non seulement de faire à qui que ce
soit ce qu'il ne voudrait pas subir lui-même[e], mais encore
de ne pas faire à tous tout ce qu'il voudrait qu'on lui
fît[f].

8. Voilà d'où coule l'huile. Et le vin? Sûrement, de la
grappe de Chypre. Car si tu aimes «le Seigneur» Jésus
«de tout ton cœur, de toute ton âme, de toute ta force[a]»,
pourrais-tu supporter tranquillement de le voir outragé et
méprisé? Nullement. Emporté «par l'esprit de justice et

---

rismata s'appellent ainsi en même temps que se relient 2 textes de
Paul et du *Cantique* dans ce passage poétique des *SCt*.

2. *haedos vertit in agnos*, «change les boucs en agneaux».
Cf. APPONIUS, *Comm. In Cant.* III, 16 (*SC* 420, 308, 266).

3. * Cf. p. 144, n. 2 sur *Rom.* 5, 20 cité en *SCt* 38, 2, l. 14 s.

ardoris[b], et *tamquam potens crapulatus a vino*[c], repletus
zelo Phinees[d], dices cum David : *Tabescere me fecit zelus
meus, quia obliti sunt verba tua inimici mei*[e]; et cum
49 Domino : *Zelus domus tuae comedit me*[f]. Vinum ergo est
10 fervidissimus zelus iste, expressum de botro Cypri, *et calix
inebrians*[g] Christi amor. Denique *Deus noster ignis
consumens est*[h], et Propheta *ignem* dicebat *de excelso
missum in ossibus suis*[i], eo quod divino amore flagraret.
Habens itaque ex fraterno oleum mansuetudinis, et ex
15 divino amore vinum aemulationis, securus accede ad
sananda vulnera illius qui incidit in latrones, piissimi Samaritani optimus imitator[j]. Secure quoque dicito et cum
sponsa : *Botrus Cypri dilectus meus mihi in vineis
Engaddi*[k], hoc est : Zelus iustitiae, amor Dilecti mei mihi
20 in affectibus pietatis. Et de hoc satis. Nam et infirmitas
mea pausandum indicit, sicut et saepe facit, ita ut plerumque cogar imperfectas, ut ipsi scitis, relinquere dis-
putationes, residuaque capitulorum in diem alterum
reservare. Sed quid? *Ego in flagella paratus sum*[l], sciens
25 me adhuc longe recipere imparia meritis. Vapulem sane,
vapulem ut *male operans*[m]; si forte verbera in merita
reputentur, fortassis miserebitur flagellato, qui bonum in
me non invenit quod remuneret sponsus Ecclesiae, Iesus
Christus Dominus noster, *qui est Deus benedictus in
30 saecula. Amen*[n].

---

b. Is. 4, 4   c. Ps. 77, 65   d. Cf. Nombr. 25, 7-8   e. Ps. 118,
139   f. Ps. 68, 10   g. Ps. 22, 5 ≠   h. Hébr. 12, 29   i. Lam.
1, 13 ≠   j. Cf. Lc 10, 30. 33-34   k. Cant. 1, 13   l. Ps. 37, 18 ≠
m. Cf. Lc 12, 48; II Tim. 2, 9 ≠   n. Rom. 9, 5 ≠

---

1. «rempli du zèle de Phinées». Phinées, de la tribu d'Aaron, trans-
perça d'une lance un homme d'Israël et la prostituée madianite à laquelle
cet homme était uni (*Nombr.* 25, 8). ~ Il se trouve dans l'âme de
Bernard un étrange mélange de zèle et de mansuétude. Il possède
toutes les vertus et leurs contraires.

de ferveur[b]», et «comme un homme puissant ragaillardi par le vin[c]», rempli du zèle de Phinées[d 1], tu diras aussitôt avec David : «Mon zèle m'a consumé, parce que mes ennemis ont oublié tes paroles[e]»; et avec le Seigneur : «Le zèle de ta maison me dévore[f].» Ce zèle très fervent est donc du vin, exprimé de la grappe de Chypre, et l'amour du Christ est «une coupe enivrante[g]». Car «notre Dieu est un feu consumant[h]», et le Prophète disait «qu'un feu avait été envoyé du ciel dans ses os[i]», parce qu'il brûlait d'amour divin. Tu tiens désormais de l'amour fraternel l'huile de la mansuétude, et de l'amour divin le vin du zèle. Approche-toi donc avec assurance, parfait imitateur du très bon Samaritain, pour guérir les blessures de l'homme tombé aux mains des brigands[j]. Avec assurance aussi tu diras avec l'épouse : «Mon bien-aimé est pour moi une grappe de Chypre dans les vignes d'Engaddi[k].» C'est-à-dire : «L'amour de mon bien-aimé dans la ferveur de mes sentiments est pour moi zèle de justice.» En voilà assez sur ce point. Ma mauvaise santé[2] m'impose de m'arrêter, comme elle le fait souvent, si bien que la plupart du temps je suis obligé, vous le savez, de laisser mes exposés inachevés et de remettre à un autre jour le reste du texte. Mais quoi? «Je suis prêt aux coups de fouet[l]», sachant que j'en reçois bien moins que je n'en mérite. Que je sois frappé, oui, que je sois frappé comme «un mauvais ouvrier[m]». Si les coups me sont comptés pour mérites, peut-être aura pitié de moi qui suis flagellé celui qui ne trouve en moi aucun bien à récompenser : l'Époux de l'Église, «Jésus-Christ» notre Seigneur, «qui est Dieu béni dans les siècles. Amen[n]».

---

2. «Ma mauvaise santé». Bernard finit ce sermon comme il a fini le sermon 42 : il ne peut parler plus longtemps à cause de sa mauvaise santé.

SERMO XLV

I. De gemina puchritudine animae, innocentia scilicet et humilitate.
– II. Quod sponsae increpatio humilitatis eius sit probatio, et de oculis
eius columbinis. – III. De spirituali eius intuitu. – IV. Laus sponsi qua
eum sponsa decorum advertit. – V. Quid sit locutio Verbi ad animam
vel animae responsio ad Verbum. – VI. De sponsi duplici decore.

I. De gemina puchritudine animae, innocentia scilicet et humilitate.

1. *Ecce tu pulchra es, amica mea, ecce tu pulchra;
oculi tui columbarum*[a]. Pulchre, optime : ex amore
sponsae praesumptio, ex amore indignatio sponsi. Hoc
rei exitus probat. Etenim praesumptionem correptio, cor-
5 reptionem emendatio, emendationem remuneratio secuta
est. Adest dilectus, amovetur magister[b], rex disparet, et
dignitas exuitur, reverentia ponitur. Cedit quippe fastus,
ubi invalescit affectus. Et sicut quondam quasi amicus ad
amicum Moyses loquebatur et Dominus respondebat[c], ita
10 et nunc inter Verbum et animam, ac si inter duos vicinos,
familiaris admodum celebratur confabulatio. Nec mirum.
Ex uno amoris fonte utrique confluit diligere invicem,
confoveri pariter. Ergo dulciora melle volant hinc inde
verba[d], mutui inter se totius suavitatis feruntur aspectus,

---

1. a. Cant. 1, 14   b. Cf. Jn 11, 28   c. Cf. Ex. 33, 11
d. Cf. Ps. 18, 11 ; cf. Ps. 118, 103

---

1. *Mutui aspectus,* «Des regards mutuels». Bernard ne mentionne pas
souvent la réciprocité des sentiments entre l'Époux et l'épouse.

50

SERMON 45

I. La double beauté de l'âme : l'innocence et l'humilité. – II. La réprimande reçue par l'épouse donne la preuve de son humilité. Les yeux de colombe de l'épouse. – III. Le regard spirituel de l'épouse. – IV. Éloge de l'Époux, dont l'épouse voit la beauté. – V. En quoi consiste le langage du Verbe à l'âme et la réponse de l'âme au Verbe. – VI. La double beauté de l'Époux.

I. La double beauté de l'âme : l'innocence et l'humilité.

1. «Te voici! Tu es belle, mon amie, tu es belle; tes yeux sont des yeux de colombe[a].» Très bien! A merveille! De l'amour naît la présomption de l'épouse; de l'amour, l'indignation de l'Époux. A preuve la conclusion de l'épisode. La présomption provoque la réprimande; la réprimande, l'amendement; l'amendement, la récompense. Le bien-aimé approche, le maître s'éloigne[b]; le roi disparaît, il se dépouille de son rang et met de côté la révérence. La hauteur s'efface devant la force de l'amour. Comme jadis Moïse parlait à Dieu d'ami à ami et que le Seigneur lui répondait[c], ainsi maintenant entre le Verbe et l'âme une conversation très familière s'engage, comme entre deux proches. Rien d'étonnant. Pour l'un comme pour l'autre, la dilection réciproque et la tendresse mutuelle coulent ensemble de la même source d'amour. Des mots plus doux que le miel volent de l'un à l'autre[d]; des regards mutuels[1], marques du saint amour, s'échangent

Cf. pourtant *SC* 414, 317, n. 2 sur *SCt* 14, 5. Guillaume de Saint-Thierry est plus explicite à ce sujet (*Exp. super Cant.* 95, *SC* 82, 220-223).

15 sancti indices amoris. Denique is illam amicam nuncupat,
pulchram pronuntiat, pulchram iterat, eadem ab illa
vicissim recipiens. Nec otiosa iteratio, quae amoris confir-
matio est, et fortassis aliquid innuit requirendum.

2. Quaeramus geminam animae pulchritudinem : hoc
enim mihi videtur innuere. Decor animae humilitas est.
Non a meipso hoc dico[a], cum Propheta prior dixerit :
Asperges me hyssopo, et mundabor[b], humili herba et pec-
5 toris purgativa humilitatem significans. Hac se post
gravem lapsum Rex et Propheta lavari confidit, et sic
niveum quemdam innocentiae recuperare candorem[c].
Verum in eo qui graviter peccavit, etsi amanda, non
tamen admiranda humilitas. At si quis innocentiam
10 retinet, et nihilominus humilitatem iungit, nonne is tibi
videtur animae possidere decorem? Sancta Maria sancti-
moniam non amisit, et humilitate non caruit : et ideo
concupivit Rex decorem suum[d], quia humilitatem innocentiae sociavit. Denique : *Respexit*, inquit, *humilitatem
15 ancillae suae*[e]. Ergo *beati qui custodiunt vestimenta
sua*[f] munda, videlicet simplicitatis et innocentiae, si
tamen et decorem inducere humilitatis adiciant. Profecto
audiet quae huiusmodi invenitur : *Ecce tu pulchra es,
amica mea, ecce tu pulchra*[g]. Utinam vel semel dicas
20 animae meae, Domine Iesu : *Ecce tu pulchra es!* Utinam

---

2. a. Cf. Jn 18, 34   b. Ps. 50, 9   c. Cf. Ps. 50, 9   d. Ps.
44, 12 ≠   e. Lc 1, 48   f. Apoc. 16, 15 ≠   g. Cant. 1, 14

---

1. «Par cette humble plante qui purge la poitrine il désigne
l'humilité.» Augustin, *Enarrat. in Ps.* 50 (*CCL* 38, 608, 2-7); Isidore,
Etymologiae 17, 39 (*PL* 82, 628 C).
2. D'une manière exceptionnelle l'épouse du Cantique devient ici
l'image de Marie mère de Dieu. Ce que Bernard dit ici de la sainteté
immaculée de la Vierge annonce de loin le dogme de l'Immaculée
Conception. Pourtant en d'autres écrits Bernard s'est prononcé contre

pleins de toute douceur. Il l'appelle amie, il la proclame belle, une première et une deuxième fois; ces mêmes paroles, il les reçoit d'elle à son tour. Ce n'est pas une vaine redite; c'est une confirmation de l'amour, et elle suggère peut-être qu'il y a là un mystère à creuser.

2. Examinons la double beauté de l'âme : c'est cela en effet que le texte me paraît suggérer. La beauté de l'âme, c'est l'humilité. Je ne dis pas cela de moi-même[a]; c'est le Prophète qui le premier a dit : «Tu m'aspergeras avec l'hysope, et je serai purifié[b].» Par cette humble plante qui purge la poitrine il désigne l'humilité[1]. C'est par elle que le Roi-Prophète espère être lavé après une grave défaillance, et recouvrer ainsi la blancheur de neige de l'innocence[c]. Mais en celui qui a gravement péché, l'humilité, bien que digne d'amour, n'est pas digne d'admiration. En revanche, si quelqu'un garde l'innocence, et y ajoute encore l'humilité, ne te semble-t-il pas posséder la beauté de l'âme? Sainte Marie ne perdit pas la sainteté, et ne fut pas dépourvue d'humilité[2]. Si «le Roi désira sa beauté[d]», c'est parce qu'elle sut allier l'humilité à l'innocence. «Il a jeté les yeux, dit-elle, sur l'humilité de sa servante[e].» «Heureux donc ceux qui conservent leurs vêtements[f]» immaculés, c'est-à-dire la simplicité et l'innocence, s'ils font en sorte de revêtir aussi la beauté de l'humilité. Assurément, une telle âme s'entendra dire : «Te voici! Tu es belle, mon amie, tu es belle[g].» Seigneur Jésus, puisses-tu dire au moins une fois à mon âme : «Te voici! Tu es belle.» Puisses-tu me conserver

---

ce dogme. Cf. *Ep* 174, 1 (*SBO* VII, 388, 12-14) : Bernard reproche aux chanoines de Lyon d'introduire la nouvelle fête de la Conception de Marie «qu'ignorent les rites de l'Église, que la raison n'approuve point et que ne recommande pas une antique tradition. Serions-nous donc plus savants que les Pères ou plus dévots?» Cf. H. BARRÉ, *S. Bernard, docteur marial*, *ASOC* 1953, p. 100-103.

mihi humilitatem custodias! Nam primam vestem ego
male servavi. *Servus tuus sum ego*[h]. Nec enim audeo
profiteri amicum, qui testimonium decoris mei cum repe-
51   titione non audio. Sufficit mihi, si semel audiam. Sed
25   quid, si et hoc in quaestione sit? *Scio quid faciam*[i] :
venerabor amicam servus, cumulatum in ea decorem
deformis homunculus admirabor; *gaudebo ad vocem*
sponsi[j], tantam nihilominus pulchritudinem admirantis.
Quis scit, si saltem ex hoc inventurus sim gratiam in
30   oculis amicae, ut gratia ipsius et ipse inveniar inter
amicos? Denique *amicus sponsi stat, et gaudet gaudio*
propter vocem sponsi[k]. En *vox eius in auribus*[l] dilectae :
audiamus et gaudeamus. Adsunt sibi, loquuntur pariter;
stemus simul[m] : nulla nos huic subducat colloquio
35   saeculi cura, nulla illecebra corporis.

II. Quod sponsae increpatio humilitatis eius sit probatio, et de oculis eius columbinis.

3. *Ecce*, inquit, *tu pulchra es, amica mea, ecce tu*
pulchra[a]. «Ecce» admirationis vox est, reliquum laudis.
Merito admiranda, cui sanctitas amissa humilitatem non
attulit, sed servata admisit. Merito pulchra repetitur, cui
5   neutra defuit pulchritudo. Rara avis in terris, aut sancti-

---

h. Ps. 118, 125   i. Lc 16, 4   j. Jn 3, 29 ≠   k. Jn 3, 29 ≠
l. Cant. 2, 14 ≠   m. Is. 50, 8
3. a. Cant. 1, 14

---

1. «Car ma première robe, je l'ai mal gardée.» La première robe est
celle de la justice, la seconde celle de la gloire. Cf. *Gra* 48
(*SC* 393, 352-353).

2. Bernard indique ici la voie royale pour les âmes pécheresses qui
désirent devenir épouses : «Je vais vénérer ton amie, l'admirer et me
réjouir de son bonheur.»

3. *Stemus simul*, «Tenons-nous là nous aussi.» Ignace de Loyola
recommande la même attitude et la même attention lorsque le retraitant
contemple la nativité du Christ. «Voir Notre-Dame, Joseph, la servante

l'humilité! Car ma première robe, je l'ai mal gardée[1]. «Je suis ton serviteur[h].» Je n'ose pas me déclarer ton ami, moi qui ne t'entends pas répéter le témoignage de ma beauté. C'est assez pour moi si je ne l'entends qu'une fois. Mais qu'arrivera-t-il, si cet unique témoignage est en question? «Je sais ce que je vais faire[i].» Serviteur, je vénérerai ton amie; petit homme difforme, j'admirerai en elle la beauté accomplie[2]. «Je me réjouirai à la voix de l'Époux[j]» admirant une beauté si éblouissante. Qui sait si par ce moyen je ne trouverai pas grâce au moins aux yeux de l'amie, et si cette grâce de sa part ne me fera pas compter moi aussi au nombre des amis? Car «l'ami de l'Époux se tient là, et il est ravi de joie à la voix de l'Époux[k]». Voici «sa voix qui retentit aux oreilles[l]» de la bien-aimée : écoutons et réjouissons-nous. Les voilà ensemble, ils se parlent; «tenons-nous là nous aussi[m3]». Que nul souci du monde, que nulle séduction du corps ne nous détourne de cet entretien.

II. La réprimande reçue par l'épouse donne la preuve de son humilité. Les yeux de colombe de l'épouse.

3. «Te voici! Tu es belle, mon amie, tu es belle[a].» «Te voici» est un cri d'admiration; le reste est louange. Oui, elle est bien digne d'admiration. Car ce n'est pas sa sainteté perdue qui lui a inspiré l'humilité; c'est sa sainteté intacte qui s'est alliée à l'humilité. A juste titre elle est déclarée deux fois belle, puisque ni l'une ni l'autre beauté ne lui ont fait défaut. C'est un oiseau rare sur terre[4] qu'une âme

et l'Enfant Jésus après qu'il est né, me faisant, moi, comme un petit pauvre et un petit esclave indigne qui les regarde...» (Ignace de Loyola, *Exercices spirituels* 113, trad. É. Gueydan, p. 85).

4. *Rara avis in terris,* «C'est un oiseau rare sur terre.» Juvénal, *Sat.* VI, 165 (éd. P. de Labriolle et F. Villeneuve, *CUF,* Paris 1931, p. 65).

tatem non perdere, aut humilitatem sanctimonia non
excludi; et ideo beata quae utramque retinuit. Denique
probatum est : *nihil sibi conscia est*[b], et correptionem non
abnuit. Nos et cum magna delinquimus, vix ferimus repre-
10 hendi; haec autem aequo animo audit *contra se amaritudines*[c], nihil peccans. Nam si desiderat videre claritatem
sponsi, quid mali est? Magis et laudis est. Et tamen
increpata paenitentiam egit, et dixit : *Fasciculus myrrhae
dilectus meus mihi, inter ubera mea commorabitur*[d]. Hoc
15 est : Sufficit mihi; nolo iam *scire nisi Iesum, et hunc crucifixum*[e]. Magna humilitas! Actu innocens suscipit pae-
nitentis affectum, et quae non habet unde paeniteat, habet
tamen ut paeniteat. Cur ergo, inquis, increpata est, si nihil
mali fecit? Sed enim audi nunc dispensationem et pru-
20 dentiam sponsi. Sicut Abrahae olim oboedientia sane
tentata est, ita et nunc humilitas sponsae. Et quomodo
ille, impleta oboedientia, tunc audivit[f] : *Nunc cognovi quod
tu timeas Deum*[g], sic et huic modo quasi sub aliis verbis
dicitur : Nunc cognovi quod humilis sis. Hoc enim est
25 quod ait : *Ecce tu pulchra es.* Et ideo praeconium iterat,
ut gloriae sanctitatis additum signet humilitatis decorem :
Ecce tu pulchra es, amica mea, ecce tu pulchra. Nunc
cognovi quod pulchra sis, non solum ex meo amore, sed
52 etiam ex tua humilitate. Non dico nunc *pulchram inter*
30 *mulieres*[h], nec *pulchram in genis vel in collo*[i], sicut ante
dicebam, sed pulchram simpliciter fateor : non utique
pulchra ex comparatione, non cum distinctione, non ex
parte.

b. I Cor. 4, 4 ≠   c. Job 13, 26 ≠   d. Cant. 1, 12
e. I Cor. 2, 2 ≠   f. Cf. Gen. 22, 1-18   g. Gen. 22, 12 ≠
h. Cant. 1, 7 ≠   i. Cant. 1, 9 ≠

qui ne perd pas la sainteté, ou dont la sainteté n'exclut
pas l'humilité. Bienheureuse donc celle qui a conservé
l'une et l'autre. En voici la preuve : « sa conscience ne lui
reproche rien[b] » ; pourtant, elle ne refuse pas la réprimande. Nous, même lorsque nous commettons de grandes
fautes, nous tolérons à peine d'être repris. L'épouse en
revanche entend sans se troubler « des réflexions sévères
sur son compte[c] », alors qu'elle n'a point péché. Car si
elle désire voir la clarté de l'Époux, qu'y a-t-il là de mal ?
Elle mériterait plutôt d'être louée. Mais puisqu'elle avait
été blâmée, elle a fait pénitence et elle a dit : « Mon bien-
aimé est pour moi un bouquet de myrrhe ; il restera entre
mes seins[d]. » C'est-à-dire : cela me suffit ; je ne veux plus
« savoir que Jésus, et Jésus crucifié[e] ». Quelle humilité !
Innocente dans ses actes, elle fait siens les sentiments d'un
cœur repentant ; elle qui n'a pas motif de se repentir,
accepte pourtant de se repentir. Pourquoi donc, dis-tu, a-
t-elle été blâmée, si elle n'a rien fait de mal ? Eh bien,
écoute le sage dessein de l'Époux. Comme jadis l'obéissance d'Abraham fut mise à l'épreuve, ainsi maintenant
l'humilité de l'épouse. Abraham, lorsqu'il eut accompli son
acte d'obéissance, entendit ces paroles[f] : « Je sais maintenant que tu crains Dieu[g]. » De même ici, c'est comme
si l'épouse s'entendait dire avec des mots un peu différents : « Je sais maintenant que tu es humble. » C'est cela
que l'Époux veut dire par ces paroles : « Te voici ! Tu es
belle. » Et s'il répète son éloge, c'est pour signifier que la
beauté de l'humilité s'ajoute à la gloire de la sainteté. « Te
voici ! Tu es belle, mon amie, tu es belle. » Je sais maintenant que tu es belle, non seulement grâce à mon amour,
mais aussi grâce à ton humilité. Je ne dis plus, comme
tout à l'heure, que tu es « belle entre les femmes[h] », ou
« belle par tes joues ou par ton cou[i] ». Je te proclame belle
tout simplement : non pas belle par comparaison, ni avec
des nuances, ni en partie.

4. Et addit : *Oculi tui columbarum* [a]. Aperte adhuc commendatur humilitas. Ad hoc siquidem respicit, quod illa,
reprehensa de alta inquisitione sua, continuo non cunctata
est ad simpliciora descendere, ita ut diceret : *Fasciculus*
5 *myrrhae dilectus meus mihi* [b]. Multum profecto distat inter
vultum gloriae [c] et fasciculum myrrhae ; et ideo magnum
humilitatis insigne, inde huc acquiescere revocari. Ergo :
Oculi tui columbarum. Iam, inquit, *non ambulas in*
magnis, neque in mirabilibus super te [d] ; sed instar sim-
10 plicissimae volucris contenta es simplicioribus, nidificans
in foraminibus petrae [e], meis vulneribus immorans, et
libenter ea quae sunt de me [f], dumtaxat incarnato et passo,
oculo intuens columbino.

III. De spirituali eius intuitu.

5. Aut certe, quia in specie avis huius Spiritus Sanctus
apparuit [a], spiritualis magis quam simplex in ea intuitus
columbae nomine commendatur [b]. Et si placeat, oportet
referas capitulum praesens ad id, quod paulo ante sodales
5 *muraenulas ei facere aureas* [c] promiserunt, non inten-
dentes, ut tunc docui, ornare aures corporis, sed informare
auditum cordis. Potuit itaque fieri, ut *fide*, quae est *ex*
auditu, corde amplius *mundato* [d], ad videndum, quod
ante non poterat, instructior redderetur. Et quoniam de

---

4. a. Cant. 1, 14   b. Cant. 1, 12   c. Cf. II Cor. 3, 7
d. Ps. 130, 1 ≠   e. Cant. 2, 14   f. Cf. Lc 22, 37
5. a. Cf. Matth. 3, 16   b. Cf. Matth. 10, 16   c. Cant. 1, 10 ≠
d. Rom. 10, 17 ≠ ; cf. Act. 15, 9 (Patr.)

---

1. «Faire ton nid dans les trous du rocher, et demeurer dans mes
plaies.» Les trous du rocher seront souvent compris comme les plaies
du Christ souffrant. Cf. *SCt* 61, 7 (*SBO* II, 152, 25) ; *QH* 7, 15 (*SBO* IV,
424, 10).

4. L'Époux ajoute : « Tes yeux sont des yeux de colombe[a]. » C'est encore une louange manifeste de l'humilité. Car l'Époux fait allusion au fait que l'épouse, réprimandée de sa quête ambitieuse, n'a pas hésité un instant à se contenter de réalités plus ordinaires, jusqu'à dire : « Mon bien-aimé est pour moi un bouquet de myrrhe[b]. » Il y a certes une immense distance entre le visage de gloire[c] et le bouquet de myrrhe ; c'est donc une grande marque d'humilité que de se laisser ramener de l'un à l'autre. Alors, « tes yeux sont des yeux de colombe. » Désormais, dit l'Époux, « tu ne prends plus un chemin de grandeurs ni de merveilles qui te dépassent[d] ». A l'exemple de cet oiseau très ordinaire, tu te contentes de réalités plus ordinaires : de faire ton nid « dans les trous du rocher[e] », de demeurer dans mes plaies[1], de contempler avec joie d'un œil de colombe les seuls mystères[f] de mon incarnation et de ma passion.

III. Le regard spirituel de l'épouse.

5. Ou bien, puisque l'Esprit-Saint est apparu sous la forme de cet oiseau[a], ce qui est loué ici dans l'épouse, sous le nom de colombe, c'est son regard spirituel plutôt que son regard ordinaire[b]. Si cette interprétation te plaît, il te faudra rapporter le présent texte à celui où, un peu plus haut, les compagnons ont promis à l'épouse « de lui faire des pendants d'or[c] ». Comme je l'ai alors expliqué, ils n'entendaient pas parer les oreilles de son corps, mais affiner l'ouïe de son cœur. Il se peut ainsi que « la foi, qui naît de l'ouïe, ait purifié le cœur[d][2] » de l'épouse, et l'ait rendue plus capable de voir ce qu'elle ne pouvait pas voir auparavant. Ayant reçu ces pendants, l'épouse

---

2. * Cf. p. 190, n. 2 sur *Act.* 15, 9 cité en *SCt* 41, 2, l. 14 s.

10 acceptis muraenulis in visu acutiori ad intelligentiam spiritualem visa est profecisse, placuit sponso, cui semper,
quod in se est, placet magis videri in spiritu. Et annu-
merans id quod eius laudibus ait : *Oculi tui columbarum*[e],
«Iam me», inquit, «intuere in spiritu, quia *spiritus ante*
15 *faciem tuam Christus Dominus*[f]. Et habes unde id possis,
quia *oculi tui columbarum*. Ante non habebas, et ideo
reprimenda fuisti ; nunc copiam habeto videndi, quia *oculi
tui columbarum*, id est spirituales. Non sane copiam quam
petebas : non enim tibi modo adhuc ad illam potes, sed
20 quae tamen interim sufficere possit. Sane ducenda es *de
claritate in claritatem*[g] : et propterea vide, ut potes, modo ;
et cum plus poteris, plus videbis».

6. Non puto, fratres, non puto mediocrem hanc neque
communem esse omnibus visionem, etsi sit inferior illa,
qua videndus est in futuro. Denique ex his quae sequuntur
advertite.

IV. Laus sponsi qua eum sponsa decorum advertit.

5   Sequitur enim : *Ecce tu pulcher es, dilecte mi, ecce tu
pulcher*[a]. Vides quam *in excelso stat*[b], et in sublime mentis
verticem extulit, quae universitatis Dominum quadam sibi
proprietate vindicet in dilectum. Attende enim quomodo
non simpliciter «dilecte», sed, *dilecte mi*, inquit, ut pro-
10 prium designaret. Magna visio prorsus, de qua ista in id

---

e. Cant. 1, 14   f. Lam. 4, 20 (Patr.)   g. II Cor. 3, 18 ≠
6. a. Cant. 1, 15   b. Bar. 5, 5 ≠

---

1. Le regard spirituel prépare l'épouse à l'intelligence spirituelle. Le
regard spirituel évoque la doctrine des sens spirituels (GUILL. DE S.-TH.,
De natura et dignitate amoris, PL 184, 390 B – 391 B. L'intelligence
spirituelle est une notion clef de la théologie mystique de Guillaume
de Saint-Thierry (P. VERDEYEN, *La théologie mystique de Guillaume de
Saint-Thierry*, p. 257-272).

53 [marginal, left of line 19]

semble avoir progressé vers l'intelligence spirituelle[1], grâce
à une vue plus pénétrante. Elle a donc paru plus aimable
à l'Époux qui, quant à lui, aime toujours mieux être vu
en esprit. Aussi ajoute-t-il cela aux louanges de l'épouse,
en disant : «Tes yeux sont des yeux de colombe[e].» Ce
qui veut dire : «Désormais contemple-moi en esprit, car
'le Christ Seigneur est esprit devant ta face[f2'].' Tu en as
les moyens, puisque 'tes yeux sont des yeux de colombe'.
Auparavant tu ne les avais pas, et c'est pourquoi il a
fallu te réprimander. Maintenant, reçois la faculté de voir,
puisque 'tes yeux sont des yeux de colombe', c'est-à-dire
spirituels. Ce n'est pas, certes, la faculté de voir que tu
demandais : tu en es encore incapable pour le moment;
mais en attendant, celle-ci peut suffire. Certes, tu dois
être conduite 'de clarté en clarté[g]' : vois donc, pour le
moment, comme tu le peux; quand tu pourras davantage,
tu verras davantage.»

6. Je ne crois pas, frères, je ne crois pas que cette
vision soit médiocre, ni commune à tous, bien qu'elle
soit inférieure à celle qui nous fera un jour voir l'Époux.
Ce qui est dit ensuite va vous le montrer.

IV. Éloge de l'Époux, dont l'épouse voit la beauté.

Il est dit ensuite : «Te voici! Tu es beau, mon bien-
aimé, tu es beau[a].» Tu vois «à quelle hauteur est parvenue[b]» l'épouse, à quelle sublimité elle a porté la cime
de son esprit, pour oser revendiquer comme son bien-
aimé et en quelque sorte comme sa propriété le Seigneur
de l'univers. Remarque comment elle ne dit pas simplement «bien-aimé», mais «mon bien-aimé», pour
marquer qu'il lui appartient en propre. Oui, grande vision,
puisque l'épouse en reçoit tant de confiance et de sûreté

2. * Cf. p. 181, n. 3 sur *Lam.* 4, 20 cité en *SCt* 40, 4, l. 24 s., p. 180.

fiduciae et auctoritatis excrevit, ut omnium Dominum,
dominum nesciat, sed dilectum. Existimo enim nequaquam
hac vice eius sensibus importatas imagines carnis, aut
crucis, aut alias quascumque corporearum similitudines
15 infirmitatum. In his namque, iuxta Prophetam, *non erat
ei species neque decor* [c]. Haec autem eo intuito, nunc pulchrum decorumque pronuntiat, in visione meliori illum
sibi apparuisse significans. *Ore* enim *ad os,* sicut quondam
cum sancto Moyse, *loquitur* cum sponsa, *et palam, non
20 per aenigmata et figuras, Deum videt* [d]. Talem denique
ore pronuntiat, qualem et mente conspicatur, visione plane
sublimi et suavi. *Regem in decore suo viderunt oculi eius* [e],
non tamen ut regem, sed ut dilectum. *Viderit* eum sane
quis *super solium excelsum et elevatum* [f], et alius quoque
25 *facie ad faciem* [g] sibi apparuisse testatus sit; mihi tamen
videtur eminentia in hac parte esse apud sponsam, quod
ibi visus legitur Dominus, hic dilectus. Sic enim habes :
*Vidi Dominum sedentem super solium excelsum et ele-
vatum* [h]; et item : *Vidi Dominum facie ad faciem, et salva
30 facta est anima mea* [i]. Sed : *Si ego Dominus,* inquit, *ubi
est timor meus* [j]? Quod si illis facta est revelatio cum
timore, quia ubi Dominus, ibi timor, ego profecto, si optio
daretur, tanto libentius tantoque carius sponsae amplec-
terer visionem, quanto in meliori affectione, quae est
35 amor, factam adverto. Nam *timor poenam habet, perfecta
autem caritas foras mittit timorem* [k]. Multum sane interest

c. Is. 53, 2 ≠ d. Nombr. 12, 8 ≠ e. Is. 33, 17 ≠
f. Is. 6, 1 ≠ g. Gen. 32, 30 h. Is. 6, 1 i. Gen. 32, 30 ≠
j. Mal. 1, 6 ≠ k. I Jn 4, 18 ≠

1. L'affirmation de Bernard s'oppose à la doctrine énoncée dans *SCt*
38, 5. Cf. AUGUSTIN, *De Genesi ad litteram* XII, 26 (*CSEL* 28, 420, 2-9).
2. Bernard évoque ici la vision d'Isaïe et celle de Jacob. Deux récits
bibliques qui affirment que la vision de Dieu est possible dès cette vie
terrestre. En d'autres endroits la Bible défend la position contraire :

qu'elle ne connaît plus le Seigneur de toutes choses comme son Seigneur, mais comme son bien-aimé. Je pense en effet que cette fois ne se sont présentées aux sens de l'épouse ni les images de la chair du Seigneur, ni celles de la croix, ni n'importe quelle autre représentation de ses infirmités corporelles. Car en tout cela, selon le Prophète, «il n'avait ni éclat ni beauté[c]». Mais l'épouse, après l'avoir contemplé, le proclame maintenant d'une beauté éclatante. Elle fait ainsi savoir qu'il lui est apparu dans une vision meilleure. Comme jadis avec le bienheureux Moïse, «il parle» avec l'épouse «de bouche à bouche; et elle voit Dieu à découvert, non plus en énigmes et en figures[d1]». Elle le proclame de sa bouche tel qu'elle l'aperçoit en esprit, dans une vision tout à fait sublime et douce. «Ses yeux ont vu le Roi dans sa beauté[e]», non pas comme son roi, mais comme son bien-aimé. Tel autre «a pu le voir sur un trône élevé et majestueux[f]», tel autre encore atteste qu'il lui est apparu «face à face[g]». Mais, à mon sens, l'épouse les surpasse en ceci que, selon l'Écriture, eux ont vu le Seigneur, elle le bien-aimé. Tu lis en effet : «J'ai vu le Seigneur assis sur un trône élevé et majestueux[h]»; et encore : «J'ai vu le Seigneur face à face, et mon âme a été sauve[i2].» Mais aussi : «Si je suis le Seigneur, où est la crainte qui m'est due[j]?» La révélation leur a été faite dans la crainte, car là où est le Seigneur, là est la crainte. Pour moi, si l'on m'en laissait le choix, j'opterais pour la vision de l'épouse, avec d'autant plus de joie et de plaisir que je la vois accompagnée d'un meilleur sentiment, celui de l'amour. Car «la crainte implique un châtiment, mais l'amour parfait bannit la crainte[k].» Il y a une grande différence entre

---

«Personne ne peut voir Dieu et rester en vie» (*Ex.* 33, 20). Cf. P. VERDEYEN, *La théologie mystique de Guillaume de Saint-Thierry*, p. 19-42.

54 apparere *terribilem in consiliis super filios hominum*[1], et
apparere *speciosum forma prae filiis hominum*[m]. *Ecce tu*
pulcher es, dilecte mi, et decorus[n]. Verba ista plane
40 amorem resonant, non timorem.

V. Quid sit locutio Verbi ad animam vel animae responsio ad Verbum.

7. Sed forte *ascendunt cogitationes in corde tuo*[a], et
quaeris dubius apud te, dicens : «Qua ratione verba Verbi
facta ad animam referuntur, et rursum animae ad Verbum,
ut illa audierit vocem loquentis sibi et perhibentis quod
5 pulchra sit, vicissimque idem praeconium suo mox red-
diderit laudatori? *Quomodo possunt haec fieri*[b]? Nam verbo
loquimur, non verbum loquitur. Itemque anima non habet
unde loquatur, nisi os corporis sibi verba formaverit ad
loquendum». Bene quaeris; sed attende Spiritum loqui,
10 et spiritualiter oportere intelligi quae dicuntur[c]. Quoties
proinde audis vel legis Verbum atque animam pariter col-
loqui, et se invicem intueri, noli tibi imaginari quasi corporeas intercurrere voces, sicut nec corporeas collo-
quentium apparere imagines. Audi potius quid tibi sit in
15 huiusmodi cogitandum. Spiritus est Verbum[d] spiritusque
anima, et habent linguas suas, quibus se alterutrum allo-
quantur praesentesque indicent. Et Verbi quidem lingua
favor dignationis eius, animae vero devotionis fervor.

l. Ps. 65, 5 ≠   m. Ps. 44, 3 ≠   n. Cant. 1, 15
7. a. Lc 24, 38 ≠   b. Jn 3, 9   c. Cf. I Cor. 2, 14
d. Cf. Jn 4, 24

1. «Comment se fait-il que nous soient rapportées des paroles du
Verbe adressées à l'âme, et inversement des paroles de l'âme au Verbe?»
Dans *Div* 110 (*SBO* VI-1, 384), Bernard décrit admirablement le rôle
des paroles ou des mots dans la communication réciproque entre les
hommes et entre l'homme et son Dieu.
2. Cf. FRANÇOIS DE SALES, IV, 285 (Annecy 1894). «La dévotion

se montrer «redoutable dans ses desseins sur les enfants des hommes[1]», et se montrer «le plus beau des enfants des hommes[m]». «Te voici! Tu es beau, mon bien-aimé, et agréable[n].» Ces paroles respirent évidemment l'amour et non la crainte.

V. En quoi consiste le langage du Verbe à l'âme et la réponse de l'âme au Verbe.

7. Mais «des questions peut-être surgissent dans ton cœur[a]», et perplexe tu te demandes : «Comment se fait-il que nous soient rapportées des paroles du Verbe adressées à l'âme, et inversement des paroles de l'âme au Verbe[1]? L'âme a entendu la voix de celui qui lui parle et proclame sa beauté; et à son tour, elle a aussitôt rendu le même éloge à celui qui la célébrait. 'Comment cela peut-il se faire[b]?' Car c'est par la parole que nous parlons, mais ce n'est pas la parole qui parle. Et l'âme, de son côté, n'a pas la possibilité de parler, si la bouche du corps ne lui prête pas des paroles articulées.» Bonne question! Mais attention : c'est l'Esprit qui parle, et c'est spirituellement qu'il faut entendre ce qui est dit[c]. Chaque fois que tu entends dire ou que tu lis que le Verbe et l'âme s'entretiennent et se contemplent mutuellement, ne va pas imaginer que des sons sensibles s'échangent entre eux, pas plus que les deux interlocuteurs ne se montrent sous des images sensibles. Écoute plutôt ce que tu dois penser de cela. Le Verbe est esprit[d], et l'âme est esprit; ils ont chacun leur langage, pour s'entretenir et pour se manifester leur présence. Le langage du Verbe, c'est la complaisance de sa bonté; le langage de l'âme, c'est la ferveur de son amour[2]. L'âme qui en

_____

(de Bernard) est la langue de son cœur, par laquelle il reçoit la rosée des perfections divines, les sucçant et attirrant à soy comme son aliment.»

Elinguis est anima atque infans quae hanc non habet, et
20 non potest ipsi ullatenus sermocinatio esse cum Verbo.
Ergo huiuscemodi linguam suam cum Verbum movet,
volens ad animam loqui, non potest anima non sentire.
*Vivus est enim Dei sermo et efficax, et penetrabilior omni
gladio ancipiti, pertingens usque ad divisionem animae et*
25 *spiritus* [e]. Et rursum cum suam anima movet, Verbum
latere multo minus poterit, non solum quia ubique est
praesens, sed propter hoc magis, quod nisi ipso stimu-
lante, devotionis lingua minime ad loquendum movetur.

8. Verbo igitur dicere animae : *Pulchra es* [a] et appellare
« amicam », infundere est unde et amet, et se praesumat
amari; ipsi vero Verbum vicissim nominare « *dilectum* »
et fateri « *pulchrum* [b] », quod amat et quod amatur sine
5 fictione et fraude ascribere illi, et mirari dignationem, et
stupere ad gratiam. Siquidem pulchritudo illius dilectio
eius, et ideo maior, quia praeveniens. Medullis proinde
cordis et intimarum vocibus affectionum tanto amplius
55   atque ardentius clamitat sibi diligendum, quanto id prius
10 sensit diligens quam dilectum. Itaque locutio Verbi infusio
doni, responsio animae cum gratiarum actione admiratio.
Et idcirco plus diligit, quod se sentit in diligendo victam;
et ideo plus miratur, quod praeventam agnoscit. Unde

---

e. Hébr. 4, 12 ≠
8. a. Cant. 1, 14   b. Cant. 1, 15 ≠

---

1. * *Elinguis :* le mot est seulement ici et en *SCt* 2, 2, l. 7, *SC* 414,
82 : « Tous les prophètes achoppent, privés de mots. » Ici comme là,
c'est l'impossibilité de dire ; ici, pour une âme qui n'a pas un « amour
fervent »; là, parce que seul le Verbe parle bien du Verbe. La même
phrase rapproche, d'autre part, *e-linguis* et *in-fans* de *Verbum*, cette
Parole qui ne parle pas plus qu'un nouveau-né : le *Verbum infans* qui
pousse un cri vers son Père (*SCt* 66, 9, *SBO* II, 184, 7-15); le Verbe
dont l'enfance même ne peut se taire (*Nat* 5, 1, *SBO* IV, 266, 17);

est dépourvue est muette[1] et incapable de parler; elle ne peut avoir aucun dialogue avec le Verbe. Lorsque le Verbe, voulant parler à l'âme, se sert de son langage à lui, l'âme ne peut pas ne pas le sentir. «Car la parole de Dieu est vivante et efficace, plus incisive qu'aucun glaive à double tranchant; elle pénètre jusqu'au point de division de l'âme et de l'esprit[e].» Lorsque l'âme, à son tour, se sert de son langage, cela peut encore moins échapper au Verbe. Car non seulement il est partout présent, mais surtout, sans son impulsion, le langage de l'amour ne peut nullement s'exprimer[2].

8. Pour le Verbe, dire à l'âme : «Tu es belle[a]», et l'appeler «amie», c'est faire sourdre en elle l'amour dont elle puisse l'aimer et l'audace de se croire aimée de lui. Pour l'âme, nommer le Verbe «bien-aimé» et le proclamer «beau[b]», c'est lui attribuer sans feinte et sans mensonge le fait qu'elle aime et est aimée; c'est aussi admirer la complaisance du Verbe et s'émerveiller de sa grâce. Car la beauté du Verbe, c'est son amour, d'autant plus grand qu'il prend l'initiative. Aussi, avec le cœur de son cœur et la voix de ses sentiments intimes, l'âme le proclame digne d'être aimé d'elle, d'autant plus intensément et ardemment qu'elle a senti l'amour du Verbe avant de pouvoir l'aimer à son tour. Ainsi le langage du Verbe, c'est le don qu'il répand; la réponse de l'âme, c'est l'émerveillement dans l'action de grâce. Voilà pourquoi elle aime d'autant plus qu'elle se sent surpassée en amour; et elle s'émerveille d'autant plus qu'elle se reconnaît devancée. Aussi ne se contente-t-elle pas de dire

---

le Verbe à qui Bernard fait dire par Marie «Je ne veux aucune parole, sinon toi, la Parole» (*Miss* IV, 11, *SC* 390, 238, 31-38), etc.

2. Les paragraphes 7 et 8 accentuent l'amour primordial du Verbe. L'amour humain ne peut être que réponse et abandon à l'initiative de Dieu.

non contenta est semel dicere «*pulchrum*», nisi repetat
15 et «*decorum*ᶜ», eminentiam decoris illa repetitione designans.

VI. De sponsi duplici decore.

9. Aut certe in utraque Christi substantia dignum
expressit omni admiratione decorem, in altera naturae, in
altera gratiae. Quam pulcher es angelis tuis, Domine Iesu,
*in forma Dei*ᵃ, in die aeternitatisᵇ tuae, *in splendoribus*
5 *sanctorum ante luciferum genitus*ᶜ, *splendor et figura sub-*
*stantiae*ᵈ Patris, et quidam perpetuus minimeque fucatus
*candor vitae aeternae*ᵉ! Quam mihi decorus es, Domine
mi, in ipsa tui huius positione decoris! Etenim ubi *te exi-*
*nanisti*ᶠ, ubi naturalibus radiis *lumen indeficiens*ᵍ exuisti,
10 ibi pietas magis emicuit, ibi caritas plus effulsit, ibi amplius
gratia radiavit. Quam clara mihi *oriris stella ex Iacob*ʰ,
quam lucidus *flos de radice Iesse egrederis*ⁱ, quam
iucundum *lumen in tenebris visitasti me, oriens ex alto*ʲ!
Quam spectabilis et stupendus etiam Virtutibus supernis
15 in conceptu de Spiritu, in ortu de Virgine, in vitae innocentia, in doctrinae fluentis, in coruscationibus miracu-
lorum, in revelationibus sacramentorum! Quam denique
rutilans post occasum, *Sol iustitiae*ᵏ, *de corde terrae*ˡ

---

c. Cant. 1, 15 ≠
9. a. Phil. 2, 6   b. Cf. Mich. 5, 2   c. Ps. 109, 3 ≠
d. Hébr. 1, 3 ≠   e. Sag. 7, 26 (Patr.)   f. Phil. 2, 7 ≠
g. Sir. 24, 6   h. Nombr. 24, 17 ≠   i. Is. 11, 1 ≠   j. Lc 1,
78-79 ≠   k. Mal. 4, 2   l. Matth. 12, 40 ≠

---

1. «Les deux substances du Christ». Ce langage n'est pas habituel.
Bernard prend ici le mot «substance» comme synonyme de nature.

2. * Ces 3 mots, dont 2 sont bibliques, font partie des 8 citations
ou allusions de ce verset dans *SCt*; cf. *SCt* 47, 7, l. 7, p. 304.
A l'origine du changement de *vitae* en *lucis* se trouve, curieusement,
une expression imagée de Grégoire le Grand; Cf. *SC* 431, 76, n. 1 sur
SCt 17, 3.

une seule fois qu'il est «beau», mais elle répète qu'il est «agréable[c]». Par cette répétition, elle exprime l'excellence de sa beauté.

VI. La double beauté de l'Époux.

9. Ou encore, l'âme a voulu exprimer la beauté digne de toute admiration qui caractérise les deux substances du Christ[1] : beauté de la nature en l'une, beauté de la grâce en l'autre. Que tu es beau pour tes anges, Seigneur Jésus, «dans ta condition divine[a]», au jour de ton éternité[b], «engendré parmi les splendeurs des saints avant l'astre de l'aurore[c]», «image resplendissante de la substance[d]» du Père, «blancheur à jamais éclatante» et toute pure «de la vie éternelle[e 2]»! Que tu es agréable pour moi, mon Seigneur, dans l'acte même de renoncer à cette beauté! Lorsque «tu t'es anéanti[f]», lorsque tu as dépouillé «ta lumière intarissable[g]» de ses rayons naturels, c'est alors que ta bonté a brillé davantage, que ta charité est apparue plus éclatante, que ta grâce a rayonné plus intensément. Avec quelle clarté «tu te lèves pour moi, étoile issue de Jacob[h]»; avec quel éclat «tu t'épanouis, fleur sortie de la racine de Jessé[i]»; avec quelle joyeuse «lumière tu m'as visité dans les ténèbres, soleil levant venu d'en haut[j]»! Que tu es admirable et merveilleux, même pour les Vertus célestes, dans ta conception du Saint-Esprit, dans ta naissance d'une Vierge, dans l'innocence de ta vie, dans le ruissellement de ta doctrine, dans la fulgurance de tes miracles, dans la révélation de tes mystères! Combien rutilant tu resurgis «du cœur de la terre[l]» après ton couchant, «Soleil de justice[k 3]»! «Dans quel vêtement

---

3. L'épouse répond à l'appel amoureux de l'Époux par une hymne louant le Christ comme le Soleil, Astre de l'aurore, Étoile resplendissant de Jacob.

resurgis! Quam *formosus in stola tua*[m] demum, *Rex*
20 *gloriae*[n], in alta caelorum te recipis! Quomodo non pro
his omnibus *omnia ossa mea dicent : Domine, quis similis
tui*[o]?

10. Haec ergo similiaque puta in dilecto intuentem
sponsam advertisse, cum diceret : *Ecce tu pulcher es, dilecte
mi, et decorus*[a]. Neque haec sola, sed insuper aliquid
procul dubio de naturae decore superioris, quod nostrum
5 omnino praetervolat intuitum et effugit experimentum.
Ergo iteratio utriusque decorem substantiae designavit.
Audi deinde quomodo tripudiat ad aspectum affatumque
dilecti, et coram ipso nuptiali carmine quae amoris sunt
gratabunda decantat. Sequitur enim : *Lectulus noster flo-*
10 *ridus, tigna domorum nostrarum cedrina, laquearia*
56 *cypressina*[b]. Sed servemus recentiori principio sponsae
cantilenam, ut et nos de quiete facti alacriores, liberius
exsultemus et laetemur in ea[c], *ad laudem et gloriam*[d]
sponsi ipsius, Iesu Christi Domini nostri, *qui est Deus*
15 *benedictus in saecula. Amen*[e].

m. Is. 63, 1 ≠   n. Ps. 23, 8   o. Ps. 34, 10
10. a. Cant. 1, 15   b. Cant. 1, 15-16 ≠   c. Ps. 117, 24
d. Jér. 13, 11 ≠   e. Rom. 9, 5 ≠

magnifique[m]», «Roi de gloire[n]», tu te retires enfin au plus haut des cieux! Pour toutes ces merveilles, comment «tous mes os ne diraient-ils pas : Seigneur, qui est semblable à toi[o]?»

10. L'épouse, regardant son bien-aimé, voyait en lui ces beautés et d'autres semblables, lorsqu'elle disait : «Te voici! Tu es beau, mon bien-aimé, et agréable[a].» Et non seulement ces beautés, mais aussi, sans aucun doute, quelque chose de la beauté de la nature divine, qui dépasse complètement notre regard et échappe à notre expérience. La répétition a donc marqué la beauté des deux substances. Écoute ensuite comment l'épouse jubile à la vue et aux paroles du bien-aimé. En sa présence, remplie de gratitude, elle célèbre par un chant nuptial les joies de l'amour. Voici en effet la suite : «Notre petit lit est émaillé de fleurs, les poutres de nos maisons sont de cèdre, les lambris de cyprès[b].» Mais réservons pour un nouveau développement la cantilène de l'épouse. Rendus plus alertes par un peu de repos, «nous exulterons et nous nous réjouirons plus volontiers avec elle[c]», «à la louange et à la gloire[d]» de son Époux, Jésus-Christ notre Seigneur, «qui est Dieu béni dans les siècles. Amen[e]».

SERMO XLVI

I. Quis lectus vel domus, quae tigna vel laquearia sint quae sponsa describit. – II. Quos flores exercitationis oporteat praecedere quietem contemplationis. – III. De domo spirituali, et quibus lignis aedificetur vel ornetur.

I. Quis lectus vel domus, quae tigna vel laquearia sint quae sponsa describit.

1. *Lectulus noster floridus, tigna domorum nostrarum cedrina, laquearia nostra cypressina*[a]. Epithalamium canit, cubile et thalamos pulchro sermone describens. Sponsum invitat ad requiem : hoc enim *melius*, quiescere et *cum* 5 *Christo esse*[b]; necessarium autem exire ad lucra propter salvandos. Verum nunc opportunitate, ut putat, inventa, ornatum nuntiat thalamum, lectulumque digito monstrans, dilectum, ut dixi, invitat ad requiem, et cum euntibus in Emmaus cordis ardorem non sustinens, ad mentis per-10 trahit hospitium, et secum pernoctare compellit[c], et cum Petro loquitur : *Domine, bonum est nos hic esse*[d].

2. Iam quid spiritualiter ista contineant, requiramus. Et in Ecclesia quidem «lectum» in quo quiescitur, claustra existimo esse et monasteria, in quibus quiete a curis vivitur

---

1. a. Cant. 1, 15-16   b. Phil. 1, 3 ≠   c. Cf. Lc 24, 29. 32
d. Matth. 17, 4

---

1. L'exclamation de Pierre sur le Tabor lors de la transfiguration de

SERMON 46

I. Quels sont le lit et la maison, les poutres et les lambris que décrit l'épouse.

1. «Notre petit lit est émaillé de fleurs, les poutres de nos maisons sont de cèdre, nos lambris de cyprès[a].» L'épouse chante un épithalame, et décrit dans un langage exquis le lit et la chambre nuptiales. Elle invite l'Époux au repos. Voici en effet ce qui est «bien préférable» : se reposer et «être avec le Christ[b]». Mais il est nécessaire de sortir pour gagner les hommes qui doivent être sauvés. Néanmoins, l'épouse pense avoir trouvé maintenant l'occasion favorable. Elle annonce que la chambre est parée et, montrant du doigt le petit lit, elle invite, comme je l'ai dit, le bien-aimé au repos. Semblable aux pèlerins d'Emmaüs, elle ne résiste plus à son cœur brûlant; elle entraîne l'Époux vers le gîte de son âme et le presse de passer la nuit avec elle[c]. Avec Pierre, elle dit : «Seigneur, il est bon que nous soyons ici[d1].»

2. Cherchons maintenant le sens spirituel de ce passage. Dans l'Église aussi il y a un lit où l'on se repose : ce sont, à mon avis, les cloîtres et les monastères, où l'on

Jésus prépare le lecteur à d'autres considérations sur la contemplation. Mais Bernard va décrire d'abord la cohésion de la *res publica christiana*.

saeculi[a] et *sollicitudinibus vitae*[b]. Atque is lectus floridus
5 demonstratur, cum exemplis et institutis Patrum, tamquam
quibusdam bene olentibus respersa floribus, fratrum conversatio et vita refulget. Porro «domos» populares conventus
intellige Christianorum, quos hi *qui in sublimitate* positi
sunt[c], christiani utique utriusque ordinis principes, quasi
10 «tigna» parietes, iustis impositis legibus fortiter stringunt,
ne sua quique lege vel voluntate viventes, *tamquam parietes*
inclinati et maceriae depulsae[d] dissideant a semetipsis, et
sic omnis structura aedificii corruens dissipetur. «Laquearia»
vero quae a tignis firmiter pendent et domos insigniter
15 ornant, puto bene instituti cleri mansuetos et disciplinatos
mores riteque administrata officia designare. Quomodo
namque stabunt ordines clericorum et administrationes
eorum, si non principum, tamquam tignorum, beneficio et
munificentia sustententur, et protegantur potentia?

3. Quod autem tigna «cedrina» et «cypressina»
laquearia describuntur, natura absque dubio habet in his
speciebus lignorum, quod congruat praefatis ordinibus. Et
cedrus quidem, quoniam imputribile est, necnon et odo-
5 riferum, altaeque proceritatis lignum, satis indicat quales
oporteat assumi viros in vices tignorum. Ergo validos et
constantes necesse est esse eos, qui super alios ordi-
nantur, necnon et longanimes in spe, atque in superna
mentis verticem extollentes, qui etiam bonum fidei suae

---

2. a. Cf. Matth. 13, 22   b. Lc 8, 14 ≠   c. I Tim. 2, 2 ≠
d. Ps. 61, 4 ≠

---

1. «Les princes de l'un et l'autre ordre chrétien». Bernard nomme
ici les seigneurs et les évêques qui possèdent respectivement le pouvoir
séculier et spirituel de la communauté chrétienne. L'emploi du mot
ordines pour ces deux pouvoirs est exceptionnel.

vit paisiblement, loin des préoccupations du siècle[a] et «des soucis de la vie[b]». Ce lit est représenté tout émaillé de fleurs, parce que la manière de vivre des frères resplendit des exemples et des enseignements des Pères, comme si elle était parsemée de fleurs odorantes. Quant aux maisons, entends par là les assemblées des peuples chrétiens. Ceux «qui sont revêtus des plus hautes dignités[c]», c'est-à-dire les princes de l'un et de l'autre ordre chrétien[1], maintiennent fermement leurs peuples dans l'obéissance aux lois justes, comme les poutres maintiennent fermement les murs. Ils les empêchent de vivre chacun selon sa loi et sa volonté, de peur qu'ils ne se disjoignent «comme des murs qui penchent et des clôtures branlantes[d]». Car alors toute la structure de l'édifice tomberait en ruines et serait anéantie. Les lambris en revanche, qui sont solidement attachés aux poutres et ornent élégamment les maisons, désignent à mon avis les mœurs douces et disciplinées d'un clergé bien formé et ses ministères exercés comme il convient. Comment en effet les ordres des clercs et leurs ministères tiendraient-ils, si les princes, comme des poutres, ne les soutenaient pas par leur faveur et leur libéralité, et ne les protégeaient pas par leur puissance?

3. Il est dit que les poutres sont de cèdre et les lambris de cyprès[2]. Sans aucun doute, la nature de ces deux sortes de bois présente des propriétés qui conviennent aux deux ordres mentionnés plus haut. Le cèdre est un bois imputrescible, odoriférant, et un arbre de haute taille; il montre assez quels hommes il faut choisir pour tenir lieu de poutres. Ceux qui sont placés au-dessus des autres doivent être forts et tenaces, patients dans l'espérance, et capables d'élever vers le ciel la cime de leur esprit. Il faut aussi qu'ils répandent partout la bonne odeur de leur foi et de leur

---

2. Les poutres de cèdre représentent les princes séculiers; les lambris de cèdre les membres du clergé.

10 et conversationis ubique odorem spargentes, dicere cum
Apostolo possint : *Christi* enim *bonus odor sumus Deo in
omni loco*[a]. Cypressus item, boni aeque odoris et imputribile similiter lignum, incorruptae vitae et fidei etiam
quemvis de clero debere esse demonstrat, ut merito decori
15 domus ad laquearium ornandum deputetur. Scriptum est
enim : *Domum tuam decet sanctitudo, Domine, in longi-
tudinem dierum*[b], ubi sane et sanctimoniae decus, et
indeficientis gratiae expressa perseverantia est. Oportet
ergo virum, qui ad ornamentum et decorem assumitur
20 domus, bonis ornatum moribus esse et, quamvis semper
ipse sit intus, *bonum* tamen *testimonium habere et ab his
qui foris sunt*[c]. Sunt et alia in natura lignorum horum
competentia his quae spiritualiter· disseruntur; sed brevi-
tatis causa praetereo.

4. Notandum vero pulchre omnem Ecclesiae statum
brevi uno versiculo comprehensum, auctoritatem scilicet
praelatorum, cleri decus, populi disciplinam, monachorum
quietem. In horum prorsus, cum *recte sunt omnia*[a], sancta
5 mater Ecclesia consideratione laetatur; et tunc ea quoque
offert intuenda dilecto, cum ad eius, tamquam omnium
auctoris, refert omnia bonitatem, nihil sibi ex omnibus
58 tribuens. Nam quod ait, «noster», et «nostrarum», non
usurpationis est signum, sed dilectionis : quod nimiae vide-
10 licet fiducia caritatis, nihil eius, quem valde diligit, a se
aestimet alienum. Nec enim se sponsi contubernio aut
quietis eius putat arcendam consortio, quae semper
non quae sua, sed quae illius *sunt, quaerere*[b] consuevit;
et haec causa, cur sibi et sponso simul, sive lectulum,
15 sive domos ausa sit pronuntiare communes. Dixit enim :

3. a. II Cor. 2, 14-15 ≠   b. Ps. 92, 5 ≠   c. I Tim. 3, 7 ≠
4. a. IV Rois 5, 21 ≠   b. I Cor. 13, 5 ≠; cf. I Cor. 10, 24

conduite, afin de pouvoir dire avec l'Apôtre : «Nous sommes pour Dieu, en tout lieu, la bonne odeur du Christ[a].» Le cyprès, bois également imputrescible et de bonne odeur, montre que tout membre du clergé doit être incorruptible dans sa vie et sa foi. Ainsi sera-t-il digne d'être employé à l'ornement des lambris pour la beauté de la maison. Il est écrit en effet : «La sainteté convient à ta maison, Seigneur, pour la suite des jours[b].» Cette parole exprime la beauté de la sainteté et la persévérance de la grâce qui ne défaille jamais. L'homme choisi pour orner et embellir la maison doit donc être orné de bonnes mœurs ; et bien que lui-même soit toujours à l'intérieur, il faut que «ceux du dehors aussi rendent de lui un bon témoignage[c]». La nature de ces bois comporte encore d'autres propriétés qu'on pourrait interpréter dans un sens spirituel. Mais, pour faire bref, je les passe sous silence.

4. Il faut cependant noter que tout l'état de l'Église a été élégamment condensé dans un seul bref verset : l'autorité des prélats, la dignité du clergé, l'obéissance du peuple, la paix des moines. Lorsque «tous ces éléments sont en ordre[a]», la sainte mère Église prend plaisir à les considérer. Alors elle les présente aussi au regard de son bien-aimé, les rapportant tous à sa bonté, car il est l'auteur de toutes choses ; elle ne s'attribue rien de tout cela. Lorsqu'elle dit : «notre» petit lit, «nos» maisons, ce n'est pas la marque d'une appropriation indue, c'est une marque d'amour. Dans la confiance que lui inspire l'excès de son amour, elle estime que rien ne lui est étranger de ce qui appartient à celui qu'elle aime si fort. Elle ne pense pas qu'elle doive être écartée de l'intimité de l'Époux ou de la participation à son repos, puisqu'elle «a toujours cherché» l'avantage de l'Époux, et «non le sien propre[b]». Voilà pourquoi elle a osé déclarer le petit lit et les maisons communs à elle et à l'Époux. Elle a dit en effet :

«lectulus noster», et «tigna domorum nostrarum», et «laquearia nostra», audacter se in possessione associans, cui iunctam non dubitat in amore. Non ita illa, quae propriae voluntati nondum abrenuntiavit, sed per se iacet, 20 per se habitat : magis non per se, sed *cum meretricibus luxuriose vivendo* conversatur, concupiscentias loquor carnis, cum quibus *dissipat bona sua, et portionem substantiae, quam sibi dividi postulavit* [c].

II. Quos flores exercitationis oporteat praecedere quietem contemplationis.

5. Ceterum tu, qui has Spiritus Sancti voces audis [a] vel legis, putas ne aliqua horum, quae dicuntur, valeas applicare tibi, ac de felicitate sponsae, quae hoc amoris carmine ab ipso Spiritu canitur, aliquid recognoscere in 5 temetipso, ne dicatur et tibi quia *vocem eius audis, et non scis unde veniat aut quo vadat* [b]? En forte appetis et ipse contemplationis quietem, et bene facis; tantum ne obliviscaris flores, quibus lectulum sponsae legis aspersum [c]. Ergo cura et tu tuum similiter circumdare 10 bonorum floribus operum, virtutum exercitio, tamquam flore fructum sanctum otium praevenire. Alioquin delicato satis otio dormitare voles, sed non exercitatus quiescere appetas, et Liae fecunditate neglecta, solis cupias Rachelis amplexibus oblectari [d]. Sed et praeposterus ordo est, ante

c. Lc 15, 12-13. 30 ≠
5. a. Cf. Jn 3, 8   b. Jn 3, 8 ≠   c. Cf. Cant. 1, 15; cf. Prov. 7, 17   d. Cf. Gen. 29, 20. 30

1. * «Celle qui n'a pas encore renoncé à sa volonté propre» : Bernard a plusieurs fois évoqué le début de *RB* (Prol. 3) : *quisquis abrenuntians propriis voluntatibus...*, par exemple dans *Div* 11, 3 (*SBO* VI-1, 126, 5-17), où *abrenuntiare* et *propria voluntate* reviennent plusieurs fois et où se trouve explicitement mentionné le baptême avec la renonciation au démon (*abrenuntio*, réponse du parrain).

«notre petit lit», «les poutres de nos maisons», et «nos lambris». Ne doutant pas d'être unie à l'Époux dans l'amour, elle s'est hardiment associée à lui dans la possession. Il n'en va pas ainsi pour celle qui n'a pas encore renoncé à sa volonté propre[1]. Celle-ci garde son lit pour elle seule, sa maison pour elle seule. Ou plutôt, non pas pour elle seule, mais «elle vit dans la débauche avec les prostituées», je veux dire avec les convoitises de la chair. En leur compagnie, «elle gaspille ses biens et sa part du patrimoine, dont elle a exigé le partage[c]».

II. Les fleurs de la vie ascétique qui doivent précéder le repos de la contemplation.

5. Mais toi, qui entends ou qui lis ces paroles de l'Esprit-Saint[a], ne penses-tu pas que tu pourrais t'appliquer certaines d'entre elles, et reconnaître en toi-même quelque chose du bonheur de l'épouse, chanté dans ce chant d'amour par l'Esprit lui-même? Sinon, on te dira à toi aussi que «tu entends sa voix, et ne sais ni d'où il vient ni où il va[b]». Peut-être désires-tu aussi le repos de la contemplation, et tu fais bien. Seulement, n'oublie pas les fleurs, dont tu lis que le petit lit de l'épouse est jonché[c]. Aie donc soin, toi aussi, d'entourer pareillement le tien des fleurs des bonnes œuvres. Que l'exercice des vertus devance le saint loisir, comme la fleur devance le fruit. Sans quoi, tu voudrais somnoler dans un loisir par trop douillet, au lieu de désirer le repos après l'exercice. Négligeant la fécondité de Lia, tu ne voudrais que jouir des embrassements de Rachel[d2]. Mais c'est renverser l'ordre des choses que d'exiger la récompense avant le

2. La comparaison entre Rachel et Lia a déjà été faite plusieurs fois par ex. en *SCt* 9, 8 (cf. SC 414, 213, n. 1) et en *SCt* 41, 5.

15 meritum exigere praemium, et ante laborem sumere cibum,
cum Apostolus dicat : *Qui non laborat, non manducet* [e].
A mandatis tuis intellexi [f], inquit, ut scias nisi oboedientiae
mandatorum contemplationis gustum penitus non deberi.
Non igitur putes de propriae amore quietis, sanctae oboe-
20 dientiae actibus *seniorumve traditionibus* [g] praeiudicium
ullatenus faciendum. Alioquin non dormiet tecum sponsus
in lectulo uno, illo praesertim, quem tibi, pro oboedientiae
floribus, cicutis atque urticis inoboedientiae aspersisti.
59 Propter quod non exaudiet orationes tuas, vocatusque
25 non veniet; nec enim dabit inoboedienti copiam sui tantus
oboedientiae amator, ut mori, quam non oboedire,
maluerit [h]. Sed neque approbat tuae contemplationis inane
otium, qui dicit per Prophetam : *Laboravi sustinens* [i], significans tempus quo, exsul caelo et patria summae quietis,
30 *operatus est salutem in medio terrae* [j]. Magis autem vereor,
ne te quoque involvat formidolosa illa sententia, ita
intonans in perfidiam Iudaeorum : *Neomenias vestras, et
sabbatum, et festivitates alias non feram* [k]; item : *Kalendas
vestras et solemnitates vestras odit anima mea; facta sunt
35 mihi molesta* [l]. Et lugebit super te Propheta, et dicet :
Viderunt eam hostes, et deriserunt sabbata eius [m]. Cur
enim quod dilectus repudiat, non irrideat inimicus?

---

e. II Thess. 3, 10 ≠   f. Ps. 118, 104   g. Matth. 15, 2 ≠
h. Cf. II Macc. 7, 2   i. Is. 1, 14   j. Ps. 73, 12 ≠   k. Is. 1,
13 ≠   l. Is. 1, 14 ≠   m. Lam. 1, 7

---

1. * Cette formule brève, comme un dicton, a pu plaire à Bernard;
elle se trouve dans les *Acta sanctorum,* «Vie de S. Cuthbert», dans
Grégoire de Tours, 3 fois chez Benoît d'Aniane, 4 fois chez Raoul
Ardent, 2 fois chez Pierre Damien, etc.

2. «Seule l'obéissance aux préceptes mérite de goûter à la contemplation.» Bernard suit ici la conviction commune des Pères qui consi-
dèrent la vie contemplative comme le fruit et la récompense de l'effort
moral. Les auteurs spirituels des siècles postérieurs vont mieux distinguer les niveaux différents de la vie morale et de la vie spirituelle.

mérite, et de prendre la nourriture avant le travail. L'Apôtre dit : «Celui qui ne travaille pas, qu'il ne mange pas non plus[e][1].» «Par tes préceptes j'ai l'intelligence[f]», dit l'Écriture. Elle te fait ainsi savoir que seule l'obéissance aux préceptes mérite de goûter à la contemplation[2]. Ne t'imagine donc pas que l'amour de ton propre repos doive porter la moindre atteinte aux actes de la sainte obéissance ou «aux consignes des anciens[g]». Autrement l'Époux ne dormira pas avec toi dans un même lit, et surtout pas dans ce lit que tu auras jonché, non pas des fleurs de l'obéissance, mais de la ciguë et des orties de la désobéissance. Aussi n'exaucera-t-il pas tes prières; appelé, il ne viendra pas. Il ne se donnera pas à une âme désobéissante, lui qui a tant aimé l'obéissance qu'il a préféré mourir plutôt que de ne pas obéir[h]. Mais il n'approuve pas non plus le loisir inutile de ta contemplation[3], lui qui dit par le Prophète : «J'ai peiné avec beaucoup de patience[i].» Il signifie par là le temps où, exilé du ciel et de la patrie du suprême repos, «il a accompli le salut au milieu de la terre[j]». Je crains plus encore que tu ne sois visé par cette effrayante sentence qui retentit comme un tonnerre contre l'infidélité des Juifs : «Vos nouvelles lunes, et le sabbat, et les autres fêtes, je ne les supporterai plus[k].» Et encore : «Vos nouvelles lunes et vos solennités, mon âme les hait; ils me sont devenus un fardeau[l].» Le Prophète pleurera sur toi et dira : «Ses ennemis l'ont vue et se sont moqués de ses sabbats[m].» Pourquoi, en effet, l'ennemi ne se moquerait-il pas de ce que le bien-aimé rejette?

En insistant sur la primauté de l'amour divin (*SCt* 45, 7 et 8), Bernard a préparé lui-même cette évolution de la doctrine spirituelle.

3. *contemplationis inane otium*, «le loisir inutile de la contemplation». Bernard poursuit ici son éloge sur la fécondité de Lia. Les contemplatifs ne peuvent pas se considérer comme dispensés de tout effort moral et de toute activité humaine. Bernard entend-il justifier ici ses multiples activités au service de l'Église?

6. Miror valde impudentiam aliquorum, qui inter nos sunt, qui cum omnes nos sua singularitate turbaverint, et sua impatientia irritaverint, sua inoboedientia coinquinaverint, audent nihilominus ad tam foedum conscientiae
5 suae lectulum omni orationum instantia totius puritatis Dominum invitare. At *cum extenderitis*, ait, *manus vestras, avertam oculos meos; et cum multiplicaveritis orationem, non exaudiam* [a]. Quid enim? Lectulus non est floridus, magis autem et putidus est; et tu illuc *Regem gloriae* [b]
10 trahis? Ad pausandum hoc facis, an ad causandum? Centurio vetat illum intrare sub tectum suum propter suam indignitatem, cuius tamen fides in universo redolet Israele [c]; et tu ad te *compellis intrare* [d], tantorum sordens spurcitia vitiorum? Clamat Apostolorum Princeps : *Exi a*
15 *me, Domine, quia homo peccator sum* [e]; et tu dicis : Intra ad me, Domine, *quoniam sanctus sum* [f]? *Omnes*, inquit, *unanimes in oratione estote* [g] *fraternitatem diligite* [h]. Et *Vas electionis* [i] : *Levantes puras manus*, ait, *sine ira et disceptatione* [j]. Videsne quomodo concordent sibi, et eodem
20 spiritu de pace et tranquillitate animi, quam habere debet ille qui orat, loquantur Princeps Apostolorum et *Doctor gentium* [k]? Perge ergo tu tota die, *expande ad Deum manus tuas* [l], qui fratres tota die molestas, unanimitatem impugnas, ab unitate te separas.

---

6. a. Is. 1, 15 ≠   b. Ps. 23, 7 ≠   c. Cf. Matth. 8, 8.
d. Lc 14, 23 ≠   e. Lc 5, 8 ≠   f. Ps. 85, 2   g. I Pierre 3,
8 ≠; cf. Act. 1, 14   h. I Pierre 2, 17   i. Act. 9, 15
j. I Tim. 2, 8   k. I Tim. 2, 7   l. Ps. 87, 10 ≠

---

1. *qui inter nos sunt,* «certains d'entre nous». Exemple évident qui prouve que le texte des recensions MC doit être préféré au texte d'autres manuscrits *(qui inter nos non sunt).*

6. Je m'étonne beaucoup de l'impudence de certains d'entre nous[1] qui, après nous avoir tous troublés par leur excentricité, irrités par leur impatience, infectés par leur désobéissance, osent néanmoins convier, par d'instantes prières, le Seigneur de toute pureté à partager le lit si souillé de leur conscience. «Mais lorsque vous étendrez vos mains, dit l'Écriture, je détournerai mes yeux; lorsque vous multiplierez vos prières, je ne vous exaucerai pas[a].» Quoi donc! Le petit lit n'est pas émaillé de fleurs, mais d'ordures puantes; et tu prétends y attirer «le Roi de gloire[b]»? Fais-tu cela pour te reposer avec lui, ou pour plaider ta cause? Le centurion, se jugeant indigne, ne veut pas le laisser entrer sous son toit; pourtant, sa foi embaume tout Israël[c]. Et toi, «tu le forces à entrer[d]» chez toi, tout souillé que tu es par les saletés de tes vices? Le prince des Apôtres s'écrie: «Retire-toi de moi, Seigneur, car je suis un pécheur[e]»; et toi, tu dis: «Entre chez moi, Seigneur, 'car je suis un saint[f]'»? «Soyez tous unanimes dans la prière[g][2], dit encore saint Pierre; aimez vos frères[h].» Et Paul, «le Vase d'élection[i]», ajoute: «Levez vers le ciel des mains pures, sans colère ni contestation[j].» Vois-tu comment le prince des Apôtres et «le docteur des Gentils[k]» s'accordent, et parlent dans le même esprit de la paix et de la tranquillité d'âme que doit avoir celui qui prie? Continue donc à «tendre tout le jour tes mains vers[l]» Dieu, toi qui tout le jour molestes tes frères, blesses la concorde, te sépares de l'unité.

---

2. * L'un des 2 seuls emplois de *I Pierre* 3, 8, par Bernard, l'autre étant en *Mich* 2, 1 (*SBO* V, 300, 9). *In oratione estote* est un ajout de quelques Pères, de lectionnaires, ainsi que de mss tardifs de *Vg*. D'autre part, si *Mich* 2 écrit bien, avec *Vg*, (*fraternitatis*) *amatores*, le *diligite*, ici, s'explique par celui de *I Pierre* 2, 17 et, mieux, par *Romains* 12, 10, familier à Bernard.

60

7. « Et *quid me vis facere*[a] », inquis? Profecto ut primo quidem *emundes conscientiam*[b] ab omni inquinamento *irae, et disceptationis*[c], et murmuris, et livoris, et quidquid omnino adversari cognoscitur aut paci fratrum, aut oboe-
5 dientiae seniorum, de cordis habitaculo eliminare festines. Deinde circumdare tibi flores bonorum quorumque operum et laudabilium studiorum, atque odoramenta vir- tutum, id est *quaecumque sunt vera, quaecumque iusta, quaecumque sancta, quaecumque amabilia, quaecumque*
10 *bonae famae, si qua virtus, si qua laus* disciplinae : *haec cogitare*[d], in his exerceri curato. Ad istiusmodi secure vocabis sponsum, quoniam, cum introduxeris eum, vera- citer dicere poteris et tu, quia *lectulus noster floridus*[e], redolente nimirum conscientia pietatem, sed pacem, sed
15 mansuetudinem, sed iustitiam, sed oboedientiam, sed hila- ritatem, sed humilitatem. Et de lectulo quidem sic.

III. De domo spirituali, et quibus lignis aedificetur vel ornetur.

8. *Domum* vero *spiritualem*[a] seipsum quisque agnoscat, qui tamen iam *non in carne ambulet, sed in spiritu*[b]. *Templum enim Dei*, ait, *sanctum est, quod estis vos*[c]. Curate ergo, fratres, spirituali huic aedificio, quod vos estis[d],
5 ne forte cum in superiora proficere coeperit, vacillet et corruat, si lignis fortibus non fuerit subnixum et colligatum;

---

7. a. Act. 9, 6   b. Hébr. 9, 14 ≠   c. I Tim. 2, 8 ≠
d. Phil. 4, 8 ≠   e. Cant. 1, 15
8. a. I Pierre 2, 5 ≠   b. Gal. 5, 16 ≠; II Cor. 10, 3 ≠
c. I Cor. 3, 17   d. Cf. II Cor. 6, 16

---

1. * Ce texte a été édité en note par l'édition critique de *Vg;* il se trouvait dans les bibles alcuiniennes.

2. « l'obéissance envers les anciens » (*RB* 5, 15, *SC* 181, 468-469).

7. «Et que veux-tu que je fasse[a 1]?», dis-tu. D'abord, que «tu purifies ta conscience[b]» de toute souillure «de colère et de contestation[c]», de murmure et d'envie; que tu chasses promptement de la demeure du cœur tout ce qui, tu le sais bien, est contraire à la paix des frères ou à l'obéissance envers les anciens[2]. Ensuite, entoure-toi des fleurs de toutes sortes de bonnes œuvres et de louables désirs. Entoure-toi des parfums des vertus, c'est-à-dire de «tout ce qu'il y a de vrai, de juste, de saint, d'aimable, d'estimé; de toute vertu et de toute discipline qui mérite l'éloge. Voilà ce que tu dois avoir soin de méditer[d]» et de pratiquer. Alors tu pourras appeler l'Époux avec assurance. Car, en l'introduisant chez toi, tu pourras dire en vérité, toi aussi: «Notre petit lit est émaillé de fleurs[e].» Ta conscience exhalera en effet le parfum de la piété, mais aussi les parfums de la paix, de la mansuétude, de la justice, de l'obéissance, de la bonne humeur, de l'humilité. Voilà pour le petit lit.

III. La maison spirituelle, et les bois dont elle est construite et parée.

8. Quant à «la maison spirituelle[a]», chacun peut s'y reconnaître, pourvu «qu'il ne marche plus sous l'impulsion de la chair, mais de l'esprit[b]». «Car le temple de Dieu est saint, dit l'Apôtre, et c'est vous-mêmes[c].» Ayez donc soin, frères, de cet édifice spirituel que vous êtes[d]. Sinon, il pourrait s'ébranler et s'écrouler à mesure qu'il commencera à s'élever, faute d'avoir été étayé et consolidé par des bois robustes. Ayez soin[3], dis-je, de choisir pour

---

Bernard parle de l'*oboedientia seniorum;* la Règle de *oboedientia maiorum.*

3. Les paragraphes 8 et 9 présentent les vertus nécessaires aux moines et les dons du Saint-Esprit. L'ornement des moines est à la fois l'ornement de toute l'Église.

curate, inquam, illi tigna dare imputribilia et immobilia, *timorem* videlicet *Domini* illum, qui *permanet in saeculum saeculi*[e]; patientiam, de qua scriptum est quia *patientia*
10 *pauperum non peribit in finem*[f]; longanimitatem quoque, quae sub quovis structurae pondere inflexibilis perseverans, in infinita saecula vitae beatae protenditur, Salvatore loquente in Evangelio : *Qui perseveraverit usque in finem, salvus erit*[g]; magis autem *super omnia caritatem*, quae
15 *numquam excidit*[h], quia *fortis est*, inquit, *ut mors dilectio, dura sicut infernus aemulatio*[i]. Studete deinde his tignis substernere et alligare ligna alia aeque pretiosa et pulchra, cui tamen illa ad manum fuerint in opus laquearium ad decorem domus, *sermonem* scilicet *sapientiae* sive *scientiae*,
20 *prophetiam, gratiam curationum, interpretationem sermonum*[j], et cetera talia, quae magis noscuntur sane apta ornatui quam necessaria esse saluti. De his *praeceptum non*
61 *habeo, consilium autem do*[k] : quoniam quidem istiusmodi ligna constat et laboriose quaeri, et difficile inveniri, et per-
25 iculose elaborari – nam et rara ea, praesertim his temporibus, terra nostra producere reperitur –, consulo sane et moneo non multopere ista requiri, magis autem e lignis aliis laquearia praeparari, quae, etsi minus appareant splendida, non minus tamen valida esse probantur, insuper
30 et facilius possidentur, et tutius.

9. Utinam mihi illorum suppetat copia lignorum, quibus hortus Sponsi Ecclesia copiose densatur : *pax, bonitas, benignitas*[a], *gaudium in Spiritu Sancto*[b], *misereri in hilaritate, tribuere in simplicitate*[c], *gaudere cum gaudentibus,*
5 *flere cum flentibus*[d]. Annon tu illam *domum*, quod ad

---

e. Ps. 18, 10 ≠   f. Ps. 9, 19   g. Matth. 10, 22 ≠   h. Col. 3, 14 ≠; I Cor. 13, 8 ≠   i. Cant. 8, 6   j. I Cor. 12, 8-10 ≠; I Cor. 12, 30 ≠   k. I Cor. 7, 25 ≠
9. a. Gal. 5, 22   b. Rom. 14, 17   c. Rom. 12, 8 ≠ d. Rom. 12, 15

lui des poutres imputrescibles et inébranlables : cette
« crainte du Seigneur qui subsiste dans les siècles des
siècles[e] » ; la patience, dont l'Écriture dit que « la patience
des pauvres ne périra pas jusqu'à la fin[f] » ; l'endurance
aussi, qui tient bon sans fléchir sous le poids de n'importe quelle construction, et s'étend dans les siècles infinis
de la vie bienheureuse, selon la parole du Sauveur dans
l'Évangile : « Celui qui aura persévéré jusqu'à la fin sera
sauvé[g]. » Mais « surtout choisissez la charité qui ne passe
jamais[h] », car il est écrit : « L'amour est fort comme la
mort, la jalousie inflexible comme l'enfer[i]. » Appliquez-
vous ensuite à accrocher et à fixer à ces poutres d'autres
bois également précieux et beaux, si toutefois vous en
avez sous la main pour en faire les lambris qui ornent
la maison. J'entends par là « le langage de la sagesse ou
de la science, la prophétie, le don de guérison, l'interprétation des discours en langues[j] » et d'autres choses
semblables qui, on le sait, sont plus propres à la parure
que nécessaires au salut. A leur sujet, « je n'ai pas de
commandement, mais je donne un conseil[k] ». De tels bois
exigent une laborieuse recherche, sont difficiles à trouver
et dangereux à travailler : car notre terre, surtout en ce
temps-ci, ne les produit qu'avec parcimonie. Je vous
conseille donc et vous engage à ne pas trop vous dépenser
pour les chercher. Façonnez plutôt vos lambris avec
d'autres bois, d'apparence moins luxueuse mais de fibre
non moins solide, et dont l'acquisition est aussi plus aisée
et plus sûre.

9. Puissé-je posséder en abondance ces bois dont
l'Église, jardin de l'Époux, est abondamment fournie : « la
paix, la bonté, la bienveillance[a], la joie dans l'Esprit-
Saint[b], la miséricorde rayonnante de bonne humeur,
l'aumône faite simplement[c], l'aptitude à se réjouir avec
ceux qui sont dans la joie, à pleurer avec ceux qui
pleurent[d]. » Ne trouves-tu pas qu'« une maison » revêtue

laquearia spectat, satis abundeque *ornatam*[e] censeas,
quam talibus lignis inspexeris sufficienter compositeque
tabulatam? *Domine, dilexi decorem domus tuae*[f]. Semper
da mihi ligna haec, quaeso, quibus tibi semper ornatum
10 exhibeam thalamum conscientiae : conscientiae et meae,
et alterius. His contentus ero. Erunt et qui meo in hac
re consilio acquiescere volent, quia et te puto esse
contentum; cetera sanctis Apostolis et viris apostolicis
derelinquo. Sed et vos, dilectissimi, tametsi illa ligna non
15 habeatis, nihilominus tamen, si haec habetis, confidite;
nihilominus cum omni fiducia accedite ad *lapidem
summum, angularem, electum, pretiosum*[g]; nihilominus
super fundamentum Apostolorum et Prophetarum[h] *et ipsi
tamquam lapides vivi superaedificamini, domos* scilicet,
20 *offerre spirituales hostias, acceptabiles Deo, per Iesum
Christum*[i], sponsum Ecclesiae, Dominum nostrum, *qui est
benedictus in saecula. Amen*[j].

---

e. Matth. 12, 44 ≠   f. Ps. 25, 8   g. I Pierre 2, 6
h. Éphés. 2, 20   i. I Pierre 2, 5 ≠   j. Rom. 1, 25

de tels bois en suffisance et avec art est assez «parée[e]»,
pour ce qui est des lambris? «Seigneur, j'ai aimé la beauté
de ta maison[f].» Donne-moi toujours, je t'en prie, ces
bois, pour que je puisse te présenter toujours parée la
chambre nuptiale de la conscience : de ma conscience,
et aussi de celle des autres. Je m'en contenterai. Il y
aura aussi des gens qui voudront se tenir à mon conseil
sur ce point, car je pense que toi aussi, tu t'en conten-
teras. Les autres bois, je les laisse aux saints Apôtres et
aux hommes apostoliques. Quant à vous, très chers frères,
même si vous n'avez pas ces autres bois plus rares, si
toutefois vous avez ceux que je viens d'énumérer, ayez
confiance. Approchez-vous en toute confiance de «la
pierre suprême, angulaire, choisie, précieuse[g]». «Vous-
mêmes, comme des pierres vivantes, prêtez-vous à être
édifiés en maisons» «sur le fondement des Apôtres et
des Prophètes[h]», «pour offrir des sacrifices spirituels
agréables à Dieu, par Jésus-Christ[i]», l'Époux de l'Église,
notre Seigneur, «qui est béni dans les siècles. Amen[j]».

SERMO XLVII

I. De flore campi, horti vel thalami.

1. *Ego flos campi et lilium convallium* [a]. Ad hoc respicere puto, quod sponsa de respersis lectulum floribus commendat. Ne enim sibi flores ascriberet illos, quibus lectulus decoratus et venustatus thalamus videbatur, infert
5 Sponsus se esse florem campi, nec de thalamo sane flores prodire, sed de campo, et suo munere et sui participatione fieri quod renitet, et quod redolet. Ne quis ergo exprobrare illi posset et dicere : *Quid habes, quod non accepisti? Si autem accepisti, quid gloriaris, quasi non*
10 *acceperis* [b]? ipse dilectae suae, sicut ambitiosus amator, ita informator benignus, pie illi dignanterque demonstrat, cui nitorem, de quo gloriabatur, ac suaveolentiam lectuli debeat deputare. *Ego flos campi*, inquit : de me est quod gloriaris. Saluberrime admonemur et ex hoc loco, quia
15 nequaquam *gloriari oportet* [c], et *si quis gloriatur, in Domino glorietur* [d]. Et secundum litteram istud; nunc iam scrutemur, ipso de quo loquimur adiuvante, spiritualem qui in ea tegitur intellectum.

1. a. Cant. 2, 1   b. I Cor. 4, 7   c. II Cor. 12, 1
d. I Cor. 1, 31 ≠

1. «Se glorifier dans le Seigneur». Cf. *SCt* 43, 1; 49, 3.

SERMON 47

I. La fleur du champ, du jardin et de la chambre nuptiale.

1. «Je suis la fleur du champ et le lis des vallées[a].» Je pense que l'Époux songe à ceci : l'épouse vante le petit lit à cause des fleurs dont il est jonché. Pour qu'elle ne s'attribue pas les fleurs qui décoraient le petit lit et embellissaient la chambre nuptiale, l'Époux réplique que c'est lui la fleur du champ. Car les fleurs ne viennent pas de la chambre, mais du champ. Tout ce qui brille et tout ce qui embaume existe par un don de l'Époux et une participation à lui. Personne ne pourra donc faire des reproches à l'épouse et lui dire : «Qu'as-tu que tu n'aies reçu? Et si tu l'as reçu, pourquoi te glorifier, comme si tu ne l'avais pas reçu[b]?» L'Époux lui-même, amant attentif et bienveillant éducateur de sa bien-aimée, lui montre avec une douce complaisance à qui elle doit rapporter l'éclat dont elle se glorifiait et le parfum qui embaume son petit lit. «Je suis la fleur du champ», dit-il : de moi provient ce dont tu te glorifies. Par ce passage nous est donné aussi l'avertissement très salutaire qu'«il ne faut jamais se glorifier[c]», et que «si quelqu'un se glorifie, qu'il se glorifie dans le Seigneur[d 1]». Voilà pour la lettre du texte. Cherchons maintenant, avec l'aide de Celui dont nous parlons, le sens spirituel qui se cache en elle.

2. Et primo adverte nunc mihi trifarium quemdam floris statum, in campo, in horto, in thalamo, ut post hoc etiam illud facilius compertum fiat, cur se potissimum campi florem elegerit appellare. Et in campo quidem atque horto
5 oritur flos, in thalamo autem minime. Olet et lucet in eo, non tamen erectus et stans, ut in horto vel campo, sed plane iacens, tamquam qui illatus sit, non innatus. Propterea et necesse est sane reparare frequenter, et semper recentiores apponere flores, quod diu odorem suum
63 10 minime retineant, nec decorem. Quod si, ut in alio sermone praefatus sum, *lectulus* respersus *floribus*[a] conscientia est bonis referta operibus, vides certe, ut similitudo servetur, nequaquam sufficere semel vel secundo *operari quod bonum est*[b], nisi incessanter addas nova
15 prioribus, quatenus *seminans in benedictionibus, de benedictionibus et metas*[c]. Alioquin iacet et marcet flos boni operis, atque in brevi omnis ex eo et nitor exterminatur et vigor, si non aliis atque aliis superiectis pietatis actibus continue reparetur. Hoc in thalamo.

3. In horto autem non ita; sed neque in campo similiter. Ex se enim semel productis floribus assidue subministrant, unde in ipsis decus ingenitum perseveret. Differunt tamen et ipsi inter se, quod hortus quidem, ut
5 floreat, hominum manu excolitur et arte, campus vero ex semetipso naturaliter producit flores, et absque omni humanae diligentiae adiutorio. Putasne iam tibi videris advertere quisnam ille sit campus, nec sulcatus vomere, nec defossus sarculo, nec fimo impinguatus, nec manu
10 hominis seminatus, honestatus tamen nihilominus nobili

2. a. Cant. 1, 15 ≠   b. Éphés. 4, 28 ≠   c. II Cor. 9, 6 ≠

1. «le sermon précédent». *SCt* 46, 7 (*SBO* II, 60, 10-12).

2. Commence par remarquer avec moi que la fleur peut se trouver en trois endroits différents : dans le champ, dans le jardin, dans la chambre nuptiale. Après cela, tu pourras aussi comprendre plus aisément pour quelle raison l'Époux a choisi de se nommer de préférence la fleur du champ. A vrai dire, la fleur pousse dans le champ et dans le jardin, mais non dans la chambre. Elle y répand son parfum et son éclat, mais elle n'y est pas dressée sur pied, comme dans le jardin ou dans le champ. Elle y est couchée, parce qu'elle a été apportée là; elle n'y est pas née. Aussi faut-il la remplacer souvent et amener toujours des fleurs fraîches; car elles ne gardent long-temps ni leur odeur, ni leur beauté. Si, comme je l'ai dit dans le sermon précédent[1], «le petit lit jonché de fleurs[a]» est la conscience remplie de bonnes œuvres, tu vois certes, pour continuer la similitude, qu'il ne suffit pas de «faire le bien[b]» une fois ou deux. Il faut sans cesse ajouter de nouvelles bonnes œuvres aux précédentes. Ainsi, «ayant semé des bénédictions en abondance, tu en moissonneras aussi avec abondance[c]». Sinon, la fleur de ta bonne œuvre se fane et languit. Tout son éclat et toute sa vigueur s'épuisent vite, si elle n'est pas constamment ravivée par des actes de miséricorde tou-jours renouvelés. Voilà pour la fleur en chambre.

3. Au jardin, il n'en va pas ainsi; mais au champ non plus, ce n'est pas pareil. Les deux procurent sans cesse aux fleurs qu'ils ont fait naître les sucs nécessaires pour que leur beauté naturelle dure longtemps. Mais il y a entre eux cette différence que, pour fleurir, le jardin doit être cultivé par la main et l'art de l'homme, tandis que le champ produit naturellement des fleurs, sans aucun secours du travail humain. Ne penses-tu pas saisir déjà quel est ce champ qui, sans être ni labouré par la charrue, ni défoncé par la houe, ni engraissé par le fumier, ni semé par la main de l'homme, s'embellit pourtant de

illo *flore, super quem* constat *requievisse Spiritum Domini*[a]? *Ecce,* inquit, *odor filii mei sicut odor agri pleni, cui benedixit Dominus*[b]. Necdum speciem suam ille flos agri induerat, et iam *dabat odorem suum*[c], quando eum,
15 ut hoc prae gaudio exclamaret, praesensit spiritu, corpore marcens sanctus et senex Patriarcha, caligans visu, sed odoratu sagax[d]. Non se proinde debuit florem thalami protestari qui flos est perpetuo vigens, sed neque item horti, ne humano videretur opere generatus. Pulchre autem
20 et convenientissime *flos campi*[e] sum, ait, qui et absque humana industria prodiit, et semel prodeunti nulla est deinceps dominata corruptio, ut sermo impleatur quem dixit : *Non dabis sanctum tuum videre corruptionem*[f].

II. Item aliter idem, et cur specialiter campi florem se dicit.

4. Sed, si placet, accipe et aliam huius rei rationem, ut arbitror, non spernendam. Non sane sine causa *multiplex spiritus*[a] a Sapiente describitur, nisi quod sub uno litterae cortice diversos plerumque sapientiae intellectus
5 tegere consuevit. Itaque iuxta praefatam de floris statu partitionem, flos est virginitas, flos martyrium, flos actio bona : in horto virginitas, in campo martyrium, bonum opus in thalamo. Et bene in horto virginitas, cui fami-

---

3. a. Is. 11, 1-2 ≠   b. Gen. 27, 27 (Lit.)   c. Cant. 1, 11 ≠
d. Cf. Gen. 27, 1. 27   e. Cant. 2, 1   f. Ps. 15, 10
4. a. Sag. 7, 22 ≠

---

1. «Quel est ce champ…qui s'embellit pourtant de cette noble fleur…»
Ce champ semble être une image pour la nature humaine, ou pour le
peuple d'Israël ou pour chaque âme individuelle. Cf. ORIGÈNE, *Comm.
in Cant.* III, 4 (*SC* 376, 516-521).

2. * Ici comme en 7 autres occurrences, Bernard ajoute *pleni* à *agri*
comme le fait le répons *Ecce odor* du 2e dimanche de Carême.

cette noble «fleur sur laquelle reposa l'Esprit du Seigneur[a1]»? «Voilà, dit l'Écriture, que l'odeur de mon fils est comme l'odeur d'un champ fertile, que le Seigneur a béni[b2].» Cette fleur champêtre n'avait pas encore revêtu sa beauté, et déjà «elle exhalait son parfum[c]», lorsque Isaac, le saint et ancien Patriarche, au corps usé, à la vue affaiblie, mais à l'odorat subtil[d], pressentit en esprit son éclosion et poussa ce cri de joie. Celui qui est une fleur toujours vivace ne devait donc pas se déclarer une fleur en chambre, mais pas davantage une fleur de jardin, pour ne pas paraître engendré par opération humaine. C'est donc avec bonheur et une profonde justesse qu'il dit : «Je suis la fleur du champ[e].» Cette fleur a poussé sans le travail de l'homme, et aucune corruption n'a pu l'atteindre après son éclosion. Ainsi devait s'accomplir cette parole que le Seigneur avait dite : «Tu ne permettras pas que ton saint voie la corruption[f].»

II. Autre explication du même passage. Pourquoi l'Époux se nomme la fleur du champ.

4. Si tu veux bien, écoute encore une autre explication, qui n'est pas à rejeter, je pense. Ce n'est pas sans raison que «l'Esprit est décrit comme multiple[a]» par le Sage. Car il a coutume de cacher très souvent sous l'unique écorce de la lettre les divers sens de la sagesse[3]. Ainsi, selon la répartition susdite des fleurs en trois endroits, la virginité est une fleur, le martyre est une fleur, l'action bonne est une fleur : virginité dans le jardin, martyre dans le champ, action bonne dans la chambre nuptiale. A juste titre nous situons la virginité dans le

---

3. «Les divers sens sous l'unique écorce de la lettre». Ailleurs Bernard discerne le sens historique, morale et mystique (*Div* 92, 1, *SBO* VI-1, 396). Cf. aussi GUILL. DE S.-TH., *Brevis commentatio* 31 (*CCM* 87, 190, 31-39).

64   liaris verecundia est, fugitans publici, latibulis gaudens,
10   patiens disciplinae. Denique in horto flos clauditur, qui
     in campo exponitur spargiturque in thalamo. Et habes :
     Hortus conclusus, fons signatus[b]. Quod utique claustrum
     pudoris signat in virgine, et inviolatae custodiam sancti-
     tatis, si tamen talis fuerit, quae *sit sancta corpore et*
15   *spiritu*[c]. Bene item in campo martyrium, dum martyres
     ludibrio omnium exponantur, *spectaculum facti et angelis*
     et hominibus[d]. Nonne illorum miseranda vox est in
     Psalmo : *Facti sumus opprobrium vicinis nostris, subsan-*
     natio et illusio his qui in circuitu nostro sunt[e]? Bene
20   quoque in thalamo actio bona, quae conscientiam et
     quietam facit, et tutam. Post bonum denique opus securius
     in contemplatione dormitur, et tanto quis fiducialius
     sublimia intueri et vestigare aggreditur, quanto sibi
     conscius est minime se, propriae amore quietis, caritatis
25   operibus defuisse.

     5. Et haec omnia, secundum aliquid, Dominus Iesus.
     Ipse flos horti, virgo virga virgine generatus[a]. Idem flos
     campi, martyr, martyrum corona, martyrii forma. Denique
     foras civitatem eductus est, *extra castra passus est*[b], in
5   ligno levatus est, spectandus omnibus, *subsannandus ab*
     omnibus[c]. Ipse item thalami flos, speculum et exemplum
     totius beneficentiae, quemadmodum ipse Iudaeis protes-
     tatus est dicens : *Multa bona opera feci in vobis*[d]; et item
     Scriptura de eo : *Qui pertransiit*, ait, *benefaciendo et*
10   *sanando omnes*[e]. Si igitur haec tria Dominus, quae fuit
     causa, ut e tribus se «campi florem» maluerit appellare?

---

b. Cant. 4, 12   c. I Cor. 7, 34 ≠   d. I Cor. 4, 9 ≠
e. Ps. 78, 4 ≠
5. a. Cf. Is. 11, 1   b. Hébr. 13, 12-13 ≠; cf. Lc 4, 29
c. Jér. 20, 7 ≠   d. Jn 10, 32 ≠   e. Act. 10, 38 ≠

---

1. Le jardin clos est devenu le symbole de la virginité dans tous les
écrits spirituels des siècles à venir. Cf. *SC* 431, 174, n. 1 sur *SCt* 22, 2.

jardin. Car elle est amie de la réserve, évite la foule, se plaît dans les lieux retirés, se soumet à la discipline. Ainsi la fleur est enclose dans le jardin, tandis qu'elle est exposée dans le champ et éparse dans la chambre. Le Cantique dit : «Un jardin bien clos, une source scellée[b1].» Ces mots désignent chez une vierge la clôture de la pudeur et la garde d'une sainteté intacte, si du moins «elle est sainte de corps et d'esprit[c]». A juste titre aussi nous situons le martyre dans le champ, puisque les martyrs sont exposés à la dérision de tous, «livrés en spectacle aux anges et aux hommes[d]». N'est-ce pas leur voix plaintive qui résonne dans le Psaume : «Nous sommes devenus la risée de nos voisins, la moquerie et le jouet de notre entourage[e]»? A juste titre enfin nous situons dans la chambre l'action bonne, qui rend la conscience tranquille et assurée. Après une bonne œuvre, on s'abandonne plus sûrement au sommeil de la contemplation. Plus on est conscient de n'avoir pas manqué aux œuvres de la charité, par amour de son propre repos, plus on peut se risquer à regarder et à scruter les mystères sublimes.

5. Sous un certain rapport, le Seigneur Jésus est tout cela. Il est lui-même la fleur du jardin, rejeton vierge engendré d'une Vierge[a]. Il est la fleur du champ, martyr, couronne des martyrs, modèle du martyre. Car il a été conduit hors de la ville, «il a souffert hors du camp[b]», il a été élevé sur le bois, spectacle pour tous, «risée de tous[c]». Il est également la fleur en chambre, miroir et exemple de toute action bienfaisante, comme il l'a déclaré lui-même aux Juifs, en disant : «J'ai fait parmi vous beaucoup de bonnes œuvres[d].» Ailleurs, l'Écriture dit à son sujet : «Lui qui est passé en faisant le bien et en les guérissant tous[e].» Si donc le Seigneur est ces trois fleurs, pour quelle raison entre les trois a-t-il préféré se nommer «la fleur du champ»? Sans aucun doute pour

Profecto ut eam ad tolerantiam animaret, cui noverat imminere, si quidem *vellet pie in Christo vivere, persecutionem pati*[f]. Id se ergo libentius profitetur, ad quod
15 potissimum vult habere sequacem; atque hoc est quod alias dixi, quoniam semper et illa appetit quietem, et ille incitat ad laborem, denuntians ei quod *per multas tribulationes oportet introire in regnum*[g] caelorum. Unde cum nova in terris Ecclesia noviter desponsata sibi ad Patrem
20 redire disponeret, dicebat ei : *Venit hora, ut omnis qui interficit vos, arbitretur obsequium se praestare Deo*[h]; item : *Si me*, ait, *persecuti sunt, et vos persequentur*[i]. Potes et tu in Evangelio multa colligere huic denuntiationi malorum perferendorum similia.

6. *Ego flos campi et lilium convallium*[a]. Illa ergo monstrante lectulum, ille vocat ad campum, ad exercitium provocat. Nec putat quidquam persuasibilius fore illi ad ineundum certamen, quam si seipsum certantis aut
5 exemplum proponat, aut praemium. *Ego flos campi.* Sane utrumvis in hoc sermone intelligi datur, vel quid sit videlicet pugnantis forma, vel quid gloria triumphantis. Utrumque es mihi, Domine Iesu, et speculum patiendi, et pretium patientis. Utrumque fortiter provocat ac vehe-
10 menter accendit. Tu *doces manus meas ad proelium*[b] exemplo virtutis tuae, tu caput meum coronas, post victoriam, tuae praesentia maiestatis; sive quia pugnantem te specto, sive quia te exspecto non solum coronantem, sed et coronam, in utroque mirabiliter tibi me allicis,

65

---

f. II Tim. 3, 12 ≠   g. Act. 14, 21 ≠   h. Jn 16, 2
i. Jn 15, 20
6. a. Cant. 2, 1   b. Ps. 17, 35 ≠

---

1. « L'épouse aspire toujours au repos, et l'Époux la pousse au labeur. » Cf. *SCt* 33, 7.

2. Invitation de Bernard pour que ses moines cherchent eux-mêmes ce qui peut approfondir la doctrine proposée. Il leur donne une

encourager l'épouse à la patience. Car il savait qu'elle aurait bientôt à «souffrir la persécution», si du moins «elle voulait vivre avec piété dans le Christ[f]». Il se définit de préférence par l'état où il veut surtout être suivi. C'est ce que j'ai déjà dit ailleurs : l'épouse aspire toujours au repos, et l'Époux la pousse au labeur, lui annonçant que c'est «par bien des tribulations qu'il faut entrer dans le royaume[g]» des cieux[1]. Aussi, lorsqu'il se disposait à revenir au Père, aussitôt après s'être fiancé sur terre avec la toute jeune Église, il lui disait : «L'heure vient où quiconque vous tuera, estimera rendre un culte à Dieu[h].» Et encore : «S'ils m'ont persécuté, ils vous persécuteront aussi[i].» Tu peux toi aussi recueillir dans l'Évangile bien des passages semblables annonçant les maux qu'il faudra souffrir[2].

6. «Je suis la fleur du champ et le lis des vallées[a].» Tandis qu'elle montre le petit lit, lui l'appelle au champ, il l'invite au travail. Il pense que rien ne sera plus persuasif pour la décider au combat, que de se proposer lui-même soit comme exemple soit comme récompense de ce combat. «Je suis la fleur du champ.» Ces paroles donnent à entendre l'un ou l'autre sens, à ton gré : ou ce qu'est le modèle du lutteur, ou ce qu'est la gloire du vainqueur. Tu es l'un et l'autre pour moi, Seigneur Jésus : et le miroir de la patience et la couronne de l'homme patient. L'un et l'autre me stimule avec force et m'enflamme ardemment. «Tu instruis mes mains pour le combat[b]» par l'exemple de ton courage, tu couronnes ma tête après la victoire par la majesté de ta présence. Soit que je te regarde combattre, soit que je t'attende non seulement pour me couronner, mais pour être ma couronne, dans un cas comme dans l'autre tu m'attires merveilleusement à toi. L'un et l'autre

---

suggestion concrète pour bien faire la *lectio divina,* c'est-à-dire la lecture méditative des Écritures.

15 uterque funis violentissimus ad trahendum[c]. *Trahe me post*
    te[d] : libenter sequor, libentius fruor. Si sic bonus es,
    Domine, sequentibus te, qualis futurus es consequentibus?
    Ego flos campi : *qui diligit me*[e], veniat in campum, non
    refugiat mecum et pro me, inire certamen, ut possit dicere :
20 *Bonum certamen certavi*[f].

III. Cur florem convallium se nominet, et quam intenti ad opus Dei esse debemus.

7. Et quoniam non superbi vel arrogantes, sed humiles
potius, qui de se praesumere nesciunt, martyrio idonei
sunt, addit se etiam «lilium» esse «convallium», id est
humilium coronam, specialem gloriam futurae exaltationis
5 ipsorum huius eminentia floris designans. Erit namque
cum *omnis vallis implebitur, et omnis mons et collis humi-*
liabuntur[a], et tunc *candor* ille *vitae aeternae*[b], lilium
plane, non collium, sed convallium, apparebit. *Iustus ger-*
minabit sicut lilium[c], inquit. Quis iustus, nisi humilis?
10 Denique cum se manibus Baptistae servi Dominus incli-
naret, et ille expavesceret maiestatem : *Sine*, inquit; *sic*
enim decet nos implere omnem iustitiam[d], consummationem profecto iustitiae in humilitatis perfectione consti-
tuens. Iustus ergo humilis, iustus convallis est. Et si humiles

---

c. Cf. Os. 11, 4   d. Cant. 1, 3   e. Jn 14, 23   f. II Tim.
4, 7

7. a. Lc 3, 5 ≠   b. Sag. 7, 26 (Patr.)   c. Os. 14, 6 (Lit.)
d. Matth. 3, 15 ≠

---

1. *Mecum et pro me inire certamen,* «Engager le combat avec moi
et pour moi». Cette phrase et tout son contexte ont pu inspirer Ignace
de Loyola pour la méditation intitulée : «L'appel du roi temporel» (*Exer-*
cices spirituels 91-98, éd. É. Gueydan, p. 77-80). Cf. B. DE VREGILLE,
«De S. Bernard à S. Ignace», CollCist 52 (1990), p. 238-244.
2. * Cf. p. 272, n. 2 sur *Sag.* 7, 26 cité en *SCt* 45, 9, l. 7.

est une corde qui m'entraîne de manière irrésistible[c].
«Entraîne-moi sur tes pas[d]» : je te suis avec joie; je jouis
de toi avec plus de joie encore. Si tu es si bon, Seigneur,
pour ceux qui te suivent, que seras-tu pour ceux qui te
rejoignent? «Je suis la fleur du champ.» «Celui qui
m'aime[e]», qu'il vienne dans le champ. Qu'il ne refuse pas
d'engager le combat avec moi, et pour moi[1], afin de pouvoir
dire : «J'ai combattu le bon combat[f].»

III. Pourquoi l'Époux se nomme la fleur des vallées. Combien nous devons être attentifs à l'œuvre de Dieu.

7. Mais puisque ce ne sont pas les orgueilleux ni les
arrogants, mais les humbles qui ne présument pas de
leurs forces, qui sont propres au martyre, l'Époux ajoute
aussi qu'il est «le lis des vallées», c'est-à-dire la couronne des humbles. Par l'excellence de cette fleur, il
désigne la gloire spéciale de leur future exaltation. Le
temps viendra, en effet, où «toute vallée sera comblée,
toute montagne et toute colline abaissées[a]». Alors appa-
raîtra «cette blancheur éclatante de la vie éternelle[b2]»,
le lis non pas des collines, mais des vallées. «Le juste
germera comme le lis[c3]», est-il écrit. Qui est le juste,
sinon l'humble? Lorsque le Seigneur s'inclinait sous les
mains du Baptiste, son serviteur, et que celui-ci s'effrayait
devant la majesté, il lui dit : «Laisse faire; car c'est ainsi
qu'il nous convient d'accomplir toute justice[d].» Oui, il
établissait la consommation de la justice dans la perfection de l'humilité. Le juste est humble, le juste est une

---

3. * Ici et en 2 autres lieux, Bernard cite ce verset d'après la liturgie;
plusieurs pièces identiques intitulées *Iustus,* du missel ou du bréviaire,
ont le même texte au commun des martyrs, des confesseurs non pontifes, des abbés ou des docteurs.

66 15 inventi fuerimus, germinabimus et nos sicut lilium, et flo-
rebimus in aeternum ante Dominum. Annon vere vel tunc
maxime se «lilium convallium» comprobabit, cum *refor-
mabit corpus humilitatis nostrae, configuratum corpori claritatis suae*[e]? Non ait «corpus nostrum», sed «corpus
20 humilitatis nostrae», ut huius lilii miro et sempiterno
candore solos significet humiles illustrandos. Et haec dicta
sint pro eo quod sponsus se «florem» collium et «lilium
convallium» protestatus est.

8. Iam etiam quid de sua consequenter carissima pro-
testetur, bonum esset audire; sed hora non patitur. Ex
Regula namque nostra nihil operi Dei praeponere licet.
Quo quidem nomine laudum solemnia, quae Deo in ora-
5 torio quotidie persolvuntur, pater ideo Benedictus voluit
appellare, ut ex hoc clarius aperiret, quam nos operi illi
vellet esse intentos. Unde vos moneo, dilectissimi, pure
semper ac strenue divinis interesse laudibus : strenue
quidem, ut sicut reverenter, ita et alacriter Domino assi-
10 statis, non pigri, non somnolenti, non oscitantes, non par-
centes vocibus, non praecidentes verba dimidia, non
integra transilientes, non fractis et remissis vocibus
muliebre quiddam balba de nare sonantes, sed virili, ut
dignum est, et sonitu, et affectu voces Sancti Spiritus
15 depromentes; pure vero, ut nil aliud, dum psallitis, quam

e. Phil. 3, 21

1. *Iustus ergo humilis, iustus convallis est,* «Le juste est humble, le juste est une vallée.» Ruusbroec emploie la même image de la vallée, qui signifie l'humilité dans *Les noces spirituelles* (trad. A.Louf, 1993, p. 46-47).
2. * Bernard adapte à sa phrase la suite de la pièce liturgique *Iustus*.

vallée[1]. Si nous sommes jugés humbles, nous germerons
nous aussi comme le lis, et nous fleurirons éternellement
devant le Seigneur[2]. Ne se manifestera-t-il pas surtout
comme «le lis des vallées», lorsqu'«il transformera le
corps de notre humilité pour le conformer à son corps
de lumière[e]»? L'Apôtre ne dit pas «notre corps», mais
«le corps de notre humilité». Il marque bien par là que
les humbles seuls seront rendus éclatants par la merveilleuse blancheur éternelle de ce lis. Voilà pour ce
passage où l'Époux a déclaré qu'il est «la fleur» des collines et «le lis des vallées».

8. Il serait bon maintenant d'entendre aussi ce qu'il
déclare ensuite de son épouse très chère. Mais l'heure
ne nous le permet pas. Selon notre Règle en effet il ne
faut rien préférer à l'œuvre de Dieu[3]. Notre Père saint
Benoît a voulu appeler de ce nom la célébration des
louanges dont on s'acquitte chaque jour pour Dieu à la
chapelle. Il entendait ainsi manifester plus clairement
combien il désirait que nous soyons attentifs à cette
œuvre. C'est pourquoi je vous exhorte, mes bien-aimés,
à être toujours présents aux louanges de Dieu avec pureté
et avec zèle. Oui, avec zèle, pour vous tenir devant le
Seigneur avec révérence aussi bien qu'avec ardeur, sans
paresse ni somnolence, sans bâiller, sans ménager vos
voix, sans manger la moitié des mots ni sauter des mots
entiers. Ne chantez pas d'une façon efféminée, avec des
voix éraillées ou traînantes et des bredouillements
nasillards. Mais prononcez comme il convient les mots
du Saint-Esprit, sur un ton viril comme doit l'être aussi
votre sentiment. Chantez aussi avec pureté : ne pensez
à rien d'autre, durant la psalmodie, qu'à ce que vous

---

3. *RB* 43 (*SC* 182, 586-587).

quod psallitis cogitetis. Nec solas dico vitandas cogitationes vanas et otiosas; sed vitandae sunt etiam illae, illa
dumtaxat hora et illo loco, quas officiales fratres pro
communi necessitate necessario frequenter admittere com-
20 pelluntur. Sed ne illa quidem profecto tunc recipere consu-
luerim, quae forte paulo ante, in claustro sedentes, in
codicibus legentes, qualia et nunc me viva voce disse-
rente ex hoc auditorio Spiritus Sancti recentia reportatis.
Salubria sunt, sed minime illa salubriter inter psallendum
25 revolvitis. Spiritus enim Sanctus illa hora gratum non
recipit quidquid aliud quam debes, neglecto eo quod
debes, obtuleris. Cuius semper facere voluntatem ad eius
voluntatem, ipso inspirante, possimus, gratia et misericordia sponsi Ecclesiae, Iesu Christi Domini nostri, *qui*
30 *est benedictus in saecula. Amen* [a].

8. a. Rom. 1, 25

1. On lit ici quelques instructions concrètes pour le bon déroulement
de l'office quotidien. On lit un texte parallèle dans la lettre 398 de
Bernard à l'abbé Guy de Montiéramey. «S'il y a du chant, qu'il soit
plein de gravité; qu'il ne respire ni la mollesse, ni la grossièreté. Que
sa douceur n'aille pas jusqu'à la légèreté. Qu'il charme les oreilles, mais
pour toucher les cœurs. Qu'il adoucisse la tristesse, qu'il apaise la

psalmodiez[1]. Je ne dis pas seulement qu'il faut éviter les pensées vaines et futiles. Il faut aussi éviter, à ce moment-là du moins et en ce lieu, les pensées que doivent nécessairement entretenir, pour le bien commun, les frères chargés d'un service. Mais je vous conseillerais de ne même pas admettre, à ce moment, ce que vous retenez peut-être de ce que vous venez de lire, assis dans le cloître[2], pas plus que ce que je vous dis maintenant de vive voix, dans cette salle où nous écoutons l'Esprit-Saint. Ce sont là des pensées salutaires, mais il n'est pas salutaire pour vous de les repasser dans la mémoire pendant le chant des psaumes. A ce moment-là l'Esprit-Saint n'aime pas que tu négliges ce que tu lui dois pour lui offrir autre chose, quelle qu'elle soit. Puissions-nous faire toujours sa volonté selon sa volonté, avec son inspiration, par la grâce et la miséricorde de l'Époux de l'Église, Jésus-Christ notre Seigneur, «qui est béni dans les siècles. Amen[a]».

---

colère, qu'il ne fasse pas oublier le sens de la lettre, mais qu'il la féconde. Ce n'est pas sans perdre beaucoup de grâces spirituelles que les auditeurs se laissent entraîner par la légèreté du chant loin du sens des mots, et qu'ils s'appliquent à suivre les modulations de la voix plus qu'à pénétrer le fond des idées» (*Ep* 398, 2, *SBO* VIII 378, 12-16).

2. «Assis dans le cloître». Évocation pittoresque de l'endroit où les moines faisaient normalement la *lectio divina*. Cf. *RB* 48 (*SC* 182, 599, n. 1).

SERMO XLVIII

I. Sicut lilium inter spinas, sic anima inter culpas. – II. Praeconium quo sponsus comparatur malo inter ligna silvarum, et quid sit laudari a sponso vel laudare sponsum. – III. De umbra dilecti et dulci ipsius fructu, id est fide et contemplatione.

I. Sicut lilium inter spinas, sic anima inter culpas.

1. *Sicut lilium inter spinas, sic amica mea inter filias* [a]. Non bonae filiae quae pungunt. Attende pessimum germen eius, cui maledictum est, terrae nostrae. *Cum,* inquit, *colueris eam, spinas et tribulos germinabit tibi* [b]. Donec
5 ergo in carne est anima, inter spinas profecto versatur, et necesse patiatur inquietudines tentationum tribulationumque aculeos. Quod si lilium est ipsa, iuxta sponsi verbum, videat quam vigilem sollicitamque esse oporteat super custodia sui, septa undique spinis, hinc inde aculeos
10 intendentibus. Nec enim vel levissimam spinae sustinet ullatenus punctionem floris teneritudo, sed mox modice ut premitur, perforatur. Sentis quam merito necessarieque hortetur nos Propheta *servire Domino in timore* [c], et item Apostolus *cum timore* nihilominus *et tremore nostram*
15 ipsam *operari salutem* [d]? Tenebant nimirum proprio

---

1. a. Cant. 2, 2   b. Gen. 3, 18; Gen. 4, 12 (Lit.)   c. Ps. 2, 11 ≠   d. Cf. Ps. 2, 11; Phil. 2, 12 ≠

---

1. * Le répons *In sudore* du lundi après la Septuagésime réunit de cette façon ces 2 versets bibliques de la *Genèse*. Toutefois, Bernard écrit, ici et en *Div* 1, 6 (*SBO* VI-1, 77, 7-9), *colueris* à la place de *operatus fueris,* soit que son répons ait eu alors *colueris,* soit encore qu'il

SERMON 48

I. Comme le lis entre les épines, telle l'âme entre les fautes. – II. Éloge de l'Époux, comparé à un pommier entre les arbres des forêts. Qu'est-ce qu'être loué par l'Époux et louer l'Époux? – III. L'ombre du bien-aimé et son doux fruit: la foi et la contemplation.

I. Comme le lis entre les épines, telle l'âme entre les fautes.

1. «Comme le lis entre les épines, telle mon amie entre les filles[a].» Elles ne sont pas bonnes, ces filles qui ont des piquants. Songe à la végétation détestable de notre terre, cette terre qui fut maudite. «Lorsque tu la cultiveras, dit l'Écriture, elle fera germer pour toi épines et chardons[b1].» Tant que l'âme est dans la chair, elle se trouve assurément entre les épines, et elle doit souffrir les assauts des tentations et les piquants des tribulations. Si elle est un lis, selon la parole de l'Époux, qu'elle considère avec quelle attention et quel soin elle doit veiller sur elle-même. Car de tous côtés elle est entourée d'épines, qui dardent leurs piquants de part et d'autre. La fragilité de la fleur, en effet, ne résiste pas à la plus légère piqûre; la moindre pression la transperce aussitôt. Vois-tu les raisons pressantes qu'a le Prophète de nous exhorter à «servir le Seigneur dans la crainte[c]»? Et l'Apôtre, lui aussi, ne nous exhorte-t-il pas à «travailler à notre salut avec crainte et tremblement[d]»? Ils connais-

---

s'inspire d'un Père utilisant une *VI;* car *terram colere* est caractéristique de *VI* et inconnu de *Vg,* qui emploie *operari.*

experimento huius sententiae veritatem, utpote *amici
sponsi*[e], qui minime prorsus ambigerent et ad suas animas
pertinere quod dicitur : *Sicut lilium inter spinas, sic amica
mea inter filias.* Denique unus eorum : *Conversus sum,*
20 ait, *in aerumna mea, dum configitur spina*[f]. Bene
confixus, qui conversus exinde est. Bene pungeris, si com-
pungeris. Multi, cum sentiunt poenam, corrigunt culpam ;
et talis dicere potest : *Conversus sum in aerumna mea,
dum configitur spina.* Spina culpa est, spina poena est,
25 spina falsus frater[g], spina vicinus est malus.

    2. *Sicut lilium inter spinas, sic amica mea inter filias*[a].
O candens lilium ! O tener et delicate flos ! *Increduli et
68   subversores sunt tecum*[b] : *vide quomodo caute ambules*[c]
inter spinas. Plenus est mundus spinis : in terra sunt in
5 aere sunt, in carne tua sunt. Versari in his, et minime
laedi, divinae potentiae est, non virtutis tuae. Sed *confidite*,
inquit, *quia ego vici mundum*[d]. Etsi igitur undique tibi
intendi prospicias tribulationum tamquam tribulorum
acumina, *nec turbetur cor tuum neque formidet*[e], *sciens
10 quia tribulatio operatur patientiam, patientia probationem,
probatio vero spem, spes autem non confundit*[f]. Considera
lilia agri, quomodo*[g] inter spinas vigent et nitent. *Si fenum
quod hodie est, et cras in clibanum mittitur, Deus sic* custodit, *quanto magis*[h] amicam et sponsam suam caris-
15 simam ? Denique *custodit Dominus omnes diligentes se*[i].

---

e. Jn 3, 29 ≠   f. Ps. 31, 4 ≠   g. Cf. II Cor. 11, 26
2. a. Cant. 2, 2   b. Éz. 2, 6   c. Éphés. 5, 15 ≠   d. Jn
16, 33 ≠   e. Jn 14, 27 ≠   f. Rom. 5, 3-5 ≠   g. Matth. 6,
28 ≠   h. Matth. 6, 30 ≠   i. Ps. 144, 20

---

1. Certains trouvent ici une allusion aux trois concupiscences de 1 *Jn*
2, 16 : la concupiscence de la chair, la concupiscence des yeux et l'orgueil de la vie.

saient d'expérience la vérité de cette phrase, en vrais
«amis de l'Époux[e]», qui n'hésitaient pas à appliquer à
leur âme aussi ces paroles : «Comme le lis entre les
épines, telle mon amie entre les filles.» L'un d'eux dit
encore : «Je me suis converti dans mon malheur, tandis
que l'épine me blessait[f].» Bienheureuse blessure, puisqu'elle l'a porté à la conversion. C'est pour ton bien que
tu es piqué, si tu es transpercé par le repentir. Bien des
gens, lorsqu'ils sentent le châtiment, se corrigent de leur
faute. Ceux-là peuvent dire : «Je me suis converti dans
mon malheur, tandis que l'épine me blessait.» L'épine,
c'est la faute, l'épine, c'est le châtiment; l'épine, c'est le
faux frère[g], l'épine, c'est le mauvais voisin.

2. «Comme le lis entre les épines, telle mon amie
entre les filles[a].» O lis d'éclatante blancheur! O fleur
fragile et délicate! «Les incrédules et les violents t'envi-
ronnent[b]» : «prends garde de marcher avec précaution[c]»
entre les épines. Le monde est plein d'épines : il y en
a sur la terre, il y en a dans l'air, il y en a dans ta
chair[1]. Vivre parmi elles sans en être déchiré, c'est un
effet de la puissance divine, non de ta vertu. Mais «ayez
confiance, est-il écrit, car j'ai vaincu le monde[d]». Même
si tu vois que les tribulations, pareilles à des ronces,
dardent de toutes parts leurs piquants contre toi, «que
ton cœur ne se trouble ni ne s'effraye[e]». «Car tu sais
que la tribulation produit la patience, la patience la valeur
éprouvée, la valeur éprouvée l'espérance; et l'espérance
ne trompe pas[f].» «Considère les lis du champ, comme[g]»
ils poussent et fleurissent[2] entre les épines. «Si Dieu
protège ainsi l'herbe qui est aujourd'hui et demain sera
jetée au four, ne fera-t-il pas bien plus[h]» pour celle qui
est son amie et son épouse bien-aimée? Car «Dieu protège
tous ceux qui l'aiment[i]». «Comme le lis entre les épines,

2. * Cf. p. 46, n. 1 sur *I Cor.* 15, 54 cité en *SCt* 33, 6.

Sicut lilium inter spinas, sic amica mea inter filias. Non mediocris titulus profecto virtutis, inter pravos vivere bonum, et inter malignantes innocentiae retinere candorem et morum lenitatem, magis autem si *his qui oderunt pacem*
20 *pacificum*[j], et amicum ipsis te exhibeas inimicis. Id plane tibi similitudinem datam de lilio iure quodam proprietatis specialiter vindicabit, quod ipsas utique pungentes se spinas candore proprio illustrare et venustare non cessat. Annon perinde lilium tibi videtur implere quodammodo
25 Evangelii perfectionem, qua *orare* iubemur *pro calumniantibus et persequentibus nos, benefacere his qui oderunt nos*[k]? Ergo *et tu fac similiter*[l], et erit anima tua amica Domini, et laudabit te[m] de te, dicens quia *sicut lilium inter spinas, sic amica mea inter filias.*

II. Praeconium quo sponsus comparatur malo inter ligna silvarum, et quid sit laudari a sponso vel laudare sponsum.

3. Sequitur : *Sicut malus inter ligna silvarum, sic dilectus meus inter filios*[a]. Reddit sponsa praeconii vicem commendanti se sponso, a quo laudari est laudabilem fieri, et quem laudare, intelligere et admirari laudabilem. Et
5 sicut ex eminenti flore figurata a sponso laus eius est, ita, e regione, excellenti ligno ipsa illius singularem gloriam eminentiamque demonstrat. Movet tamen me de ligno hoc, quod non tantae esse excellentiae videatur, quantae aliqua ceterorum, et ideo minus digne assumi in opus
10 similitudinis, utpote quod non sufficiat laudis vicem

j. Ps. 119, 7 ≠   k. Matth. 5, 44 ≠   l. Lc 10, 37
m. Cf. Ps. 118, 175
3. a. Cant. 2, 3 ≠

---

1. Explication moralisante du «lis entre les épines». Le lis embellit même les épines. De la même façon les fidèles doivent faire du bien à ceux qui les haïssent.

telle mon amie entre les filles.» Ce n'est certes pas un mince titre de vertu que de rester bon parmi les dépravés, et de conserver la candeur de l'innocence et la douceur des mœurs parmi les méchants, et plus encore si tu te montres «pacifique envers ceux qui haïssent la paix[j]», et ami envers tes ennemis mêmes. Voilà surtout ce qui t'autorisera à revendiquer pour toi, presque par droit de propriété, la comparaison avec le lis. Car le lis ne laisse pas de parer et d'embellir par sa blancheur éclatante les épines mêmes qui le percent. Ne te semble-t-il pas, dès lors, que le lis accomplit en quelque sorte la perfection de l'Évangile? Celle-ci consiste dans le commandement «de prier pour ceux qui nous calomnient et nous persécutent, de faire du bien à ceux qui nous haïssent[k1]». Donc, «toi aussi, fais de même[l]». Alors, ton âme sera l'amie du Seigneur, et il louera ta conduite[m] en disant : «Comme le lis entre les épines, telle mon amie entre les filles.»

II. Éloge de l'Époux, comparé à un pommier entre les arbres des forêts. Qu'est-ce qu'être loué par l'Époux et louer l'Époux?

3. Il est dit ensuite : «Comme le pommier entre les arbres des forêts, tel mon bien-aimé entre les fils[a].» A son tour, l'épouse rend à l'Époux son éloge. Être loué par l'Époux, c'est devenir digne de louange; le louer, c'est comprendre qu'il est digne de louange et l'admirer. L'Époux emprunte à une fleur magnifique l'image qui inspire sa louange. L'épouse, en revanche, représente la gloire et la magnificence singulières de son Époux par un arbre de choix. Il y a pourtant une chose qui me choque. Cet arbre ne semble pas être aussi précieux que certains autres. Il paraît donc moins digne d'être pris pour terme de comparaison, puisqu'il n'a pas les qualités

implere. *Sicut malus inter ligna silvarum, sic dilectus meus inter filios.* Denique nec sponsa magni aestimasse videtur, quae hoc in lignis silvarum tantum efferre curavit, nimirum sterilibus nec fructus humano victui aptos ferentibus. Cur
15 ergo, omissis melioribus et nobilioribus lignis, huius mediocritas arboris adducta in medium est ad formandum sponsi praeconium? Ita ne ad mensuram laudem recipere debuit, qui ad mensuram Spiritum non accepit[b]? Haec data nempe de illa arbore similitudo facit, ut videatur
20 habere superiorem qui parem non habet. *Quid dicemus ad haec*[c]? Fateor, parva laus, quoniam parvi laus. Non enim hoc loco praedicatur: *Magnus Dominus et laudabilis nimis*[d], sed parvus Dominus et amabilis nimis, *parvulus* utique, qui *natus est nobis*[e].

4. Ergo non maiestas attollitur hic, sed commendatur humilitas, digneque ac rationabiliter *quod infirmum et stultum est Dei, hominum fortitudini et sapientiae ante-fertur*[a]. Ipsi sunt namque ligna silvestria et infructuosa,
5 quoniam, secundum Prophetam, *omnes declinaverunt, simul inutiles facti sunt; non est qui faciat bonum, non est usque ad unum*[b]. *Sicut malus inter ligna silvarum, sic dilectus meus inter filios*[c]. Una inter ligna silvarum Dominus Iesus *arbor faciens fructum*[d], secundum
10 hominem sane etsi praelatus hominibus, sed *ab angelis minoratus*[e]. Miro etenim modo et *angelis sese factus caro subiecit*[f], et angelos sibi manens Deus subiectos retinuit. Denique: *Videbitis,* inquit, *angelos ascendentes et descendentes super Filium hominis*[g], quod in uno eodemque

---

b. Cf. Jn 3, 34   c. Rom. 8, 31   d. Ps. 47, 2   e. Is. 9, 6 ≠
4. a. I Cor. 1, 25 ≠   b. Ps. 13, 3   c. Cant. 2, 3 ≠
d. Lc 3, 9 ≠   e. Hébr. 2, 9 ≠   f. Hébr. 2, 5 ≠; Jn 1, 14 ≠
g. Jn 1, 51 ≠

---

1. «Comme le pommier entre les arbres des forêts». L'Église-épouse loue davantage l'humilité du Christ que sa majesté. Les paragraphes 3 et 4 sont une méditation sur l'Incarnation.

suffisantes pour rendre la louange à l'Époux. «Comme le pommier entre les arbres des forêts, tel mon bien-aimé entre les fils.» Il semble même que l'épouse ne tienne pas cet arbre en très haute estime. Car elle a pris soin de le distinguer seulement entre les arbres des forêts, qui sont stériles et ne portent pas de fruits propres à nourrir les hommes. Pourquoi donc des arbres meilleurs et plus nobles ont-ils été laissés de côté, et cet arbre quelconque a-t-il été évoqué pour faire l'éloge de l'Époux? Devait-il ainsi recevoir une louange mesurée, lui qui n'a pas reçu l'Esprit avec mesure[b]? La comparaison tirée de cet arbre fait croire qu'il a un supérieur, lui qui est sans égal. «Que dirons-nous à cela[c]?» Petite louange, je l'avoue; mais parce que c'est la louange d'un petit. Car dans ce passage l'on ne célèbre pas «le Seigneur grand et infiniment louable[d]», mais le Seigneur petit et infiniment aimable, oui, «le tout-petit qui est né pour nous[e]».

4. Ce n'est donc pas la majesté qu'on exalte ici, mais l'humilité qu'on loue[1]; et c'est avec justesse et avec raison qu'on estime «la faiblesse et la folie de Dieu plus que la force et la sagesse des hommes[a]». Ceux-ci sont en effet des arbres sauvages et stériles puisque, selon le Prophète, «tous, ils se sont dévoyés, ensemble ils sont devenus inutiles; il n'en est pas un qui fasse le bien, pas même un seul[b]». «Comme le pommier entre les arbres des forêts, tel mon bien-aimé entre les fils[c].» Entre les arbres des forêts le Seigneur Jésus est le seul «qui produise du fruit[d]»; même si selon son humanité il a été placé au-dessus des hommes, «il a pourtant pris place au-dessous des anges[e]». D'une façon étonnante, «s'étant fait chair, il s'est placé au-dessous des anges[f]» et en même temps, restant Dieu, il a maintenu les anges au-dessous de lui. «Vous verrez, dit-il, les anges monter et descendre au-dessus du Fils de l'homme[g].» Car dans un

15 homine Christo Iesu et infirmitatem foveant, et stupeant maiestatem. Quia ergo sponsae id dulcius, quod se imminuit, sapit, libentius attollit gratiam, praefert misericordiam, stupet dignationem. Libuit proinde hominem inter homines admirari, non inter angelos Deum : tamquam

20 *malus inter ligna silvarum* excellit, et non plane inter hortorum plantaria. Nec putat minui laudes, ubi de consideratione infirmitatis, pietatis bonitas exaltatur. Quo enim iuxta aliquid a laudibus temperat, eo item iuxta aliquid magis laudat, minus prosequens gloriam dignitatis, ut gratia

25 dignationis emineat. Sicut ergo Apostolus *quod stultum et infirmum est Dei, sapientius fortiusque* dicit *esse hominibus*[h], sed non angelis, et sicut Propheta *speciosum* praedicat *forma prae filiis hominum*[i], et non prae angelis, sic ista certe *in eodem Spiritu loquens*[j], sub typo fructiferae

70 30 arboris silvestriumque lignorum hoc loco efferre voluit hominem Deum super omnem gratiam hominum, non autem super excellentiam angelorum.

5. *Sicut malus inter ligna silvarum, sic dilectus meus inter filios*[a]. Et bene *inter filios*, quia cum esset unicus Patris sui[b], multos illi et absque invidia filios acquirere studuit, quos *non confunditur vocare fratres*[c], *ut sit ipse*

5 *primogenitus in multis fratribus*[d]. Iure autem praeponitur universis adoptatis per gratiam, is qui per naturam filius est. *Sicut malus inter ligna silvarum, sic dilectus meus inter filios.* Merito *sicut malus*, qui instar fructiferae arboris et umbram refrigerii habet, et fert fructum optimum. Annon

---

h. I Cor. 1, 25 ≠   i. Ps. 44, 3 ≠   j. I Cor. 12, 3. 9 ≠
5. a. Cant. 2, 3 ≠   b. Cf. Jn 1, 18   c. Hébr. 2, 11 ≠
d. Rom. 8, 29

seul et même homme, le Christ Jésus, les anges soutiennent la faiblesse et admirent la majesté. Puisque
l'épouse savoure avec plus de douceur l'abaissement de
l'Époux, c'est avec un plus grand plaisir qu'elle évoque
sa grâce, préfère sa miséricorde, admire sa complaisance.
Aussi a-t-elle mieux aimé admirer l'homme entre les
hommes, plutôt que Dieu entre les anges. Il l'emporte
comme «le pommier entre les arbres des forêts», et non
entre les plantes des jardins. L'épouse ne pense pas que
les louanges soient amoindries, si la bonté miséricordieuse
de l'Époux est exaltée par la considération de sa faiblesse.
Plus elle modère les louanges sous un certain aspect, plus
elle les amplifie sous un autre. Elle s'attache moins au
rang glorieux de l'Époux, afin de mettre en relief la complaisance de sa grâce. L'Apôtre dit que «la folie et la faiblesse de Dieu sont plus sages et plus fortes que les
hommes[h]», mais non que les anges; et le Prophète le
proclame «le plus beau des enfants des hommes[i]», non
pas le plus beau des anges. L'épouse dans ce passage
«parle certainement dans le même Esprit[j]». Sous la figure
d'un arbre fruitier comparé à ceux des forêts, elle a voulu
ici élever l'homme-Dieu au-dessus de toute la beauté des
hommes, mais non au-dessus de l'excellence des anges.

5. «Comme le pommier entre les arbres des forêts, tel
mon bien-aimé entre les fils[a].» C'est avec justesse qu'elle
dit : «entre les fils». Car, étant le Fils Unique de son Père[b],
il a voulu, sans aucune envie, lui acquérir une multitude
de fils. «Il ne rougit pas de les appeler frères[c], pour être
lui-même le premier-né d'une multitude de frères[d].» A bon
droit il est placé au-dessus de tous ceux qui ont été adoptés
par grâce, lui qui est fils par nature. «Comme le pommier
entre les arbres des forêts, tel mon bien-aimé entre les
fils.» C'est à juste titre qu'il est comparé au pommier,
puisqu'à l'exemple de cet arbre fruitier il donne à la fois
une ombre rafraîchissante et un fruit excellent. N'est-ce pas

10 vere fructiferum lignum eius, cuius *flores fructus honoris et honestatis* [e] ? Denique *lignum vitae est apprehendentibus eum* [f]. Non comparabuntur huic *omnia ligna silvarum* [g], quia, etsi sint arbores, arbores pulchrae et magnae, quae opem ferre videantur orando, ministrando, docendo,
15 exemplis iuvando, solus tamen *Dei sapientia Christus* [h] *lignum* est *vitae* [i], solus *panis vivus qui descendit de caelo, et dat vitam mundo* [j].

III. De umbra dilecti et dulci ipsius fructu, id est fide et contemplatione.

6. Ideo ait : *Sub umbra eius quem desideraveram sedi, et fructus eius dulcis gutturi meo* [a]. Merito eius desideraverat umbram, de quo et refrigerium esset, et refectionem pariter acceptura. Nam cetera quidem silvarum ligna, etsi
5 solatii umbram habent, sed non vitae refectionem, non *fructus* perpetuos *salutis* [b]. Unus est enim *vitae auctor* [c], *unus mediator Dei et hominum homo Christus Iesus* [d], qui dicit sponsae suae : *Salus tua ego sum* [e]. *Non Moyses*, inquit, *dedit vobis panem de caelo verum, sed Pater meus*
10 *dat vobis panem de caelo verum* [f]. Propterea ergo Christi potissimum desideraverat umbram, quod solus sit qui non solum ab aestu refrigerat vitiorum, sed et replet delectatione virtutum. *Sub umbra eius quem desideraveram sedi.* Umbra eius, caro eius; umbra eius, fides. Mariae obum-

---

e. Sir. 24, 23 ≠   f. Prov. 3, 18 ≠   g. Ps. 95, 12
h. I Cor. 1, 24 ≠   i. Gen. 2, 9 ≠   j. Jn 6, 51 ≠; Jn 6, 33
6. a. Cant. 2, 3 ≠   b. Sir. 1, 22 ≠   c. Act. 3, 15 ≠
d. I Tim. 2, 5 ≠   e. Ps. 34, 3   f. Jn 6, 32 ≠

---

1. * Le relatif *quam* de l'édition critique de *Vg* s'accorde avec *umbra,* c'est donc l'ombre qui est désirée. Quelques manuscrits et quelques Pères avaient écrit *quem,* qui renvoie à l'Époux – ce que commente Bernard. Les correctoires cités par l'édition critique montrent qu'il y avait controverse sur ce point au XIIIᵉ s. Le correctoire de la « Bible de S.-Jacques » mentionne « Bernard » comme témoin du *quem*.

vraiment un arbre fruitier, lui dont «les fleurs produisent des fruits d'honneur et de beauté[e]»? Car «c'est un arbre de vie pour ceux qui le saisissent[f]». «Les arbres des forêts dans leur ensemble[g]» ne peuvent lui être comparés, si beaux et si grands soient-ils, et quelle que soit l'utilité de leurs prières, de leur ministère, de leur enseignement, de leur exemple salutaire. Seul «le Christ, sagesse de Dieu[h]», est «l'arbre de vie[i]»; lui seul est «le pain vivant, qui descend du ciel et donne la vie au monde[j]».

III. L'ombre du bien-aimé et son doux fruit : la foi et la contemplation.

6. L'épouse dit donc : «A l'ombre de celui que j'avais désiré je me suis assise, et son fruit est doux à mon palais[a1].» A juste titre elle avait désiré l'ombre de celui dont elle devait recevoir à la fois fraîcheur et nourriture. Car les autres arbres des forêts, même s'ils offrent le soulagement de l'ombre, n'offrent cependant ni la nourriture de vie, ni «les fruits» éternels «du salut[b2]». Unique en effet est «l'auteur de la vie[c]», «unique le médiateur entre Dieu et les hommes, Jésus homme et Christ[d]», qui dit à son épouse : «Je suis ton salut[e].» «Ce n'est pas Moïse qui vous a donné le vrai pain du ciel; c'est mon Père qui vous le donne, le vrai pain du ciel[f].» Voilà pourquoi l'épouse avait désiré par-dessus tout l'ombre du Christ : parce qu'il est le seul qui, non seulement nous procure la fraîcheur contre l'ardeur des vices, mais encore nous comble de la joie des vertus. «A l'ombre de celui que j'avais désiré je me suis assise.» Son ombre, c'est sa chair; son ombre, c'est la foi. L'ombre qui couvrit Marie

---

2. Seul le pommier offre la nourriture de la vie et les fruits du salut. Les autres arbres offrent la fraîcheur (la consolation) de leurs prières, de leur ministère, de leur enseignement et de leur exemple.

15 bravit proprii Filii caro, mihi Domini fides. Quamquam
et mihi quoque quomodo non obumbrat caro, qui in
mysterio manduco eam? Et sancta nihilominus Virgo fidei
71 et ipsa experta est umbram, cui dictum est : *Et beata
quae credidisti* [g]. *Sub umbra eius quem desideraveram*
20 *sedi.* Et Propheta : *Spiritus,* inquit, *ante faciem nostram
Christus Dominus, in umbra eius vivimus inter gentes* [h].
In umbra in gentibus, in luce cum angelis. In umbra
sumus quamdiu *per fidem ambulamus, et non per
speciem* [i] : et ideo *iustus* in umbra, qui *ex fide vivit* [j]. At
25 qui vivit ex intellectu, beatus est, quia non in umbra iam,
sed in lumine. Iustus erat David, et ex fide vivebat, cum
dicebat Deo : *Da mihi intellectum, et vivam* [k], sciens suc-
cessurum fidei intellectum, intellectui revelandum *lumen
vitae* [l], et vitam lumini. Prius est venire ad umbram, et
30 ita ad id, cuius umbra est, pertransire, quoniam *nisi credideritis,* ait, *non intelligetis* [m].

7. Vides fidem et vitam esse, et vitae umbram. Nam e
regione vita in deliciis agens, quoniam non est ex fide, et
mors est, et umbra mortis. *Quae* enim, inquit, *vidua in
deliciis est, vivens mortua est* [a]. Denique *sapientia carnis
5 mors* [b]. Sed et mortis est umbra, illius scilicet quae cruciat
in aeternum. Sedimus et nos aliquando *in tenebrosis et
umbra mortis* [c], carnaliter conversantes et non *ex fide*

---

g. Lc 1, 45 ≠   h. Lam. 4, 20 (Patr.)   i. II Cor. 5, 7
j. Rom. 1, 17 ≠   k. Ps. 118, 144 ≠   l. Jn 8, 12 ≠
m. Is. 7, 9 (Patr.)

7. a. I Tim. 5, 6 ≠   b. Rom. 8, 6 ≠   c. Lc 1, 79 ≠

1. Pensée chère à Bernard. Cf. *SCt* 20, 7 (*SC* 431, 141); *SCt* 31, 9 (*SC*
431, 447). Marie a reçu le Verbe éternel sous l'ombre de la chair, sous
l'ombre de la foi. La chair et la foi révèlent le Fils de Dieu tout en
le cachant par un voile. Voir aussi : *SCt* 70, 7 (*SBO* II, 212, 13-16); *SCt*
72, 5 (*SBO* II, 228, 12-21).

2. * Pour ce texte *VI* qui va courir dans toute la fin du sermon, cf.
p. 181, n. 3 sur *Lam.* 4, 20 cité en *SCt* 40, 24 s., l. 24 s., p. 180.

fut la chair de son propre Fils[1]; celle qui me couvre est
la foi au Seigneur. Néanmoins, comment cette chair ne
me couvre-t-elle pas moi aussi de son ombre, puisque je
la mange dans le sacrement? Et la sainte Vierge elle-même
n'a pas moins expérimenté l'ombre de la foi, elle à qui
il fut dit : «Bienheureuse toi qui as cru[g].» «A l'ombre de
celui que j'avais désiré je me suis assise.» Et le Prophète
dit : «Le Christ Seigneur est Esprit devant notre face; à
son ombre nous vivons parmi les nations[h2].» Dans l'ombre
parmi les nations, dans la lumière avec les anges. Nous
sommes dans l'ombre tant que «nous marchons dans la
foi, et non dans la claire vision[i]». C'est pourquoi «le
juste» est dans l'ombre, lui qui «vit par la foi[j]». Mais
celui qui vit par l'intelligence est bienheureux, puisqu'il
n'est plus dans l'ombre, mais dans la lumière. David était
juste et vivait par la foi, lorsqu'il disait à Dieu : «Donne-
moi l'intelligence, et je vivrai[k].» Il savait que l'intelligence
devait succéder à la foi, que «la lumière de la vie[l]» serait
révélée à l'intelligence et la vie à la lumière. Il faut d'abord
venir à l'ombre, et passer ainsi à la réalité dont elle est
l'ombre. Car, dit l'Écriture, «si vous ne croyez pas, vous
n'aurez pas l'intelligence[m3]».

7. Tu vois que la foi est en même temps la vie et l'ombre
de la vie. En revanche, la vie qui s'écoule dans les plaisirs,
parce qu'elle ne provient pas de la foi, est en même temps
la mort et l'ombre de la mort. «La veuve qui vit dans les
plaisirs, dit l'Écriture, est une morte vivante[a].» Car «la sagesse
de la chair est la mort[b4]». Mais elle est aussi l'ombre de la
mort, de cette mort qui torture pour l'éternité. Nous aussi
jadis, «nous avons été assis dans les ténèbres et l'ombre de
la mort[c]», lorsque nous nous conduisions selon la chair et

---

3. * Cf. p. 145, n. 3 sur *Is.* 7, 9 cité en *SCt* 38, 2, l. 21, p. 144.
4. * Ici et en 4 autres lieux, Bernard remplace *prudentia, Vg,* par
sapientia. Cf. *SC* 390, 186, n. 1 sur *Miss* III, 7.

viventes[d], *mortui* iam quidem *iustitiae*[e], a *morte* vero
secunda[f] paulo minus absorbendi. Quantum etenim umbra
10 prope est corpori cuius est umbra, tantum pro certo *vita illa*
nostra inferno appropinquavit[g]. Denique *nisi quia Dominus*
adiuvit me, inquit, *paulo minus habitasset in inferno anima*
mea[h]. Nunc autem de umbra mortis ad vitae transivimus
umbram, magis autem *translati sumus de morte in vitam*[i],
15 in Christi umbra viventes, si tamen viventes, et non mortui.
Nec enim reor, continuo, ut quis in umbra eius fuerit, quod
vivat in ea, quia non plane omnis qui fidem habet, ex fide
vivit. Nam *fides sine operibus mortua est*[j], nec potest dare
vitam, quam ipsa minime habuerit. Ideo Propheta cum
20 dixisset : *Spiritus ante faciem nostram Christus Dominus*[k],
72   non contentus fuit sequi et dicere : «In umbra eius sumus»,
sed : *In umbra*, inquit, *eius vivimus inter gentes*[l]. Et tu ergo
vide ut vivas exemplo Prophetae in umbra eius, ut quandoque et regnes in lumine eius. Nec enim tantum umbram
25 habet : habet et lucem. Ipse per carnem umbra est fidei, ipse
intelligentiae lumen per spiritum. Et caro est enim, et spiritus. Caro in carne manentibus, *spiritus ante faciem nostram*,
id est in futuro, si tamen quae *retro sunt obliviscentes, ad ea*
quae ante sunt nosmetipsos extendimus[m], quo pervenientes
30 experiamur de verbo quod dixit : *Caro non prodest quidquam;*
spiritus est qui vivificat[n]. Nec ignoro, quod in carne adhuc
manens quis dixerit : *Etsi cognovimus Christum secundum*
carnem, sed nunc iam non novimus[o]. At hoc ille. Nos vero,
qui nondum in paradisum, nondum ad tertium caelum rapi[p]
35 meruimus, Christi interim carne pascamur, mysteria vene-

---

d. Rom. 1, 17 ≠   e. I Pierre 2, 24 ≠   f. Apoc. 20, 6 ≠
g. Ps. 87, 4 ≠   h. Ps. 93, 17 ≠   i. I Jn 3, 14   j. Jac. 2, 26
k. Lam. 4, 20 (Patr.)   l. Lam. 4, 20 (Patr.)   m. Phil. 3, 13 (Patr.)
n. Jn 6, 64 ≠   o. II Cor. 5, 16 ≠   p. Cf. II Cor. 12, 4. 2

---

1. * *Ad ea quae ante sunt :* Bernard cite souvent ainsi ce texte, contre
Vg, avec Augustin. Cf. *SC* 425, 79, n. 3 sur *Ep* 1, 9.

«ne vivions pas par la foi[d]». Déjà «morts à la justice[e]», il s'en fallait de peu que nous ne soyons engloutis par «la seconde mort[f]». Autant l'ombre est proche du corps dont elle est l'ombre, autant «la vie que nous menions nous a rapprochés de l'enfer[g]». Bref, «si le Seigneur ne m'avait secouru, est-il dit, mon âme aurait bientôt habité en enfer[h].» Mais maintenant nous sommes passés de l'ombre de la mort à l'ombre de la vie; ou plutôt «nous avons été transportés de la mort à la vie[i]», vivant à l'ombre du Christ – si toutefois nous sommes vivants et non pas morts. A mon sens, si quelqu'un se trouve à l'ombre du Christ, il ne s'ensuit pas qu'il en vive, car quiconque a la foi ne vit pas forcément de la foi. «La foi sans les œuvres est morte[j]» : elle ne peut donner la vie qu'elle ne possède pas elle-même. Aussi le Prophète, après avoir dit : «Le Christ Seigneur est Esprit devant notre face[k]», ne s'est-il pas contenté d'ajouter : «Nous sommes sous son ombre», mais il a dit : «A son ombre nous vivons parmi les nations[l].» Toi aussi, à l'exemple du Prophète, fais en sorte de vivre à son ombre, afin de régner un jour dans sa lumière. Car il n'a pas seulement l'ombre : il a aussi la lumière. Il est lui-même, par la chair, ombre pour la foi et, par l'esprit, lumière pour l'intelligence. Il est à la fois chair et esprit. Il est chair pour ceux qui demeurent dans la chair. «Il est Esprit devant notre face», c'est-à-dire dans l'avenir, pourvu que, «oubliant ce qui est derrière, nous tendions de tout notre être vers ce qui est en avant[m1]». Parvenus ainsi au but, nous ferons l'expérience de cette parole qu'il a dite : «La chair ne sert de rien; c'est l'esprit qui vivifie[n].» Je n'ignore pas qu'un homme demeurant encore dans la chair a dit : «Même si nous avons connu le Christ selon la chair, maintenant nous ne le connaissons plus ainsi[o].» Paul pouvait le dire. Mais nous, qui n'avons pas encore mérité d'être ravis au paradis et au troisième ciel[p], contentons-nous, en attendant, de nous nourrir de la chair du Christ, de vénérer

remur, exempla sectemur, fidem servemus, et vivimus profecto in umbra.

8. *In umbra eius quem desideraveram sedi*[a]. Fortassis
felicius aliquid ista expertam se glorietur in eo[b], quod se
in umbra dicit, non, ut Propheta, vivere, sed sedisse. Sedere
enim quiescere est. Plus est autem quiescere in umbra quam
5 vivere, sicut vivere plus est quam tantummodo esse in ea.
Igitur quod est commune multorum Propheta assumens sibi :
In umbra eius vivimus[c] inquit; sponsa vero habens praerogativam, etiam quod sub ea singulariter sederit, gloriatur.
Non enim ut ille pluraliter : *Vivimus*, ita et haec : «sedimus»
10 dixit, sed singulariter : «sedi», ut agnoscas praerogativam.
Ubi itaque nos cum labore vivimus, qui conscii peccatorum
sub timore servimus, ibi haec, devota et amans, suaviter
requiescit. Denique *timor poenam habet*[d], amor suavitatem.
Unde ait : *Et fructus eius dulcis gutturi meo*[e], gustum
15 contemplationis eius significans, quem obtinuerat per
amorem suaviter sublevata. At istud in umbra, quia *per speculum et in aenigmate*[f]. Eritque cum declinaverint umbrae[g],
crescente lumine, immo penitus disparuerint, et subintrabit
sicut perspicua, ita et perpetua visio, eritque non modo sua-
73 20 vitas gutturi, sed et satietas ventri, sine fastidio tamen : *Sub
umbra eius quem desideraveram sedi, et fructus eius dulcis
gutturi meo*. Nos quoque ubi sponsa pausat, pausemus
pariter, de sumpto gustu Patremfamilias glorificantes, qui
nos ad tales epulas invitavit, sponsum Ecclesiae, Iesum
25 Christum Dominum nostrum, *qui est super omnia Deus benedictus in saecula. Amen*[h].

---

8. a. Cant. 2, 3 ≠   b. Cf. I Cor. 1, 31   c. Lam. 4, 20
(Patr.)   d. I Jn 4, 18   e. Cant. 2, 3   f. I Cor. 13, 12 (Patr.)
g. Cf. Cant. 2, 17   h. Rom. 9, 5

---

1. La mystique christocentrique de Bernard ne se sépare jamais de
la pratique sacramentelle. Cette mystique reste parfaitement ecclésiale.
2. * Cf. p. 193, n. 3 sur *I Cor.* 13, 12 cité en *SCt* 41, 3, l. 10 s.,
p. 192.

ses mystères, de suivre ses exemples, de garder la foi[1]. Aussi vivons-nous à l'ombre.

8. «A l'ombre de celui que j'avais désiré je me suis assise[a].» Peut-être l'épouse se glorifie-t-elle d'avoir expérimenté un bonheur plus grand[b]. Car elle dit, non pas vivre à l'ombre, comme le Prophète, mais s'y être assise. S'asseoir, c'est se reposer. Or, se reposer à l'ombre est mieux que d'y vivre, comme y vivre est mieux que d'y être seulement. Ainsi le Prophète, prenant à son compte ce qui est commun à beaucoup, dit : «A son ombre nous vivons[c].» L'épouse, selon son privilège, se glorifie de s'y être assise, et même elle le dit au singulier. Car elle n'a pas dit au pluriel : «Nous sommes assis», comme le Prophète a dit : «Nous vivons.» Mais elle a dit au singulier : «Je me suis assise», pour que tu reconnaisses son privilège. Là où nous vivons dans la peine parce que, conscients de nos péchés, nous servons sous l'empire de la crainte, l'épouse, elle, remplie de ferveur et d'amour, se repose doucement. Car «la crainte implique le châtiment[d]»; l'amour, la douceur. De là vient qu'elle dit : «Et son fruit est doux à mon palais[e].» Elle désigne ainsi le goût de la contemplation de l'Époux qu'elle avait obtenue, doucement soulevée par l'amour. Mais cela se passe dans l'ombre, parce que «dans un miroir et en énigme[f2]». Un jour viendra où les ombres déclineront[g], tandis que croîtra la lumière, et même elles s'évanouiront complètement. Alors surviendra la vision, claire aussi bien qu'éternelle; et il y aura non seulement une douceur pour le palais, mais aussi le rassasiement de l'estomac, sans dégoût cependant. «A l'ombre de celui que j'avais désiré je me suis assise, et son fruit est doux à mon palais.» Nous aussi, reposons-nous là où l'épouse se repose, glorifiant de la saveur goûtée le Père de famille qui nous a invités à un tel festin. C'est lui l'Époux de l'Église, Jésus-Christ notre Seigneur, «qui est au-dessus de tout, Dieu béni dans les siècles. Amen[h]».

SERMO XLIX

I. De cella vinaria, quod haec sit primitiva Ecclesia vel zelus iustitiae fervens in anima ex Dei contemplatione. – II. Quod discretio sit caritatis ordinatio. – III. Quomodo quod iudicio praeponendum est, quandoque pro caritatis ordine sit postponendum, et quod ad maiora Dei lucra magis gaudendum sit. – IV. Qualiter ad ordinem caritatis proficiamus.

I. De cella vinaria, quod haec sit primitiva Ecclesia vel zelus iustitiae fervens in anima ex Dei contemplatione.

1. *Introduxit me rex in cellam vinariam, ordinavit in me caritatem*[a]. Ut quidem propositi capituli videtur sonare littera, habito pro votis dulci admodum familiarique colloquio cum dilecto, illo abeunte, sponsa regreditur ad adolescentulas, aspectu ita ipsius affatuque refecta atque accensa, quatenus ebriae similis appareret. Et quasi illis stupentibus novitatem et quaerentibus causam, respondit mirum minime esse, si vino aestuaret, quae in cellam vinariam introisset. Et secundum litteram ita. Secundum spiritum quoque non negat ebriam, sed amore, non vino, nisi quod amor vinum est. *Introduxit*

1. a. Cant. 2, 4 ≠

1. * Comme il le fait ici, Bernard ajoute toujours *Rex* au texte *Vg.* Bien des causes peuvent avoir joué : la similitude avec *Cant.* 1, 3 ; les

SERMON 49

I. Le cellier du vin, c'est-à-dire la primitive église ou le zèle de la justice qui brûle dans l'âme par la contemplation de Dieu. – II. Le discernement consiste dans l'ordonnance de la charité. – III. Ce qui selon le jugement doit être placé en premier lieu, doit parfois selon l'ordre de la charité être placé en second lieu. Il faut se réjouir davantage de ce qui procure la plus grande gloire de Dieu. – IV. Comment pouvons-nous progresser vers la charité ordonnée.

I. Le cellier du vin, c'est-à-dire la primitive église ou le zèle de la justice qui brûle dans l'âme par la contemplation de Dieu.

1. «Le roi m'a introduite dans le cellier du vin, il a ordonné en moi la charité[a1].» Voici quel est à mon avis le sens littéral de ce passage. L'épouse a eu, selon ses désirs, un entretien très doux et très familier avec son bien-aimé. Tandis que celui-ci s'éloigne, elle revient vers les jeunes filles. Elle a été réconfortée et enflammée par la vue et par les paroles de l'Époux, à tel point qu'elle ressemble à une femme ivre. Et comme si ses compagnes, étonnées de cette nouveauté, lui en demandaient la cause, elle répond qu'il n'est pas du tout étonnant qu'elle soit échauffée par le vin, puisqu'elle est entrée dans le cellier du vin. Voilà le sens littéral. Au sens spirituel aussi l'épouse ne nie pas être ivre, mais d'amour, non de vin, si ce n'est que l'amour est un vin. «Le roi m'a

nombreux mss de *Vg* qui ont cette variante; mais aussi l'antienne *Nigra sum* du commun des fêtes de la Vierge et du commun des vierges et des non-vierges.

me rex in cellam vinariam. Quando praesens est
sponsus et sponsa ad ipsum sermonem dirigit, tunc
«sponsus» dicitur aut «dilectus», aut «quem diligit
15 anima mea», inquit; loquens vero de ipso adolescentulis,
«regem» nominat. Ut quid hoc? Propterea credo, quia et
sponsae amanti atque dilectae conveniat uti familiarius,
quod ad se est, amoris nominibus, et adolescentulis,
tamquam disciplina indigentibus, opus sit reverendo
20 premi vocabulo maiestatis.

74   **2.** *Introduxit me rex in cellam vinariam*[a]. Quaenam
ista sit cella vinaria, praetereo dicere, quia dixisse me
recolo. Tamen si ad Ecclesiam referatur sermo, cum, *repleti
Spiritu Sancto*[b], discipuli musto ebrii a populo putarentur[c],
5 tunc tamquam *amicus sponsi*[d] pro sponsa *stans Petrus
in medio* eorum[e] : *Non*, inquit, *sicut vos aestimatis, hi
ebrii sunt*[f]. Attende interim, quod non omnimodo ebrios,
sed ebrios sicut ab illis aestimati sunt, denegavit. Erant
enim ebrii, sed Spiritu Sancto, non musto. Et quasi tes-
10 tificarentur ad plebem, revera se in cellam fuisse vinariam
introductos, rursum Petrus pro omnibus :
Sed hoc est, ait, *quod dictum est per prophetam Ioel : Et
erit in novissimis diebus, dicit Dominus, effundam de
Spiritu meo super omnem carnem, et prophetabunt filii
15 vestri et filiae vestrae, iuvenes vestri visiones videbunt,
et senes vestri somnia somniabunt*[g]. Annon tibi videtur
cella fuisse vinaria illa domus, in qua erant discipuli
pariter congregati[h], cum *factus est repente de caelo sonus,*

---

2. a. Cant. 2, 4 ≠   b. Act. 2, 4 ≠   c. Cf. Act. 2, 13
d. Jn 3, 29   e. Act. 2, 14 ≠; cf. Act. 1, 15   f. Act. 2, 15
g. Act. 2, 16-17 ≠   h. Cf. Jn 20, 19

---

1. Pour Bernard, comme pour Origène et Guillaume de Saint-Thierry,
le cellier de vin est le symbole de la rencontre humano-divine, symbole
de l'unité spirituelle. Origène, *Comm. in Cant.* III 6 (*SC* 376, 540-545).
Guill. de S.-Th., *Exp. super Cant.* 114-122 (*SC* 82, 250-267). Cf. aussi
Sent. III 123 (*SBO* VI-2, 233-236).

introduite dans le cellier du vin[1].» Lorsque l'Époux est présent et que l'épouse lui adresse la parole, elle l'appelle «Époux» ou «bien-aimé», ou «celui qu'aime mon âme». Mais parlant de lui aux jeunes filles, elle le nomme «roi». Pourquoi cela? C'est, je pense, qu'il sied à l'épouse aimante et aimée d'employer familièrement des noms d'amour, en ce qui la concerne. Quant aux jeunes filles, qui ont besoin de discipline, il convient que la majesté du nom leur inspire du respect et de la retenue.

2. «Le roi m'a introduite dans le cellier du vin[a].» Je m'abstiens de dire quel est ce cellier du vin, car je me rappelle l'avoir déjà dit[2]. Appliquons néanmoins ces paroles à l'Église. Lorsque les disciples, «remplis de l'Esprit-Saint[b]», étaient considérés par le peuple comme ivres de vin doux[c], «Pierre», en sa qualité d'«ami de l'Époux[d]», se leva au milieu» d'eux[e] et plaida pour l'épouse: «Non, dit-il, ces gens ne sont pas ivres, comme vous le supposez[f].» Remarque bien qu'il ne nie pas qu'ils soient ivres, mais qu'ils le soient de la manière que supposait la foule. Ils étaient ivres en effet, mais de l'Esprit-Saint, non pas de vin doux. Puis, comme pour attester devant le peuple qu'ils avaient été réellement introduits dans le cellier du vin, Pierre plaide encore pour tous en ces termes: «C'est bien ce qui a été annoncé par le prophète Joël: Il arrivera dans les derniers jours, dit le Seigneur, que je répandrai de mon Esprit sur toute chair. Vos fils et vos filles seront prophètes, vos jeunes gens auront des visions et vos vieillards auront des songes[g][3].» A ton avis, n'était-ce pas un cellier du vin que cette maison où les disciples étaient rassemblés[h]? Alors, «il y eut soudain un bruit venant du ciel, comme d'un vent

2. Cf. *SC* 431, 208, n. 2 sur *SCt* 23, 5.

3. Bernard cite *Act.* 2, 16 avec la version du texte du prophète Joël telle que la transmettent les *Actes*.

tamquam advenientis spiritus vehementis, et replevit totam
20 *domum, ubi erant sedentes* [i], adimplevitque prophetiam
Ioel? Et nonne unusquisque illorum exiens *inebriatus ab*
ubertate domus illius, et torrente voluptatis tantae potatus [j],
dicere merito quibat quoniam *introduxit me rex in cellam*
vinariam?

3. Sed et tu quoque, si collecto tuo spiritu, mente
sobria et vacua curis, *orationis domum* [a] solus introeas,
et stans coram Domino ad unum aliquod de altaribus,
caeli ianuam tangas sancti desiderii manu, et praesentatus
5 choris sanctorum, tua penetrante devotione – siquidem
oratio iusti penetrat caelos [b] –, in ipsorum praesentia mise-
randus deplores miserias et calamitates quas pateris, crebris
suspiriis et *gemitibus inenarrabilibus* [c] prodas necessitatem, flagites pietatem; si, inquam, hoc egeris, confido
10 in eo qui dixit : *Petite, et accipietis* [d], quia *si persevera-*
veris pulsans, non exibis vacuus [e]. Verum cum te nobis
reddideris plenum gratia et caritate [f], non poteris *spiritu*
fervens [g] dissimulare munus acceptum, quod *sine invidia*
communicabis [h], erisque omnibus in *gratia, quae data est*
15 *tibi* [i], non modo gratus, sed fortassis etiam admirandus,
75 poteris et ipse veraciter protestari, quia *introduxit me rex*
in cellam vinariam [j]; tantum cautus esto, non in te, sed
in Domino gloriari [k]. Nec omne donum, quamvis spirituale, prodire dixerim de cella vinaria, cum sint et aliae
20 penes sponsum cellae vel apothecae, diversa in se
recondita habentes dona atque charismata, *secundum*
divitias gloriae eius [l] : de quibus cellis memini me alibi
latius disputasse. *Nonne haec condita sunt*, inquit, *apud*

---

i. Act. 2, 2   j. Ps. 35, 9 ≠
3. a. Matth. 21, 13 ≠   b. Sir. 35, 21 (Patr.)   c. Rom. 8, 26
d. Jn 16, 24   e. Lc 11, 8 ≠   f. Cf. Jn 1, 14   g. Rom. 12,
11 ≠   h. Sag. 7, 13 ≠   i. Rom. 12, 3 ≠   j. Cant. 2, 4 ≠
k. I Cor. 1, 31 ≠   l. Éphés. 3, 16 ≠

qui soufflait violemment. Il remplit toute la maison où ils étaient assis[i]», accomplissant la prophétie de Joël. Chacun des disciples, sortant «enivré de l'opulence de cette maison, et abreuvé au torrent de délices si intenses[j]», ne pouvait-il pas dire à bon droit : «Le roi m'a introduit dans le cellier du vin»?

3. Toi aussi, si tu entres seul dans «la maison de prière[a]», l'esprit recueilli, l'âme clairvoyante et libre de soucis; si, debout devant le Seigneur près de quelque autel, tu frappes à la porte du ciel avec la main d'un saint désir; si, présenté aux chœurs des saints par ta ferveur pénétrante – car «la prière du juste pénètre les cieux[b1]» –, tu pleures en leur présence tes souffrances et tes malheurs; si, par de fréquents soupirs et «des gémissements ineffables[c]», tu exposes ton indigence et implores pitié; si, dis-je, tu fais cela, j'ai confiance en celui qui a dit : «Demandez et vous recevrez[d].» Car «si tu persévères à frapper», tu ne partiras pas les mains vides[e]. Mais lorsque tu nous reviendras plein de grâce et de charité[f], «dans la ferveur de l'esprit[g]» tu ne pourras pas cacher le don reçu : «tu nous en feras part sans envie[h]». Par «la grâce qui t'a été accordée[i]», non seulement tu trouveras grâce aux yeux de tous, mais peut-être éveilleras-tu aussi l'admiration. Tu pourras alors déclarer en vérité : «Le roi m'a introduit dans le cellier du vin[j].» Prends garde seulement de ne pas «te glorifier» en toi-même, mais «dans le Seigneur[k]». Je ne dirai pas pourtant que tout don, même spirituel, provient du cellier à vin. Car il y a chez l'Époux d'autres celliers et d'autres resserres, où sont enfermés divers dons et charismes, «selon les richesses de sa gloire[l]». De ces celliers je me rappelle vous avoir longuement entretenus ailleurs[2]. «Ces biens, dit le Seigneur, ne sont-ils pas gardés auprès de moi, et scellés

---

1. * Cf. p. 88, n. 1 sur *Sir.* 35, 21 cité en *SCt* 35, 3, l. 4 s.
2. *SCt* 23, 5 à 8 (*SC* 431, 208-217).

me, et signata in thesauris meis [m] *?* Ergo pro diversitate
25 cellarum, *divisiones gratiarum sunt* [n], et *unicuique mani-
festatur Spiritus ad utilitatem* [o]. Et quamquam *alii quidem
detur sermo sapientiae, alii autem sermo scientiae, alii
vero prophetia, alii gratia curationum, alii genera linguarum, alii interpretatio sermonum* [p], aliaque aliis his
30 similia, non tamen quis horum pro huiusmodi dicere
poterit, quod fuerit introductus in cellam vinariam. Ex
aliis quippe cellis sive thesauris ista sumuntur.

4. Sed si quis orando obtineat *mente excedere* [a] in id
divini arcani, unde mox redeat divino amore vehemen-
tissime flagrans et aestuans iustitiae zelo, necnon et in
cunctis spiritualibus studiis atque officiis pernimium
5 fervens, ita ut possit dicere : *Concaluit cor meum intra
me, et in meditatione mea exardescet ignis* [b], is plane,
cum ex caritatis abundantia bonam et salutarem vini laetitiae ructare crapulam coeperit, in cellam non immerito
perhibetur vinariam introisse. Cum enim duo sint beatae
10 contemplationis excessus, in intellectu unus et alter in
affectu, unus in lumine, alter in fervore, unus in agnitione, alter in devotione, pius sane affectus, et pectus
amore calens, et sanctae devotionis infusio, etiam et
vehemens spiritus [c] repletus zelo, non plane aliunde quam
15 e cella vinaria reportantur; et cuicumque cum horum
copia surgere ab oratione donatur, potest in veritate loqui
quia *introduxit me rex in cellam vinariam* [d].

---

m. Deut. 32, 34   n. I Cor. 12, 4   o. I Cor. 12, 7 ≠
p. I Cor. 12, 8-10 ≠
4. a. II Cor. 5, 13 ≠   b. Ps. 38, 4   c. Ps. 47, 8 ≠
d. Cant. 2, 4 ≠

---

1. Dans les paragraphes 2 à 4 Bernard décrit l'ivresse spirituelle, qu'il
avait déjà mentionnée dans *SCt* 7, 3 (cf. *SC* 414, 160, n. 1). Bernard
emploie l'expression classique *sobria ebrietas*, «sobre ivresse» dans
Dil 11, 33 (cf. *SC* 393, 144, n. 1). Pour l'histoire de cette expression
depuis Platon jusqu'à Isaac de l'Étoile, cf. *SC* 130, 336-337. Voir aussi :

dans mes trésors[m]?» Ainsi aux divers celliers «correspond
la répartition des grâces[n]», et «l'Esprit se manifeste à chacun
en vue de son bien[o]». «A l'un est donnée une parole de
sagesse, à l'autre une parole de science; à tel autre, la prophétie; à tel autre, le don de guérir; à un autre, les diver-
sités des langues, à tel autre, le don d'interpréter les
paroles[p]»; à d'autres, d'autres grâces semblables. Pourtant,
nul d'entre ceux qui ont reçu de telles grâces ne pourra
dire qu'il a été introduit dans le cellier du vin. Car elles
sont tirées des autres celliers ou des autres trésors.

4. Mais si quelqu'un obtient par la prière «d'être ravi en
esprit[a]» dans le secret de Dieu, d'où il revient ensuite tout
embrasé du divin amour, tout brûlant du zèle de la justice,
animé d'une extrême ferveur dans toutes les pratiques et
les tâches spirituelles, si bien qu'il puisse dire : «Mon cœur
s'est échauffé en moi-même, et dans ma méditation le feu
va s'allumer[b]»; on affirme non sans raison que cet homme-
là est entré dans le cellier du vin. Car, gorgé d'une abondante charité, il commence à répandre l'excès bon et salutaire du vin de la joie. Il y a deux sortes de ravissement
dans la contemplation bienheureuse : l'un se produit dans
l'intelligence, l'autre dans le sentiment; l'un dans la lumière,
l'autre dans la ferveur; l'un dans la connaissance, l'autre
dans la dévotion. Or, le sentiment fervent, le cœur brûlant
d'amour, l'infusion d'une sainte dévotion, et aussi «l'esprit
ardent[c]» rempli de zèle, ne peuvent venir d'ailleurs que
du cellier à vin[1]. Quiconque sort de l'oraison comblé de
ces dons peut dire en vérité : «Le roi m'a introduit dans
le cellier du vin[d].»

GUILL. DE S.-TH., *Exp. super Cant.* 130 (*SC* 82, 276). Cf. l'hymne *Splendor
paternae gloriae* d'Ambroise (passée au bréviaire), dont voici la sixième
strophe : *Laeti bibamus sobriam ebrietatem Spiritus,* «Buvons avec joie
la sobre ivresse de l'Esprit.»

II. Quod discretio sit caritatis ordinatio.

5. Sequitur : *Ordinavit in me caritatem*[a]. Omnino necessarie. Importabilis siquidem absque scientia est zelus[b].
Ubi ergo vehemens aemulatio, ibi maxime discretio necessaria, quae est ordinatio caritatis. Semper quidem zelus
5 minus absque scientia efficax, minusque utilis invenitur;
76 plerumque autem et perniciosus valde sentitur. Quo igitur
zelus fervidior ac *vehementior spiritus*[c], profusiorque
caritas, eo vigilantiori opus scientia est, quae zelum sup-
primat, spiritum temperet, ordinet caritatem. Proinde sane
10 ne tamquam nimia et importabilis pro impetu spiritus,
quem e cella videtur vinaria reportasse, praesertim ab
adolescentulis sponsa timeatur, iungit quod discretionis
est etiam se pariter accepisse, id est ordinem caritatis.
Discretio quippe omni virtuti ponit ordinem, ordo modum
15 tribuit et decorem, etiam et perpetuitatem. Denique ait :
Ordinatione tua perseverat dies[d], « diem » virtutem
appellans. Est ergo discretio non tam virtus, quam
quaedam moderatrix et auriga virtutum, ordinatrixque
affectuum, et morum doctrix. Tolle hanc, et virtus vitium
20 erit, ipsaque affectio naturalis in perturbationem magis
convertetur exterminiumque naturae. *Ordinavit in me caritatem*. Factum est autem hoc, cum in Ecclesia *quosdam
quidem dedit apostolos, quosdam autem prophetas, alios
vero evangelistas, alios pastores et doctores ad consum-*

---

5. a. Cant. 2, 4   b. Cf. Rom. 10, 2 (Patr.)   c. Ps. 47, 8 ≠
d. Ps. 118, 91

1. * *Zelus... aemulatio... zelus... (ter),* « le zèle... l'ardeur... » Ici, Bernard
mêle à profusion, voire à dessein, *zelus, Vl,* fréquent chez les Pères,
et *aemulatio, Vg;* c'est le seul lieu dans les *SBO.* Cf. *Ep* 88, 2
(*SBO* VII, 233, 6).

2. Commentaire classique sur la discrétion bénédictine *RB* 64, 19
(*SC* 182, 652-653). Bernard va souligner surtout la nécessité de la discrétion sur le plan ecclésial.

II. Le discernement consiste dans l'ordonnance de la charité.

5. Il est dit ensuite : «Il a ordonné en moi la charité[a].» C'est chose absolument nécessaire. Car le zèle sans la science est insupportable[b]. Là où l'ardeur[1] est véhémente, là surtout est nécessaire le discernement, qui est l'ordonnance de la charité[2]. Le zèle sans la science se révèle toujours moins efficace et moins utile ; la plupart du temps, il est même ressenti comme très pernicieux. Plus le zèle est fervent, «l'esprit ardent[c]» et la charité généreuse, plus il est besoin qu'une science très vigilante[3] réprime le zèle, modère l'esprit, ordonne la charité. Les jeunes filles surtout peuvent craindre que l'épouse ne devienne excessive et insupportable, à cause de l'élan spirituel qu'elle a visiblement ramené du cellier à vin. C'est pourquoi l'épouse ajoute qu'elle y a aussi reçu le discernement, c'est-à-dire l'ordre dans la charité. Le discernement met l'ordre dans toute vertu, l'ordre produit la mesure et la beauté, et même la pérennité. Aussi est-il écrit : «C'est par ton ordonnance que subsiste le jour[d].» L'Écriture appelle «jour» la vertu. Le discernement est donc moins une vertu qu'un modérateur et un conducteur des vertus, un ordonnateur des sentiments et un instructeur des comportements. Ote-le, et la vertu sera vice ; l'affection naturelle elle-même se changera en désordre et en corruption de la nature. «Il a ordonné en moi la charité.» Cela s'est accompli, lorsque dans l'Église «il a donné aux uns d'être apôtres, à d'autres d'être prophètes, ou encore évangélistes, ou bien pasteurs et docteurs pour

---

3. *Vigilantiori opus scientia est...,* «plus il est besoin qu'une science très vigilante...». Bernard insiste sur le fait que la sagesse et la science doivent aller ensemble et qu'elles se corrigent mutuellement. Il décrit ainsi le programme de l'humanisme chrétien.

25 *mationem sanctorum*[e]. Oportet autem ut hos una omnes
caritas liget et contemperet in unitatem corporis Christi[f] :
quod minime omnino facere poterit, si ipsa non fuerit
ordinata. Nam si suo quisque feratur impetu secundum
spiritum[g] quem accepit, et ad quaeque volet indifferenter,
30 prout afficitur, et non rationis iudicio convolaverit, dum
et sibi assignato officio nemo contentus erit, sed omnes
omnia indiscreta administratione pariter attentabunt, non
plane unitas erit, sed magis confusio.

III. Quomodo quod iudicio praeponendum est, quandoque pro caritatis ordine sit postponendum, et quod ad maiora Dei lucra magis gaudendum sit.

6. *Ordinavit in me caritatem*[a]. Utinam et in me
Dominus Iesus tantillum ordinet caritatis quod dedit, ut
sic mihi curae sint universa quae sunt ipsius, ut tamen
quod mei potissimum propositi seu officii esse constiterit,
5 ante omnia curem; sed sane ita id prius, ut tamen ad
multa, quae mihi specialiter non attinent, afficiar amplius.
Non enim semper quod prius curandum, id etiam diligendum amplius erit, cum saepe quod prius est ad sol-
licitudinem, minus sit *ad utilitatem*[b], ac per hoc minus
10 esse oporteat et in affectu. Frequenter proinde quod pro
iniuncto praeponitur, de iudicio posthabetur, et quod
veritas iudicat praeponendum, id carius amplectendum
ordo postulat caritatis. Nonne, verbi gratia, ex iniuncto
incumbit mihi cura omnium vestrum? Iam quidquid huic
77 15 forte praetulero operi, quominus ipsi invigilem digne et

---

e. Éphés. 4, 11-12 ≠   f. Cf. Éphés. 4, 12-13   g. Cf. Éz. 1, 12
6. a. Cant. 2, 4   b. I Cor. 12, 7

le perfectionnement des saints[e]». Il faut que l'unique charité les lie tous ensemble et les harmonise dans l'unité du corps du Christ[f]. Mais elle ne pourra nullement le faire, si elle n'a été elle-même ordonnée. Si chacun se laisse emporter par son propre élan selon l'esprit[g] qu'il a reçu, et s'il se précipite vers toutes les tâches indistinctement, selon ce qu'il ressent et non selon le jugement de la raison, il n'y aura certes pas unité, mais plutôt confusion. Car personne ne se contentera de la tâche qui lui a été assignée, mais tous mettront la main à tout à cause d'une gestion sans discernement.

III. Ce qui selon le jugement doit être placé en premier lieu, doit parfois selon l'ordre de la charité être placé en second lieu. Il faut se réjouir davantage de ce qui procure la plus grande gloire de Dieu.

6. «Il a ordonné en moi la charité[a].» Puisse en moi aussi le Seigneur Jésus ordonner le peu de charité qu'il m'a donné, afin que, me souciant de tout ce qui lui tient à cœur, je me soucie d'abord de mon devoir et de ma tâche spécifiques. Cela aura la priorité. Pourtant, je me laisserai davantage toucher par bien des choses qui ne m'incombent pas spécialement. Car l'objet premier de nos soucis n'est pas toujours ce que nous devons aimer davantage. Souvent ce qui réclame nos soins en priorité n'est pas «le plus utile[b]», et doit donc être moins important aussi dans notre affection. Bien des fois ce que le devoir d'obéissance place en premier lieu, le jugement le met en second lieu. Or, ce que la vérité tient pour prioritaire, l'ordre de la charité exige que nous l'embrassions avec plus d'amour. Par exemple, le souci de vous tous ne m'incombe-t-il pas par devoir d'obéissance? Tout ce que je préférerais à cette œuvre et qui m'empêcherait de m'y appliquer pleinement

utiliter pro viribus exsequendo, etsi ex caritate fortassis id facere videar, ordinis tamen ratio non consentit. Quod si ante omnia quidem, ut debeo, huic intendo curae, non autem magis ad maiora gaudeo Dei lucra quae per alterum
20 fieri forte comperero, patet me ordinem caritatis ex parte tenere, ex parte nequaquam. Si vero me et ad id amplius, quod specialius incumbit, sollicitum, et nihilominus ad illud, quod maius est, magis affectum exhibeam, utrobique profecto invenior caritatis ordinem assecutus, et non
25 est cur dicere non possim etiam ipse, quia *ordinavit in me caritatem.*

7. Si autem dicas difficile quemquam plus alieno gaudere magno bono quam proprio parvo, advertes certe vel ex hoc excellentiam gratiae apud sponsam, et quam non cuilibet animae dicere sit, quia *ordinavit in me cari-*
5 *tatem* [a]. Quare facies deciderunt quorumdam vestrum modo ad hunc sermonem? Nam alta suspiria testantur tristitiam animorum conscientiarumque deiectionem. Nimirum *metientes nosmetipsos nobis* [b], sentimus aliqui nostrum, pro nostrae imperfectionis experientia, quam rara
10 virtus sit alienae non invidere virtuti, nedum gaudere ad illam, nedum etiam tanto plus quam ad propriam quemque gratulari, quanto se perpenderit in virtute superatum. *Adhuc modicum lumen in nobis est* [c], fratres, quotquot de nobis ita sentimus.

IV. Qualiter ad ordinem caritatis proficiamus.

15 *Ambulemus dum lucem habemus, ne tenebrae nos comprehendant* [d]. Ambulare, proficere est. Ambulabat

---

7. a. Cant. 2, 4   b. II Cor. 10, 12 ≠   c. Jn 12, 35 ≠
d. Jn 12, 35 ≠

et efficacement selon mes forces, même si je semblais agir par charité, ne serait pas compatible avec les exigences de l'ordre. Mais si je me dévoue avant tout à ce souci, comme je le dois, sans toutefois me réjouir davantage des gains plus grands qu'un autre – je l'entends dire – réalise pour Dieu, il est clair que j'observe en partie l'ordre de la charité, et qu'en partie je l'enfreins. En revanche, si je me montre davantage soucieux de ce qui m'incombe plus spécialement, et néanmoins davantage touché par ce qui est plus grand, on peut certes dire que je me conforme à l'ordre de la charité de part et d'autre. Alors, rien ne m'empêche plus de dire moi aussi : «Il a ordonné en moi la charité.»

7. Tu me diras qu'il est difficile de se réjouir du grand bien que fait un autre plus que du maigre bien que l'on fait soi-même. Tu peux voir rien qu'à cela qu'une grâce éminente a été accordée à l'épouse, et qu'il n'appartient pas à n'importe quelle âme de dire : «Il a ordonné en moi la charité[a].» Pourquoi les visages de plusieurs d'entre vous se sont-ils à l'instant assombris à ces paroles? De profonds soupirs témoignent de la tristesse de vos esprits et du découragement de vos consciences. Oui, «lorsque nous nous mesurons nous-mêmes à notre mesure[b]», nous sommes quelques-uns à reconnaître, par l'expérience de notre imperfection, combien rare est la vertu de ne pas envier la vertu d'un autre, mais d'aller jusqu'à s'en réjouir, et même à s'en féliciter d'autant plus qu'on se juge soi-même surpassé en vertu. «Il y a encore quelque lumière en nous[c]», frères, autant que nous sommes à reconnaître en nous ces sentiments.

IV. Comment pouvons-nous progresser vers la charité ordonnée.

«Marchons tant que nous avons la lumière, de peur que les ténèbres ne nous surprennent[d].» Marcher, c'est

Apostolus, qui dicebat : *Non arbitror me comprehendisse*[e] ;
et addidit : *Unum autem, quae retro sunt obliviscens, ad
ea quae ante sunt me extendo*[f]. Quid est : *Unum autem?*
20 *Unum autem*, inquit, quasi remansit mihi ad remedium,
ad spem, ad consolationem. Quid illud? *Quae retro sunt*
videlicet *obliviscens, ad ea quae ante sunt me extendo*.
Magna fiducia, quod magnum *electionis Vas*[g], perfectum
abnuens, profectum fatetur! Ergo non ambulantem, sed
25 sedentem a mortis tenebris[h] comprehendi periculum est.
Et quis sedens, nisi qui non curat proficere? Id caveto,
et *si morte praeoccupatus fueris, in refrigerio eris*[i]. Dices
Deo : *Imperfectum meum viderunt oculi tui. Et in libro
tuo* nihilominus, inquit, *omnes scribentur*[j]. Qui omnes?
78 30 Profecto qui in desiderio proficiendi inveniuntur. Sequitur
enim : *Dies formabuntur, et nemo in eis*[k], subaudis :
peribit. Dies proficientes intellige, qui si morte praeoccupati fuerint, in eo quod eis deest perficiendi sunt. Formabuntur, et nemo in eis informis relinquitur.

8. «Et quomodo», ais, «ego proficere possum, qui fratri
proficienti invideo?» Si doles quod invides, sentis, sed
non consentis. Passio est quandoque sananda, non actio
condemnanda. Tantum non illic resideas, *iniquitatem
5 meditans in cubili tuo*[a], qualiter videlicet foveas morbum,
satisfacias pesti, persequaris insontem, bene ab illo gesta

---

e. Phil. 3, 13 ≠   f. Phil. 3, 13 (Patr.)   g. Act. 9, 15 ≠
h. Cf. Lc 1, 79   i. Sag. 4, 7 ≠   j. Ps. 138, 16   k. Ps. 138, 16 ≠
8. a. Ps. 35, 5 ≠

---

1. * Cf. p. 324, n. 1 sur *Phil.* 3, 13 cité en *SCt* 48, 7, l. 29 s.

2. *refrigerio*, «lieu de rafraîchissement». Terme employé en latin
chrétien pour désigner soit le lieu de repos où l'âme séjourne après la
mort, soit le banquet funéraire célébré près de la tombe. Cf. Ph. ROUILLARD,
art. «*Refrigerium*», *Catholicisme* 12 (1990), p. 641-642.

faire des progrès. L'Apôtre marchait, lui qui disait : «Je ne pense pas avoir atteint mon but[e 1].» Et il a ajouté : «Une seule chose : oubliant ce qui est en arrière, je suis tendu vers l'avant[f].» Que veut-il dire par : «Une seule chose»? «Une seule chose», dit-il, m'est restée, qui est pour moi remède, espérance, consolation. Mais laquelle? C'est qu'«oubliant ce qui est en arrière, je suis tendu vers l'avant.» Voici un grand motif de confiance : «le Vase d'élection[g]», refusant de s'attribuer la perfection, reconnaît qu'il fait des progrès! Le danger d'être surpris par les ténèbres de la mort ne menace pas celui qui marche, mais celui qui est assis[h]. Et qui est assis, sinon celui qui ne se soucie pas de progresser? Garde-toi de cela, et «si tu es surpris par la mort, tu seras dans le lieu du rafraîchissement[i 2]». Tu diras à Dieu : «Tes yeux ont vu mon imperfection. Et pourtant, tous seront inscrits dans ton livre[j].» Qui, tous? Assurément, ceux que Dieu trouve dans le désir de progresser. Car le texte continue ainsi : «Les jours seront formés, et nul d'entre eux[k]», sous-entendu : ne périra. Entends par jours les hommes qui progressent. S'ils sont surpris par la mort, ils sont destinés à recevoir la perfection qui leur manque. Ils seront formés, et nul d'entre eux n'est laissé informe.

8. «Mais, diras-tu, comment puis-je progresser, moi qui envie les progrès de mon frère[3]?» Si tu t'affliges de cette envie, tu la ressens, mais tu n'y consens pas. C'est une passion dont tu souffres, et qui sera guérie un jour; ce n'est pas une action qui sera condamnée. Seulement, ne t'y installe pas, «en méditant l'iniquité sur ta couche[a]». Ne te demande pas comment entretenir ta maladie, assouvir cette peste. Ne pense pas comment persécuter

---

3. «Moi qui envie les progrès de mon frère». Bernard parle souvent de cette envie qui arrête le moine dans sa course vers la perfection. Cf. *SCt* 24, 2, l. 13-16, *SC* 431, 240.

calumniando, deprimendo, pervertendo, atque impediendo
gerenda. Alioquin non nocet ambulanti et extendenti se
ad meliora[b], quod iam *non ipse operatur, sed quod habitat*
10 *in eo peccatum*[c]. *Non est* ergo *damnatio illi qui non* dat
membra sua iniquitati[d], non linguam ad detrahendum,
non quidquam reliqui corporis ad laedendum nocendumve
aliquo modo; magis autem confunditur sic se esse male
affectum, et inolitum ex longo vitium confitendo, flendo,
15 orando, conatur expellere; et cum non praevalet, mitior
inde ad omnes, apud se humilior invenitur. Quis sanum
sapiens hominem damnet, qui a Domino *didicit mitis esse*
et humilis corde[e]? Absit ut inveniatur expers salutis imitator Salvatoris, sponsi Ecclesiae, Domini nostri, *qui est*
20 *Deus benedictus in saecula. Amen*[f].

---

b. Cf. Phil. 3, 13   c. Rom. 7, 20 ≠   d. Rom. 8, 1 ≠; Rom.
6, 13 ≠   e. Matth. 11, 29 ≠   f. Rom. 9, 5 ≠

l'innocent, en calomniant ses bonnes actions, les dépréciant, les dénigrant, les empêchant. D'ailleurs, l'envie ne nuit pas à celui qui marche tout tendu vers le désir d'une vie meilleure[b], car «ce n'est plus lui qui la produit, mais le péché qui habite en lui[c]». «Plus de condamnation pour celui qui ne livre pas ses membres à l'iniquité[d]», ni sa langue à la médisance, ni quelque autre partie de son corps à l'intention de blesser ou de nuire d'une manière ou d'une autre. Bien plutôt, il est confus d'éprouver ces mauvais sentiments, et il s'efforce d'expulser ce vice invétéré par l'aveu, les pleurs, la prière. Lorsqu'il n'y parvient pas, il se montre d'autant plus doux envers tous, et plus humble en lui-même. Quelle personne saine d'esprit condamnerait un homme qui «a appris du Seigneur à être doux et humble de cœur[e]»? Loin de nous la pensée que soit exclu du salut celui qui imite le Sauveur, l'Époux de l'Église, notre Seigneur, «qui est Dieu béni dans les siècles. Amen[f]».

SERMO L

I. De caritate quae est in affectu vel quae in actu, et de qua lex sit data, et cur impossibilia Deus iubet. – II. De triplici affectione carnis, rationis et sapientiae, et de actualis caritatis ordine transpositio. – III. De affectualis caritatis ordine, cui quaeque sapiunt prout sunt.

I. De caritate quae est in affectu vel quae in actu, et de qua lex sit data, et cur impossibilia Deus iubet.

1. Vos forsitan exspectatis tractari sequentia, explicitum putantes versiculum, qui novissime tractabatur. Verum ego aliud molior : habeo enim quod adhuc vobis apponam de *fragmentis* hesterni convivii, quae mihi *collegeram ne* 79 5 *perirent*[a]. Peribunt autem, si nulli apposuero : nam si ego voluero habere solus, ipse peribo. Nolo proinde vestram illis, quam bene novi, fraudare ingluviem, praesertim cum sint de ferculo caritatis, eo dulcia quo subtilia, eo sapida quo minuta. Alioquin contra caritatem est valde nimis, de 10 ipsa caritate fraudare. Itaque hic sum : *Ordinavit in me caritatem*[b].

---

1. a. Jn 6, 12 ≠   b. Cant. 2, 4

---

1. «Les restes du banquet d'hier». Exemple de la modestie bernardine. L'expression sert à la fois de *captatio benevolentiae,* moyen de

SERMON 50

I. La charité d'affection et la charité d'action; sur quelle charité porte la loi. Pourquoi Dieu commande des choses impossibles. – II. Trois sortes d'affection : selon la chair, selon la raison et selon la sagesse. L'ordre inversé de la charité active. – III. L'ordre de la charité affective, qui savoure toutes choses selon ce qu'elles sont.

I. La charité d'affection et la charité d'action; sur quelle charité porte la loi. Pourquoi Dieu commande des choses impossibles.

1. Peut-être vous attendez-vous à ce que soit commentée la suite, pensant que le dernier verset commenté a été suffisamment expliqué. Mais j'ai autre chose en tête. J'ai encore à vous servir « les restes » du banquet d'hier[1], que « j'ai recueillis pour moi de peur qu'ils ne se perdent[a] ». Ils seront perdus, si je ne les sers à personne. Car si je veux les garder pour moi seul, c'est moi qui serai perdu. Je ne veux donc pas en frustrer votre gourmandise, que je connais bien; surtout que ces restes proviennent du plat de la charité. Ils sont d'autant plus doux qu'ils sont plus délicats; d'autant plus savoureux qu'ils sont plus fins. D'ailleurs, c'est trop blesser la charité que de frustrer quelqu'un de cette même charité. J'en suis donc à ces mots : « Il a ordonné en moi la charité[b]. »

s'assurer l'attention et la bienveillance des auditeurs. Le vrai sujet est annoncé à la fin du paragraphe : l'ordre de la charité.

2. Est caritas in actu, est in affectu. Et de illa quidem
quae operis est, puto esse datam legem hominibus, man-
datumque formatum; nam in affectu quis ita habeat, ut mandatur? Ergo illa mandatur ad meritum, ista in praemium
5 datur. Cuius initium quidem profectumque vitam quoque
praesentem experiri divina posse gratia non negamus; sed
plane consummationem defendimus futurae felicitati.
Quomodo ergo iubenda fuit, quae implenda nullo modo
erat? Aut si placet tibi magis de affectuali datum fuisse man-
10 datum, non inde contendo, dummodo acquiescas et tu mihi,
quod minime in vita ista ab aliquo hominum possit vel
potuerit adimpleri. Quis enim sibi arrogare id audeat, quod
se Paulus ipse fatetur non comprehendisse[a]? Non latuit Prae-
ceptorem, praecepti pondus hominum excedere vires; sed
15 iudicavit utile ex hoc ipso suae illos insufficientiae admoneri,
ut scirent sane ad quem iustitiae finem niti pro viribus opor-
teret. Ergo mandando impossibilia, non praevaricatores
homines fecit, sed humiles, *ut omne os obstruatur, et sub-
ditus fiat omnis mundus Deo, quia ex operibus legis non
20 iustificabitur omnis caro coram illo*[b]. Accipientes quippe
mandatum et sentientes defectum, *clamabimus in caelum,
et miserebitur nostri Deus*[c]; et sciemus in illa die quia *non
ex operibus iustitiae quae fecimus nos, sed secundum suam
misericordiam salvos nos fecit*[d].

2. a. Cf. Phil. 3, 13   b. Rom. 3, 19-20   c. I Macc. 4, 10 (Lit.)
d. Tite 3, 5

1. «Il est une charité d'action et une charité d'affection.» Selon
Bernard, le précepte de la charité concerne plutôt les actes que les
sentiments. Mais il précise sa pensée au § 4 : «Je ne dis pas cela pour
que nous soyons sans affection et que, le cœur sec, nous n'engagions
que nos mains dans les œuvres.» Guillaume de Saint-Thierry mentionne
souvent la présence réciproque de l'amour effectif (*efficiens*) et de
l'amour affectif (*afficiens*). Il nous semble que l'importance des *affectus*
ne s'imposait pas facilement aux cisterciens du XIIe s. Peut-être cela
reste-t-il vrai aussi pour les religieux de nos jours.

2. Il est une charité d'action et une charité d'affection[1]. Je pense que la loi donnée aux hommes et le commandement formulé concernent la charité des œuvres. Car pour la charité d'affection, qui pourrait la posséder autant qu'elle nous est commandée? La première charité est donc commandée en vue du mérite, la seconde est donnée en récompense. Nous ne nions pas que même la vie présente puisse, par grâce divine, expérimenter le commencement et le progrès de cette seconde charité; mais nous soutenons que la perfection en appartient à la félicité future. Comment a-t-on pu commander cette charité qu'on ne pouvait absolument pas accomplir? Mais si tu préfères penser que le commandement porte sur la charité affective, je ne le conteste pas, pourvu que de ton côté tu m'accordes qu'en cette vie il ne peut et n'a jamais pu être accompli par aucun homme. Qui oserait s'arroger ce que Paul lui-même avoue n'avoir pas atteint[a]? Le Maître n'a pas ignoré que le poids du précepte dépassait les forces des hommes. Mais il a jugé utile de les avertir par là même de leur insuffisance, pour qu'ils sachent bien à quel sommet de justice ils devaient s'efforcer de parvenir, selon leurs forces. En commandant des choses impossibles, il n'a pas rendu les hommes désobéissants, mais humbles, «afin que toute bouche soit fermée et que le monde entier soit soumis à Dieu. Car aucune chair ne sera justifiée devant lui par les œuvres de la loi[b]». Recevant le commandement et sentant notre faiblesse, «nous crierons vers le ciel, et Dieu aura pitié de nous[c2]». Nous saurons en ce jour-là que «ce n'est pas par les œuvres de justice que nous avons accomplies, mais selon sa miséricorde qu'il nous a sauvés[d]».

---

2. * C'est l'un des 2 emplois de ce verset par Bernard, qui ajoute *Deus noster,* comme le fait le répons *Impetum inimicorum,* au bréviaire, le 1er dimanche d'octobre.

3. Atque hoc dixerim, si quidem consenserimus affectualem legem fuisse mandatam. Sed actuali id potius convenire videlicet maxime apparere videtur, quod cum dixisset Dominus : *Diligite inimicos vestros*^a, mox de operibus infert : *Benefacite his qui oderunt vos*^b. Item Scriptura : *Si esurierit inimicus tuus, ciba illum; si sitit, potum da illi*^c. Et hic de actu habes, non de affectu. Sed audi item Dominum etiam de sui dilectione mandantem : *Si diligitis me*, inquit, *sermones meos servate*^d. Atque hic quoque ad opera mittimur per iniunctam observantiam mandatorum. Supervacue autem de opere monuisset, si in affectione iam fuisset dilectio. Sic te ergo necesse est et illud accipere, quod iuberis *diligere proximum tuum sicut teipsum*^e, etsi non ita aperte expressum sit. Annon denique satis tibi esse iudices ad implendum istud de proximi dilectione mandatum, si id perfecte observes, in quo omni homini recte de lege naturae praescribitur : *Quod tibi non vis fieri, alii ne feceris*^f, et item illud : *Quaecumque vultis ut faciant vobis homines, et vos facite illis*^g?

4. Neque hoc dico, ut sine affectione simus, et a corde arido solas moveamus manus ad opera. Legi inter alia, quae describit Apostolus, magna et gravia hominum mala, hoc quoque annumeratum : *Sine affectione*^a scilicet esse.

---

3. a. Lc 6, 27   b. Lc 6, 27 ≠   c. Rom. 12, 20   d. Jn 14, 15. 23 ≠   e. Matth. 22, 39 ≠   f. Tob. 4, 16 (RB)   g. Matth. 7, 12 ≠

4. a. Rom. 1, 31

---

1. * Ici comme en 9 autres lieux, Bernard cite *Tobie* en suivant textuellement *RB* (61, 14 ou 70, 7; sauf : *SBO alii; RB alio*). La citation

3. Voilà ce que je pourrais dire, si nous étions d'accord pour affirmer que la loi porte sur la charité affective. Mais il semble évident qu'elle se rapporte plutôt à la charité active. Car le Seigneur, après avoir dit : «Aimez vos ennemis[a]», ajoute aussitôt à propos des œuvres : «Faites du bien à ceux qui vous haïssent[b].» De même l'Écriture dit : «Si ton ennemi a faim, donne-lui à manger; s'il a soif, donne-lui à boire[c].» Là aussi, il s'agit d'action, non d'affection. Mais écoute encore le Seigneur, lorsqu'il nous prescrit de l'aimer : «Si vous m'aimez, dit-il, gardez mes paroles[d].» Ici encore nous sommes renvoyés aux œuvres par l'ordre d'observer les commandements. Il aurait été superflu de nous exhorter aux œuvres, si déjà l'amour avait été accompli dans l'affection. Il te faut aussi entendre de la sorte le commandement d'«aimer ton prochain comme toi-même[e]», bien qu'il ne soit pas formulé si explicitement. Ne penses-tu pas avoir suffisamment accompli ce commandement de l'amour du prochain, si tu observes parfaitement ce que la loi de nature prescrit avec raison à tout homme : «Ce que tu ne veux pas qu'on te fasse, ne le fais pas à autrui[f1]?» Et encore ceci : «Tout ce que vous voulez que les hommes fassent pour vous, faites-le vous-mêmes pour eux[g]»?

4. Je ne dis pas cela pour que nous soyons sans affection et que, le cœur sec, nous n'engagions que nos mains dans les œuvres. Parmi les maux les plus graves qui affligent les hommes, et que l'Apôtre décrit, j'ai lu que celui-ci aussi était du nombre : être «sans affection[a]».

---

de *Matth.* 22, 39 accompagne celle de *Tobie*, comme souvent chez Bernard.

II. De triplici affectione carnis, rationis et sapientiae, et de actualis caritatis ordine transpositio.

5   Sed est affectio quam caro gignit, et est quam ratio regit, et est quam condit sapientia. Prima est, quam Apostolus *legi Dei* dicit *non esse subiectam, nec esse posse*[b]; secunda, quam perhibet, e regione, *consentientem legi Dei, quoniam bona*[c] est : nec dubium distare a se conten-
10 tiosam et consentaneam. Longe vero tertia ab utraque distat, quae et *gustat,* et sapit *quoniam suavis est Dominus*[d], primam eliminans, secundam remunerans. Nam prima quidem dulcis, sed turpis; secunda sicca, sed fortis; ultima pinguis et suavis est. Igitur per secundam opera
15 fiunt, et in ipsa caritas sedet : non illa affectualis, quae *sale* sapientiae *condita*[e] pinguescens, *magnam* menti importat *multitudinem dulcedinis Domini*[f]; sed quaedam potius actualis, quae etsi nondum dulci illo amore suaviter reficit, amore tamen amoris ipsius vehementer
20 accendit. *Nolite,* ait, *diligere verbo neque lingua, sed opere et veritate*[g].

5. Vides quomodo caute medius incedit inter vitiosum atque affectuosum amorem, ab utroque pariter hanc distinguens actualem et salutiferam caritatem? Nec linguae mentientis in hac dilectione recipit fictum, nec rursum

b. Rom. 8, 7 ≠   c. Rom. 7, 16 ≠   d. Ps. 33, 9 ≠   e. Col. 4, 6 ≠   f. Ps. 30, 20 ≠   g. I Jn 3, 18 ≠

1. Dans *Div* 18, 1 (*SBO* VI-1, 157, 17), Bernard parle aussi de «prendre le sel de la sagesse pour assaisonner», ce qui évoque l'un des rites du baptême. Pour lui, le sel est un condiment *(conditus...)* piquant, qui nous prépare à mieux goûter «la suavité du Seigneur».
2. «Un amour ardent de cet amour-là». «L'amour de l'amour» se trouve déjà dans les écrits d'Augustin, *Conf.* II, 1, 3 (*CCL* 27, 18) et XI, 1, 6 (*CCL* 27, 194). Cette expression a amené Ignace de Loyola à

II. Trois sortes d'affection : selon la chair, selon la raison et selon la sagesse. L'ordre inversé de la charité active.

Or, il y a une affection qu'engendre la chair, et il y en a une autre que gouverne la raison; une autre enfin qu'assaisonne la sagesse. La première est celle dont l'Apôtre dit «qu'elle n'est pas soumise à la loi de Dieu, ni ne peut l'être[b]». De la seconde, il déclare par contre «qu'elle est en accord avec la loi de Dieu, parce qu'elle est bonne[c]». Sans aucun doute, il y a une grande distance entre cette insoumission et cet accord. Mais la distance est encore plus grande entre la troisième affection et les deux premières. Car la troisième «goûte et» savoure «combien le Seigneur est doux[d]». Ainsi elle abolit la première et récompense la seconde. La première est douce, certes, mais honteuse; la seconde est sèche, mais forte; la dernière est moelleuse et douce. C'est par la seconde que se réalisent les œuvres, et c'est en elle que réside la charité. Non pas la charité affective qui, «assaisonnée du sel[e1]» de la sagesse, devient moelleuse et apporte à l'âme «toute l'abondance de la douceur du Seigneur[f]». Il s'agit bien plutôt d'une charité active qui, même si elle ne nous rassasie pas encore de cet amour doux et suave, ne laisse pas d'allumer en nous un amour ardent de cet amour-là[2]. «N'aimez ni de mots ni de langue, dit l'Écriture, mais en actes et en vérité[g].»

5. Vois-tu avec quelle prudence l'Évangéliste s'avance entre l'amour vicieux et l'amour d'affection, distinguant de l'un comme de l'autre cette charité active et salutaire? Il n'admet pas en cet amour les tromperies d'une langue mensongère, mais il n'exige pas non plus le goût d'une

parler du «désir de ces désirs si saints» (*Constitutions de la Compagnie de Jésus,* Paris 1966, p. 44, § 102.)

5 afficientis exigit sapientiae gustum. *Opere*, inquit, *diligamus et veritate*[a] : quod videlicet moveamur ad bene operandum magis quodam vividae veritatis impulsu, quam sapidae illius caritatis affectu. *Ordinavit in me caritatem*[b]. Quam putas harum? Utramque, sed ordine
81 10 opposito. Nam actualis inferiora praefert, affectualis superiora. Etenim in bene affecta mente non dubium, verbi causa, quin dilectioni hominis Dei dilectio praeponatur, et in hominibus ipsis perfectiores infirmioribus, caelum terrae, aeternitas tempori, anima carni. Attamen
15 in bene ordinata actione saepe, aut etiam semper, ordo oppositus invenitur. Nam et circa proximi curam et plus urgemur, et pluries occupamur; et infirmioribus fratribus diligentiori sedulitate assistimus; et paci terrae magis quam caeli gloriae[c], iure humanitatis et ipsa necessitate
20 intendimus; et temporalium inquietudine curarum vix aliquid sentire de aeternis permittimur; et languoribus nostri corporis, postposita animae cura, pene continue inservimus; et ipsis denique *infirmioribus membris nostris abundantiorem honorem*, iuxta sententiam
25 Apostoli, *circumdamus*[d], per hoc quodammodo facientes verbum Domini, de quo habes : *Erunt novissimi primi et primi novissimi*[e]. Orantem denique hominem Deo loqui quis dubitet? Quoties tamen inde, caritate iubente, abducimur et avellimur, propter eos qui nostra indigent opera
30 vel loquela! Quoties pie cedit negotiorum tumultibus pia quies! Quoties bona conscientia ponitur codex, ut operi manuum insudetur! Quoties pro administrandis terrenis

---

5. a. I Jn 3, 18 ≠   b. Cant. 2, 4   c. Cf. Lc 2, 14
d. I Cor. 12, 22-23 ≠   e. Matth. 20, 16

---

1. «Et pourtant, dans une action bien ordonnée on trouve... l'ordre inverse.» Analyse pénétrante de la charité bien ordonnée. Bernard distingue avec justesse l'ordre idéel de la charité – où l'amour de Dieu doit toujours occuper la première place – de l'ordre réel de la vie charitable.

sagesse qui touche le cœur. «Aimons en actes et en vérité[a]», dit-il. C'est-à-dire : que le mobile de nos bonnes œuvres soit l'impulsion de la vérité vivante, plutôt que le sentiment de cette charité savoureuse. «Il a ordonné en moi la charité[b].» Laquelle des deux, à ton avis? L'une et l'autre, mais selon un ordre inverse. La charité active donne la priorité aux réalités d'ici-bas, la charité affective aux réalités d'en haut. Par exemple, nul doute qu'un esprit touché par l'amour place l'amour de Dieu avant l'amour de l'homme; et parmi les hommes, il place les plus parfaits avant les plus faibles, le ciel avant la terre, l'éternité avant le temps, l'âme avant la chair. Et pourtant, dans une action bien ordonnée, on trouve souvent, ou même toujours, l'ordre inverse[1]. Le souci du prochain est pour nous le plus urgent, et celui qui nous absorbe davantage; nous assistons les frères les plus faibles avec une diligence plus empressée. La loi de l'humanité et la nécessité elle-même nous font travailler pour la paix sur la terre plus que pour la gloire du ciel[c]; l'anxiété des soucis temporels nous laisse à peine le loisir de songer aux réalités éternelles. Délaissant le soin de l'âme, nous sommes presque continuellement asservis aux malaises de notre corps. Enfin, selon le dire de l'Apôtre, «nous entourons de plus d'honneur nos membres les plus faibles[d]», accomplissant ainsi en quelque sorte cette parole du Seigneur : «Les derniers seront premiers et les premiers derniers[e].» Que l'homme en prière parle à Dieu, qui en doutera? Que de fois, cependant, sur l'ordre de la charité, nous sommes détournés et arrachés de cet entretien à cause de ceux qui ont besoin de notre aide active ou de notre parole! Que de fois un pieux loisir doit faire place, pour une pieuse raison, au tumulte des affaires! Que de fois, avec bonne conscience, on dépose un livre pour aller suer au travail manuel! Que de fois, pour gérer les biens terrestres, nous devons renoncer en

iustissime ipsis supersedemus celebrandis missarum
solemniis! Ordo praeposterus; sed necessitas non habet
35 legem. Agit ergo suum actualis caritas ordinem iuxta
patrisfamilias iussionem, *incipiens a novissimis* [f], pia certe
et iusta, quae non sit acceptrix personarum, nec pretia
consideret rerum, sed hominum necessitates.

6. At non ita affectualis; nam a primis ipsa ducit
ordinem. Est enim sapientia, per quam utique quaeque
res sapiunt prout sunt, ut, verbi gratia, quae pluris natura
habet, pluris quoque ipsa affectio sentiat, minora minus,
5 minima minime. Et illum quidem ordinem caritatis veritas
facit, hunc autem veritatis caritas vindicat sibi. Nam et
vera in hoc est caritas, ut qui indigent amplius, accipiant
prius; et rursum in eo cara apparet veritas, si ordinem
tenemus affectu, quem illa ratione.

**III. De affectualis caritatis ordine, cui quaeque
sapiunt prout sunt.**

10 Tu vero *si diligas Dominum Deum tuum toto corde,
tota anima, tota virtute tua* [a], et amorem amoris illum,
82 quo contenta est caritas actualis, affectu ferventiori tran-
siliens, ipso quominus divino amore, ad quem is est
gradus, accepto in plenitudine Spiritu, totus ignescas, sapit
15 tibi profecto Deus, etsi non digne omnino prout est, quod

---

f. Matth. 20, 8
6. a. Mc 12, 30 ≠

---

1. «Renoncer... à la célébration même de la messe». Chez les cisterciens, on suspendait jadis la célébration de la messe pendant le
temps de la moisson. Aussi le roi Philippe Auguste, ayant appris que
les moines de Barbeaux (Seine-et-Marne) n'avaient pas la messe pendant
la moisson, ordonna qu'on célébrerait tous les jours une messe pour
son père dans cette abbaye.

toute justice à la célébration même de la messe[1]! C'est
l'ordre à l'envers; mais nécessité n'a pas de loi[2]. Ainsi
la charité active instaure son ordre à elle : selon le commandement du père de famille, «elle commence par les
derniers[f]». Elle est certes pieuse et juste, car elle ne fait
pas acception de personnes; elle considère non pas la
valeur des choses, mais les besoins des hommes.

6. Il n'en va pas ainsi de la charité affective. Car elle
instaure son ordre en commençant par les premiers. Elle
est la sagesse, qui savoure toutes choses selon ce qu'elles
sont. Par exemple, ce que la nature estime davantage,
l'affection en fait plus de cas elle aussi; elle fait moins
de cas des moindres choses, et aucun cas des choses
infimes. L'ordre de la charité active, c'est la vérité de
l'amour qui l'établit; l'ordre de la charité affective, c'est
l'amour de la vérité qui l'exige ainsi[3]. Dans le premier
la charité est vraie, puisque ceux qui ont plus besoin
reçoivent en priorité. Dans le second la vérité apparaît
vraiment aimée, puisque nous suivons dans notre affection
l'ordre que la vérité suit selon la raison.

III. L'ordre de la charité affective, qui savoure toutes choses selon ce qu'elles sont.

Quant à toi, si «tu aimes le Seigneur ton Dieu de tout
ton cœur, de toute ton âme, de toute ta force[a]»; si, par
une affection plus fervente, tu surpasses cet amour de
l'amour dont se contente la charité active et qui est un
degré vers l'amour divin; si tu es tout embrasé de l'amour
divin lui-même, reçu dans la plénitude de l'Esprit; alors
oui, tu savoures Dieu. Non pas certes tel qu'il en serait

2. «Nécessité n'a pas de loi» ou bien : «Nécessité fait loi.» Locution
proverbiale du droit romain. Cf. D. LIEBS, *Lateinische Rechtsregeln und
Rechtssprichwörter*, München 1986, p. 126.

3. Vérité de l'amour – Amour de la vérité. Cf. p. 216, n. 1 sur *SCt*
42, 6.

utique impossibile est omni creaturae, certe prout tuum
sapere est. Deinde sapies etiam ipse tu tibi prout es, cum
te senseris nil habere prorsus unde te ames, nisi in
quantum Dei es : quippe qui totum unde amas, in illum
20 effuderis. Sapies, inquam, tibi prout es, cum ipso experimento amoris tui et affectionis quam ad teipsum habebis,
nihil dignum te esse invenies quod vel a teipso ametur,
nisi propter ipsum, qui sine ipso es nihil.

7. Iam vero *proximus*, quem te oportet *diligere sicut
teipsum* [a], ut tibi et ipse sapiat prout est, haud aliud profecto sapiet quam tu tibi, qui id est quod tu. Qui itaque
te non diligis, nisi quia diligis Deum, consequenter omnes
5 qui similiter diligunt eum, diligis tamquam teipsum. Porro
inimicum hominem, quoniam nihili est, pro eo quod non
diligit Deum, non potes quidem diligere tamquam teipsum,
qui Deum diligis; diliges tamen ut diligat. Non est autem
idipsum, diligere ut diligat, et diligere quia diligit. Proinde
10 ut tibi et ipse sapiat prout est, sapiet tibi, non quidem
quod est, qui utique nihili est; sed quod futurus forsitan
est, quod est prope nihili, quippe quod adhuc pendet
sub dubio. Etenim de quo constat quod ad amorem Dei
non sit deinceps rediturus, sapiat tibi necesse est, non
15 prope iam nihili, sed nihili ex toto, utpote quod in
aeternum nihili est. Illo igitur excepto, qui non modo
iam non diligendus, insuper et odio habendus est,
secundum illud : *Nonne qui oderunt te, Domine, oderam,
et super inimicos tuos tabescebam* [b]*?* de cetero nulli vel
20 inimicissimo homini negari quantulumcumque affectum
caritas ambitiosa permittit. *Quis sapiens et intelliget haec* [c]*?*

---

7. a. Matth. 19, 19 ≠   b. Ps. 138, 21   c. Ps. 106, 43 ≠

---

1. Bernard pense ici au quatrième degré de l'amour. Cf. *Dil* X, 27
(*SC* 393, 128-129).

digne en lui-même, car cela est impossible à toute créature, mais selon ton pouvoir de le savourer. Ensuite tu pourras te savourer aussi toi-même, tel que tu es, puisque tu auras compris que tu n'as aucun motif de t'aimer, sinon dans la mesure où tu appartiens à Dieu. Car tous les motifs que tu as d'aimer, tu les auras rapportés à lui[1]. Tu te savoureras, dis-je, tel que tu es, lorsque par l'expérience même de l'amour et de l'affection que tu auras pour toi-même, tu découvriras que tu n'es rien; un rien nullement digne d'être aimé, fût-ce par toi-même, sinon à cause de Dieu. Car sans lui tu n'es rien.

7. Quant à «ton prochain», que tu dois «aimer comme toi-même[a]», afin que tu le savoures lui aussi tel qu'il est, il aura pour toi la même saveur que toi. Car il est ce que tu es. Tu ne t'aimes toi-même que parce tu aimes Dieu; par conséquent, tous ceux qui l'aiment pareillement, tu les aimes comme toi-même. Mais ton ennemi, puisqu'il ne vaut rien, car il n'aime pas Dieu, tu ne peux certes l'aimer comme toi-même, toi qui aimes Dieu; tu l'aimeras néanmoins, afin qu'il aime. Ce n'est pas la même chose d'aimer quelqu'un pour qu'il aime, ou de l'aimer parce qu'il aime. Afin de le savourer lui aussi tel qu'il est, tu ne savoureras pas ce qu'il est, puisqu'il ne vaut rien, mais ce qu'il sera peut-être un jour, ce qui ne vaut presque rien, car c'est encore bien incertain. Quant à celui dont il est évident qu'il ne reviendra jamais à l'amour de Dieu, il aura pour toi non pas presque aucune saveur, mais aucune saveur du tout; car il ne vaut rien pour l'éternité. Cet homme non seulement ne doit pas être aimé, mais il doit même être pris en haine, selon cette parole : «N'ai-je pas haï, Seigneur, ceux qui te haïssent, et n'ai-je pas pris en dégoût tes ennemis[b]?» Celui-là excepté, la charité attentive ne permet pas de refuser un peu d'affection, si peu que ce soit, à aucun homme, fût-il l'ennemi le plus acharné. «Qui est assez sage pour comprendre ces choses[c]?»

8. Da mihi hominem, qui ante omnia quidem ex toto se diligat Deum; se vero et proximum, in quantum diligunt ipsum; inimicum autem, tamquam aliquando forsitan dilecturum; porro parentes carnis suae germanius 5 propter naturam, spirituales vero eruditores suos profusius propter gratiam; atque in hunc modum ad cetera quoque Dei ordinato intendat amore, despiciens terram, suspiciens caelum, *utens hoc mundo tamquam non utens*[a], et inter utenda et fruenda intimo quodam mentis 10 sapore discernens, et transitoria transitorie et ad id dumtaxat quod opus, et prout opus est, curet, aeterna desiderio amplectatur aeterno : talem, inquam, da mihi hominem, et ego audacter illum sapientem pronuntio, cui nimirum quaeque res revera sapiunt prout sunt, et in 15 veritate atque securitate competit gloriari et dicere, quia *ordinavit in me caritatem*[b]. Sed ubi ille, aut quando ista? Quod *flens dico*[c] : quousque odoramus et non gustamus, prospicientes patriam et non apprehendentes, suspirantes et de longe salutantes[d]? O Veritas, exsulum 20 patria, exsilii finis! Video te, sed intrare non sinor, carne retentus, sed nec dignus admitti, peccatis sordens. O Sapientia, quae *attingis a fine usque ad finem fortiter* in instituendis et continendis rebus, *et disponis omnia suaviter*[e] in beandis et ordinandis affectibus!

8. a. I Cor. 7, 31 ≠   b. Cant. 2, 4   c. Phil. 3, 18
d. Cf. Hébr. 11, 13-14   e. Sag. 8, 1 ≠

---

1. La distinction entre «user» et «jouir» est d'origine augustinienne. Cf. AUGUSTIN, *De diversis quaest.* 30 (*CCL* 44 A, 38, 2-16); *De doctrina christ.* I, 3-4 (*CCL* 32, 8); I, 30-39 (*CCL* 32, p. 23-29); GUILL. DE S.-TH., *Exp. super Cant.* 1 (*CCM* 87, 19, 17-18).

2. * Comme en 2 autres lieux, Bernard se souvient de l'antienne

8. Donne-moi un homme qui avant tout et de tout son
être aime Dieu; qui s'aime lui-même et son prochain dans
la mesure où ils aiment Dieu; son ennemi, parce que
peut-être il aimera Dieu un jour. Un homme qui aime
plus tendrement ses parents selon la chair à cause de la
nature, et plus intensément ses maîtres spirituels à cause
de la grâce. Un homme qui se tourne aussi vers chaque
chose avec un amour de Dieu bien ordonné : il méprise
la terre, il regarde vers le ciel, «il use de ce monde
comme n'en usant pas[a]»; il sait discerner, par une certaine saveur intime de l'esprit, entre ce dont il faut user
et ce dont il faut jouir[1]. Un homme qui s'occupe en
passant des choses passagères, et seulement de celles qui
sont nécessaires, et pour autant qu'elles sont nécessaires.
Un homme enfin qui s'attache d'un désir éternel aux réalités éternelles. Donne-moi, dis-je, un tel homme, et moi,
sans hésiter, je le proclame sage, puisqu'il sait savourer
toutes choses selon ce qu'elles sont vraiment. Il peut, en
toute vérité et assurance, se glorifier et dire : «Il a
ordonné en moi la charité[b].» Mais où trouver cet
homme? Et quand cela arrivera-t-il? «Je le dis en
pleurant[c]» : jusques à quand respirerons-nous le parfum
sans savourer le goût? Jusques à quand regarderons-nous
vers la patrie sans la posséder, soupirant après elle et la
saluant de loin[d]? O Vérité, patrie des exilés et terme de
l'exil! Je te vois, mais il ne m'est pas permis d'entrer,
retenu que je suis par la chair, indigne d'être admis,
souillé de péchés. O Sagesse, qui «exerces ta puissance
d'un bout à l'autre du monde avec vigueur» en créant et
conservant toutes choses, «et qui disposes tout avec
douceur[e][2]» en comblant et ordonnant nos affections!

O Sapientia du 17 décembre, l'une de ces Grandes Antiennes O qu'il
cite volontiers.

25 Dirige actus nostros, prout nostra temporalis necessitas
poscit, et dispone affectus nostros, prout tua veritas
aeterna requirit, ut possit unusquisque nostrum secure in
te gloriari et dicere, quia *ordinavit in me caritatem*. Tu
es enim *Dei virtus et Dei sapientia, Christus* [f] sponsus
30 Ecclesiae, Dominus noster, *Deus benedictus in saecula.*
Amen [g].

f. I Cor. 1, 24 ≠   g. Rom. 9, 5

Dirige nos actions selon que nos besoins temporels le demandent, et dispose nos affections selon que ta vérité éternelle le requiert. Qu'ainsi chacun de nous puisse avec assurance se glorifier en toi et dire : «Il a ordonné en moi la charité.» Car tu es «la vertu de Dieu et la sagesse de Dieu, le Christ[f]» Époux de l'Église, notre Seigneur, «Dieu béni dans les siècles. Amen[g]».

ÉROTIQUE ET MYSTIQUE DANS LE CANTIQUE DES CANTIQUES[1]

Longtemps j'ai eu dans les mains une bible – une édition catholique – qui, lorsqu'on l'ouvrait, s'ouvrait invariablement en son milieu, c'est-à-dire quelque part entre le premier et le dernier chapitre du *Cantique des Cantiques*. Ce pli du volume des Écritures était en soi remarquable. La Bible, en effet, a pour premiers mots échangés la parole d'un homme à une femme : «Celle-ci, pour le coup, est l'os de mes os et la chair de ma chair!» (*Gen.* 2, 23). La même Bible se termine, dans l'*Apocalypse,* par les mots d'une femme à un homme : «L'Esprit et l'épouse disent : Viens!» (*Apoc.* 22, 17). En s'ouvrant sur les pages du *Cantique*, ma bible me rappelait qu'au centre des Écritures également, en leur pli, résonnaient des paroles similaires – les mots d'un homme à une femme et d'une femme à un homme. Il lui dit : «Ma belle, viens!» (*Cant.* 2, 13); elle lui dit : «Viens, mon bien-aimé» (7, 12).

1. Ces pages reprennent et abrègent un article paru dans la *Nouvelle Revue Théologique* sous le titre de «Le Cantique, entre érotique et mystique : sanctuaire de la parole échangée», *NRT* 119 (1997), p. 481-502. On lira également avec profit l'étude de P. Ricœur sur le Cantique, «La métaphore nuptiale», dans : P. RICŒUR et André LA COCQUE, *Penser la Bible,* coll. «La couleur des idées», Paris, Seuil, 1998, p. 411-457.

De quoi se demander – et ce sera l'objet de l'enquête de ces pages – : la parole de l'homme à la femme et de la femme à l'homme est-elle la clé des Écritures?

Répondre à cette question reviendra à explorer un paradoxe. Le *Cantique* est apparemment le plus «profane» des livres bibliques – par son thème et par l'absence de toute référence religieuse – le nom de Dieu n'y apparaît pas, sauf dans un mot composé en 8, 6. Ce livre a eu toutefois une fortune spirituelle qui le met loin devant tous les autres livres scripturaires. Le *Cantique* doit cette destinée à l'allégorie, cette opération qui transpose la pertinence d'une œuvre dans un domaine de référence autre que le champ de référence suggéré par le texte en son sens littéral. Dans la tradition juive, le *Cantique* a été lu comme l'allégorie de la relation amoureuse de Dieu et de son peuple, notamment dans le contexte de la sortie d'Égypte. Dieu est alors le bien-aimé «bondissant au-dessus des montagnes, sautant par-dessus les collines» (2, 8) dans l'acte de la pâque – du passage. Ou encore, dans la même tradition, le bien-aimé représente le Messie, nouveau Moïse, qui, «bondissant au-dessus des montagnes», raccourcit le délai de la Rédemption. Dans la tradition chrétienne, le bien-aimé est presque invariablement identifié au Christ, dans sa relation à l'Église (cf. les *Homélies* d'Origène), à l'âme croyante (cf. le *Cantique spirituel* de Jean de la Croix), ou même à la Vierge (cf. le commentaire de Rupert de Deutz). Ces transpositions allégoriques, ces variations sur le «sens spirituel», ont quelque chose de surprenant, voire même d'incongru, quand on connaît le véritable propos de ce poème et notamment l'intensité érotique des images qu'il développe. L'allégorisation du *Cantique* nous mettrait-elle en présence d'un détournement textuel, d'un travail de censure transformant un poème érotique en un texte *theologically correct*?

Le paradoxe s'éclaire-t-il lorsqu'on remonte aux origines, c'est-à-dire à la canonisation du *Cantique?* Qu'est-ce qui a fait retenir ce livre au sein du canon comme un livre inspiré? Nous ne savons pas quand le *Cantique* a fait son entrée dans les Écritures saintes, mais nous savons que des discussions quant au caractère inspiré d'un autre livre du groupe des «Écrits» – le livre de Qohélet – ont rejailli sur le *Cantique* à la fin du premier siècle de notre ère. Ces discussions eurent lieu dans l'académie de Yabné (entre 75 et 117), lorsque les maîtres pharisiens eurent à réorganiser le judaïsme après la destruction du Temple. Privé de son institution centrale, le judaïsme eut alors à se resserrer autour d'un autre monument : ses Écritures. A Yabné, le *Cantique* trouva son plus ardent défenseur en la personne de Rabbi Aqiba, grande figure du judaïsme pharisien (mort en 135) : «Personne n'a jamais contesté en Israël que le *Cantique des Cantiques* souille les mains[1]. Car le monde entier fut incomparable le jour où le chant des chants fut transmis à Israël, car toutes les Écritures sont saintes, mais le chant des chants est le saint des saints des Écritures.» Le *Cantique* s'imposa grâce à son attribution salomonienne et grâce à son interprétation allégorique, dont on trouve des traces dans la tradition rabbinique ancienne[2]. Le poème a été lu, sans doute très tôt après sa compilation, en clé prophétique, c'est-à-dire à la lumière du thème – développé par les prophètes – de l'amour conjugal entre Dieu et son peuple[3]. C'est préci-

---

1. La question de savoir si une œuvre «souille ou non les mains» est, dans le judaïsme rabbinique, une manière traditionnelle de s'interroger sur le caractère sacré ou non d'un texte. Touchant le rouleau d'un livre inspiré, l'homme est mis en contact avec la sphère du sacré; l'impureté qu'il contracte le met en dehors du monde profane.

2. C'est la conception du poème comme simple dialogue amoureux qui est «seconde» dans la tradition, apparaissant avec Théodore de Mopsueste au IVe siècle du côté chrétien et bien plus tard du côté juif.

3. Cf. *Os.* 1-3; mais aussi *Jér.* 2, 2.20; *Éz.* 16, 23; *Is.* 54, 4-8.

sément l'*usage* du *Cantique* qui semble avoir fait l'objet de
discussions à Yabné, ainsi qu'en témoigne la remarque de
Rabbi Aqiba : «Celui qui fait des effets de voix avec le *Cantique* lors des banquets et le traite comme une chanson,
celui-là n'a pas de part dans le monde à venir.» Il n'est
donc pas question de «détourner» ce texte sacré, à vocation
essentiellement liturgique, en en faisant une chanson à boire.
Après Yabné, et à la suite du blanc-seing donné par Aqiba,
la tradition rabbinique témoigne exclusivement en faveur
d'une lecture allégorique du *Cantique*. On peut toutefois
objecter qu'en deçà d'un usage et d'une tradition d'interprétation, un texte est reconnu inspiré en sa lettre même,
et celle-ci, dans le *Cantique,* énonce un dialogue amoureux
entre un homme et une femme. La question dès lors rebondit :
en étant lu allégoriquement, le *Cantique* aurait-il été, dès
les origines, méconnu dans sa pertinence propre? Et l'aurait-
il été tout au long de sa tradition d'interprétation? Il faut,
apparemment, mieux interroger le paradoxe : pourquoi ce
texte, où s'articule le dialogue amoureux de l'homme et de
la femme, s'est-il si bien prêté à l'articulation du dialogue
mystique? Pour répondre à cette question, il convient de
mieux cerner la poétique du *Cantique,* en s'interrogeant sur
la forme de discours qu'il met en place.

I. Fragments du discours amoureux

Dialogiques.

Le titre – «Le chant des chants, qui est à Salomon»
(*Cant*. 1, 1) – nous annonce un poème et le relie à
Salomon. Nous sommes donc en territoire de sagesse, et
de sagesse royale. Mais aussi en territoire poétique, où
les choses ne peuvent être mises en équation de manière
pure et simple. Le *Je* qui parle au masculin dans le poème

ne se laisse pas identifier sans plus avec celui de Salomon. Ce *Je* est lié à la figure d'un amant aux visites toujours furtives, à la personne d'un berger vivant aux marges de la société urbaine – et dès lors peu assimilable au roi, qui siège dans la ville. Dans la finale, ce *Je* se distingue par ailleurs explicitement de Salomon, renvoyant apparemment ce dernier à son harem, lorsqu'il s'exclame : «Ma vigne [= la compagne], à moi, elle est pour moi; les mille sont à toi, Salomon» (8, 12). Certains ont reconnu dans le *Cantique* un drame à trois personnages – Salomon, le berger et la bergère : le triangle classique de l'intrigue amoureuse. Mais c'est là chercher une cohérence dramatique dans un texte qui défie toute mise en forme narrative et qui joue un autre jeu que celui de l'intrigue. Lire le *Cantique,* c'est faire tourner un kaléidoscope présentant une série de variations sur un même thème, une suite de «fragments du discours amoureux», pour parler comme Roland Barthes, une collection de dialogues et de monologues, entre rêve et réalité, où se dit l'amour d'un homme et d'une femme. Point d'histoire, point d'intrigue, point de fil narratif, mais un assortiment de paroles dites ou échangées. La thématique royale, dans le *Cantique,* relève en fait de l'imaginaire des amants. La bien-aimée glisse ici ou là dans ses propos une désignation ou une image royale. «Le roi, dit-elle en parlant du bien-aimé, m'a fait entrer dans sa chambre» (1, 4); elle décrit aussi son arrivée comme l'arrivée en grande pompe de la litière de Salomon (3, 7-11). Dans son regard à elle, il est un roi; mais n'est-ce pas vrai de tout amant aux yeux de celle qui l'aime, qui devient reine dans son regard à lui? Le dialogue amoureux proposé par le *Cantique* ne relève donc pas de l'autobiographie salomonienne. Ce dialogue mis à l'enseigne du roi sage se propose bien plutôt comme un *mashal,* comme une parabole poétique soumise à notre perspicacité.

Les dialogues ne manquent pas dans la Bible hébraïque, mais ils y apparaissent toujours au sein d'un récit englobant. Un narrateur préside à la narration, campe le décor des échanges de paroles, qui appartiennent invariablement à l'histoire passée : « Il y avait au pays de Outs un homme du nom de Job… » (*Job* 1, 1). C'est le narrateur qui orchestre le récit de l'histoire et produit telle ou telle réplique des protagonistes : « Job prit la parole et dit… » (*Job* 3, 2). Le même narrateur peut aussi abréger les interventions des personnages en discours direct, interférer dans ces interventions, les rendre en discours indirect ou en style indirect libre ; il peut se contenter de mentionner le fait de la prise de parole, sans en produire la teneur. Le narrateur peut même passer sous silence telle ou telle intervention orale. Il n'en est pas ainsi dans le *Cantique,* où l'échange des interlocuteurs n'est pris en charge par aucun narrateur – qui les aurait en quelque sorte « mixées » ou « éditées ». Personne ne nous commente : « Il lui dit : '…' » ; « Elle lui répondit : '…' » Nous ne savons pas quand, où, et même si ces paroles ont été prononcées. Elles sont plutôt des paroles « à dire », comme dans un livret d'opéra. Nous les découvrons en version intégrale, sans médiation aucune. Les lire, c'est se surprendre à réciter le rôle de l'un ou de l'autre des protagonistes. Une fois passé le titre, nous sommes plongés *in medias res :* « Qu'il me baise des baisers de sa bouche ! Tes caresses sont meilleures que le vin. Tes parfums sont agréables à respirer, ton nom est une huile qui s'épand » (*Cant.* 1, 2-3). Nous nous retrouvons exposés à des paroles « vives », que nous ne pouvons désamorcer en nous disant qu'elles appartiennent à tel ou tel personnage de l'histoire biblique. Bref, ces échanges ne *reproduisent* pas un discours prononcé en d'autres temps et d'autres lieux – comme dans le récit historiographique de la Bible. Ces échanges *produisent,* au profit du lecteur, un discours alterné, un poème en forme de livret d'opéra.

Tout le *Cantique* s'énonce à la première personne, sous la forme de monologues et de dialogues. «Le *Je*, écrit Franz Rosenzweig, est vraiment ce qui porte visiblement ou invisiblement toutes les phrases du *Cantique des Cantiques*. Il n'existe pas, dans la Bible, de livre où le mot *Je* reviendrait, proportionnellement, plus souvent qu'ici[1]...» Rosenzweig, on s'en souviendra, s'associa à Martin Buber, auteur d'un livre au titre fameux, *Ich und Du, Le Je et le Tu,* livre où Buber défend et illustre la modalité irréductible du face à face, de l'existence vécue en dialogue, dans sa différence de la neutralité panoramique du *on.* Et Rosenzweig de s'insurger contre les interprétations qui ont cherché à neutraliser la dimension lyrique du *Cantique,* en identifiant son *Je* et son *Tu* avec des figures historiques, des personnages définis, cherchant par là à «transformer la part lyrique, le *Je* et le *Tu* du poème, en un *Lui* ou *Elle* épiques et clairs[2]».

Penser la singularité du *Cantique* uniquement en termes de *Ich und Du,* de première et deuxième personnes grammaticales, serait toutefois passer à côté d'une autre différence essentielle qui s'y exprime; la différence des genres, du masculin et du féminin, portant au langage la différence sexuelle. Cette différence, en fait, ne passe pas inaperçue en hébreu, où la seconde personne est nécessairement ou masculine – c'est la forme *'âttâ'* – ou féminine – c'est la forme *'at.* Les suffixes possessifs de la deuxième personne varient eux aussi en fonction du genre du possesseur. Lorsqu'elle lui dit «tes caresses», elle dit *dôdékâ* (*Cant.* 1, 3); lorsqu'il lui dit «tes caresses», il dit *dôdayîk* (4, 10). Par trois fois, le bien-aimé chante la beauté du corps de sa compagne (4, 1-14; 6, 4-10;

---

1. F. ROSENZWEIG, *L'étoile de la Rédemption,* coll. Esprit, Paris, Seuil, 1982, p. 238.

2. F. ROSENZWEIG, *op. cit.,* p. 237.

7, 2-10). Il détaille et décrit : «Tes yeux…, ta chevelure…,
tes dents…, tes lèvres…, ton cou…, tes deux seins…»
A chaque fois, les termes sont marqués par des suffixes
de forme féminine et se trouvent ainsi pris dans un
tutoiement au féminin. Surimprimant la différence des
sexes à celle des personnes grammaticales, le dialogue
du *Cantique* offre ainsi le paradigme du discours diffé-
rencié. Ce qu'il exclut, c'est le discours à la troisième
personne, par un *on* neutre qui bénéficierait du point de
vue de Sirius, et qui ne serait pas engagé dans la double
différence du *Je* et du *Tu,* du masculin et du féminin.

L'impératif métaphorique.

Le *Cantique* est loin d'être, cependant, un discours qui
épuiserait son propos dans une canonisation de la différence. L'attraction qui porte les interlocuteurs du *Cantique*
l'un vers l'autre est aussi déterminante que la différence
qui marque leur dialogue. Les retrouvailles des amants, toutefois, sont toujours fugitives, comme menacées par la
société qui les entoure – les frères de la bien-aimée, les
confrères du bien-aimé (ses compagnons bergers), les
gardes de la ville. C'est essentiellement par la parole qu'ils
reçoivent de s'unir, en s'appelant l'un l'autre, en se quittant,
en se donnant d'autres rendez-vous, en interrogeant des
tiers sur celui ou celle qu'ils aiment, en rêvant l'un de
l'autre. Leur union se réalise alors à un niveau proprement
poétique, au niveau des métaphores qu'ils inventent l'un
pour l'autre et l'un sur l'autre. Le langage des amants du
Cantique est, de fait, métaphorique à l'excès, avec une
intensité baroque, incongrue parfois à nos yeux.

Le langage amoureux est, en effet, un prodigieux labo-
ratoire de métaphores, où se prolonge l'invention du
langage. L'homme, selon la *Genèse,* a désigné «par leur
nom tout bétail, tout oiseau du ciel et toute bête des

champs», mais sans trouver «une aide qui lui soit accordée» (*Gen.* 2, 20). Dans le *Cantique des Cantiques,* la création poétique par l'homme se prolonge à un second degré. Que font l'Adam et l'Ève du *Cantique,* eux qui ont trouvé l'aide assortie? Ils se donnent l'un à l'autre des noms d'animaux. Tout un bestiaire habite leur langage. Il dit d'elle qu'elle est une «cavale parmi les chars de Pharaon» (*Cant.* 1, 9), une «colombe au creux d'un rocher» (2, 14); elle dit de lui qu'il est «une gazelle, le faon d'une biche» (2, 9). Mais il est aussi question, entre eux, de tourterelle (2, 12), de renards (2, 15), de chèvres et de brebis (4, 1-2, 6, 5-6), de lions et de panthères (4, 8).

Il ne s'agit plus, comme dans le cas du premier Adam, de nommer des animaux muets; il s'agit à présent de nommer l'autre – homme ou femme – qui, être de langage, répond de plus belle. L'invention du langage se fait ici l'un en face de l'autre, ou l'un pour l'autre, comme dans une joute amoureuse. «Comme un lis parmi les ronces, dit-il d'elle, telle ma compagne parmi les filles» (*Cant.* 2, 2). Elle enchaîne aussitôt, sur le même registre (végétal) : «Comme un pommier au milieu des arbres du bois, tel mon bien-aimé parmi les fils» (2, 3). L'un se reçoit de la parole de l'autre, dans la symétrie du dialogue. C'est un jeu où chacun est créateur, où personne, ni l'homme, ni la femme, ne possède un quelconque avantage, une quel-conque suprématie sur celle ou celui qui lui fait face. Les exégètes anglo-saxonnes n'ont pas manqué de saluer ceci. Comme le dit l'une d'elles, Phillys Trible : «Ni l'homme ni la femme n'exercent ici un pouvoir ou un contrôle pos-sessif sur l'autre... [Dans le *Cantique des Cantiques*] il n'y a pas de domination masculine, ni de subordination féminine, ni de stéréotypes sur l'un ou l'autre sexe[1].» Au

---

1. Ph. TRIBLE, *God and the Rhetoric of Sexuality,* Philadelphie, Fortress Press, 1978, p. 160.

fond, ce que le Cantique illustre, c'est le dialogue amoureux comme sanctuaire de la liberté. La liberté des amants s'exerce et s'exprime dans la création de métaphores «vives», comme dirait Paul Ricœur, de figures inédites, détournant la langue de l'ordre établi, utilisant le langage pour introduire du nouveau dans le monde. C'est dans leur dialogue fragile, menacé, quelque peu clandestin, que cette liberté créatrice donne toute sa mesure, à chaque réplique, presque à chaque mot.

Les deux protagonistes du *Cantique* non seulement forgent force métaphores, ils se les refilent aussi, les reprenant l'un de l'autre, renchérissant ainsi sur leur identité contrastée. «Tes yeux sont des colombes», lui dit-il (*Cant.* 1, 15); elle fait écho à sa trouvaille et file la métaphore des colombes dans son portrait du bien-aimé, en décrivant la vivacité de l'iris sur fond du blanc des yeux : «Ses yeux sont comme des colombes sur des bassins à eau, se lavant dans du lait, se posant sur des vasques» (5, 12). «Tu es un jardin verrouillé, ma sœur, ô fiancée..., une fontaine scellée», lui dit-il (4, 12); elle enchaîne : «Je suis une fontaine de jardins» (4, 15). Une métaphore heureuse est une métaphore sur laquelle on s'entend, créant un symbole, une alliance entre ceux qui s'y reconnaissent. C'est l'invention du langage comme langue partagée, tessère de reconnaissance mutuelle, que le *Cantique* met ainsi en lumière.

Le paradoxe de l'intimité des amants du *Cantique*, toujours en quête d'un jaloux seul à seul, est que cette intimité passe par le monde – à travers la multiplicité des métaphores que déploie leur discours. «Avant que l'amour de ce couple soit l'allégorie d'autre chose, écrit Paul Beauchamp, c'est la création entière qui est l'allégorie de ce couple[1].» L'univers, le monde commun à tous, devient le

---

1. P. BEAUCHAMP, *L'un et l'autre Testament. 2. Accomplir les Écritures*, coll. Parole de Dieu, Paris, Seuil, 1990, p. 168.

langage de l'intimité amoureuse. Entre la personne des amants et le monde, il est en fait une donnée charnière : la donnée de leurs corps. A la frontière entre le soi et le monde, le corps est le milieu de leur échange – en lui s'échangent l'universalité du monde et la singularité des personnes. Dans le *Cantique*, le corps est ainsi le creuset métaphorique par excellence. C'est à travers lui que la création entière s'offre à visiter le dialogue amoureux. Ceci est particulièrement manifeste dans la célébration poétique que chacun des amants fait du corps de l'autre (4, 1-14; 5, 10-16; 6, 4-10; 7, 2-10). Ainsi dans les premiers versets du premier de ces poèmes (4, 1-5) :

> Que tu es belle, ma compagne, que tu es belle!
> Tes yeux sont des colombes à travers ton voile.

On présentait la fiancée voilée à son mari. Mais le voile est ici aussi comme le filtre du regard métaphorique, le seuil presque immatériel du monde des métaphores. Derrière ce voile, les yeux sont des colombes. Pourquoi la colombe? Pour des raisons visuelles, en raison du maintien, des formes ou des couleurs de l'oiseau? Pour des raisons tactiles, à cause du velouté, de la douceur de son plumage? Les métaphores du *Cantique* sont souvent le lieu de synesthésies, de perceptions simultanées, faisant jouer plusieurs sens à la fois.

> Ta chevelure, tel un troupeau de chèvres
> qui dévalent du mont Galaad.

L'ondulation de la chevelure de la jeune femme prend vie dans la vision d'un troupeau de chèvres dévalant, en «moutonnant», les pentes ondulées de Galaad.

> Tes dents, tel un troupeau de brebis à tondre
> qui montent de la baignade,
> chacune a sa jumelle, nulle n'en est privée.

Aux chèvres noires succèdent des brebis blanches. Les premières descendaient; celles-ci remontent du lavoir. Les «dents» en hébreu, se disent au duel, parce qu'elles vont par deux – nous en avons deux rangées –; d'où : «Chacune a sa jumelle, nulle n'en est privée.» Cette gémellité est reconnue dans la manière qu'ont les brebis de se coller l'une à l'autre. N'oublions pas que, selon la fiction, le bien-aimé est berger de son état. S'il crée des métaphores, c'est à partir de son champ d'expertise.

> Tel un fil écarlate, tes lèvres, et ton parler, harmonieux.

Du blanc des brebis et des dents, nous passons au rouge vif de la pourpre et des lèvres. La métaphore du fil rompt à première vue avec celle des troupeaux, pour reprendre celle du voile. Mais elle prolonge aussi les allusions à la tonte et à la laine des brebis.

> Telle une tranche de grenade, tes joues à travers ton voile.

Pourquoi passons-nous du registre animal au registre végétal? En parlant d'une tranche de grenade, l'amant parle aussi de ce qu'il pourrait manger – nous parlons de la «chair» d'un fruit –, n'était le voile...

> Telle la tour de David, ton cou, bâti pour des trophées : mille boucliers y sont suspendus, tous les pavois des héros.

La métaphore s'éclaire lorsqu'on comprend que la jeune femme porte au cou un collier de pièces de monnaie ou de pendentifs en métal; son compagnon y reconnaît l'alignement des boucliers au sommet d'une tour en temps de paix.

> Tes deux seins, tels deux faons, jumeaux d'une gazelle, qui paissent parmi les lis.

Nous retrouvons le thème de la gémellité, comme dans le cas des brebis, métaphores des dents. Le berger délaisse ici ses troupeaux, chèvres et brebis, qu'il connaît de près, pour évoquer de jeunes animaux sauvages, aussi doux qu'effarouchables. La séquence de la phrase met en perspective la gémellité des seins et l'unité de celle qu'ils ornent : la gazelle.

Dans un autre de ces portraits, en *Cantique* 7, 2-10,

l'amant multiplie à propos de sa compagne des métaphores qui associent cette dernière à la terre d'Israël :

> Ton cou, telle une tour d'ivoire ; tes yeux, des vasques de Heshbôn, près de la porte de Bat-Rabbîm. Ton nez, comme la tour du Liban, sentinelle face à Damas. Ta tête sur toi comme le Carmel ; les nattes de ta tête telle une pourpre ; un roi est captif de ces boucles (7, 5-6).

La femme devient ainsi un paysage, celui de la terre d'Israël, et l'homme, son amant, devient le roi épousant en elle son royaume. Dans ces éloges de la beauté physique comme ailleurs dans le *Cantique,* le corps est bel et bien le creuset des métaphores. Dans ce poème dialogué, c'est d'abord poétiquement que les corps concourent à l'union des amants : en catalysant les métaphores du monde, où se donne et s'accueille leur désir.

Les interlocuteurs du *Cantique* ne sont pas poètes à leur insu. «Qu'il me baise des baisers de sa bouche», dit-elle, au seuil du texte que nous lisons (1, 2). Ces baisers ne sont-ils pas *aussi* les mots que les amants s'échangent? «Le temps de la chanson est arrivé», dit-il en évoquant la chanson de la tourterelle au printemps (2, 12), mais n'est-elle pas *aussi* celle de leur duo? «Fais-moi entendre ta voix, car ta voix est suave…», dit-elle, en mettant cette demande sur les lèvres du bien-aimé (1, 14); mais n'y répond-elle pas en proférant son poème? Dans son ouvrage *The Art of Biblical Poetry,* Robert Alter montre que la spécificité de la poésie du *Cantique* tient notamment dans la manière qu'a le poème de mettre en avant l'acte de la création poétique[1]. Ainsi en est-il dans la multiplication des «comme», *kî* en hébreu – «Ses yeux sont *comme* des colombes» (5, 12) – dans les comparaisons explicites qui alternent avec les métaphores pures et simples – «Tes yeux sont des colombes» (1, 15; 4, 1). Articuler le «comme»,

---

1. R. ALTER, *The Art of Biblical Poetry,* New York, Basic Books, 1985, p. 193-195.

c'est, discrètement, expliciter la fabrique poétique. De même en est-il de la récurrence du verbe *dâmâ,* qui signifie « être semblable, comparable (à) », ou encore « comparer (à) ». C'est là un verbe relativement peu fréquent en hébreu biblique – trente occurrences dans l'ensemble de la Bible hébraïque –, qui revient cinq fois dans les brefs chapitres du *Cantique* (1, 9 ; 2, 9.17 ; 7, 8 ; 8, 14).

L'intimité des amants est celle du jardin ou de la chambre où ils aspirent à se retrouver, à l'abri du monde hostile. Mais cette intimité est tout autant celle du poème qu'ils s'échangent. Un passage illustre de manière particulièrement suggestive cette médiation poétique dans la relation des amants. Il s'ouvre par les mots de la femme : « Je dors, mais mon cœur veille » (*Cant.* 5,2). Plutôt que d'un réveil hors du sommeil, c'est du réveil de la jeune femme dans le sommeil qu'il s'agit sans doute ici. C'est dans son rêve qu'elle nous transporte, qui se trouve être le rêve de s'éveiller à la « voix » du bien-aimé, c'est-à-dire au bruit qu'il ferait en entrant chez elle, par effraction, dans la nuit. Le rêve a sa logique propre, que les cultures humaines ont scrutée de bien des manières. Cette logique, toutefois, recoupe de manière étonnante celle du discours poétique : les condensations et déplacements caractéristiques du rêve ont été décrits avec bonheur comme autant de figures de style, analogues à celles, fondamentales, de la métaphore et de la métonymie. Le discours poétique de l'amante met à profit l'alibi du rêve, il fait le jeu de la logique onirique qu'il recrée – pour en dire davantage. Le rêve évoqué, de son côté, trouve dans le poème et dans ses tropes l'expression qui l'exauce, qui « parle » *comme* parle la « veille du cœur ». Au chapitre deux, la jeune femme devinait l'être aimé debout derrière le mur, l'épiant par la fenêtre (2, 2) ; en 5, 2-6, elle trahit une attente plus secrète : qu'il s'introduise en son intimité. De l'intérieur de sa chambre – et de l'intérieur du rêve –, elle le voit introduire la main pour libérer le verrou :

> Mon bien-aimé avance sa main par la fente ; et mes entrailles s'en émeuvent. Je me lève moi-même pour ouvrir à mon bien-aimé. Et mes mains distillent de la myrrhe, et mes doigts de la myrrhe onctueuse sur les paumelles du verrou (5, 4-5).

L'analogie sexuelle est difficilement récusable. Mais le plus remarquable réside en ceci que la rencontre s'inscrit, le rêve aidant, « sur la porte et non dans les corps, faisant de la porte avec ses accessoires comme une redondance de chaque corps en une seule paroi[1] ». La porte et son verrou, où se pressent les mains des amants, est à la fois ce qui les sépare et le lieu métaphorique de leur union. L'image est cependant fugace : « J'ai ouvert à mon bien-aimé, mais mon bien-aimé avait disparu, il était passé » (5, 6). Est-ce ici qu'elle s'éveille ? La métaphore – rêvée – ne peut devenir le tout de la relation ; cette dernière, nécessairement, prend d'autres formes. Le rêve et son expression poétique, toutefois, soutiennent et relancent la quête : « Mon âme est sortie à sa suite, je l'ai cherché… » (5, 6).

Dans le rêve exprimé comme dans le dialogue amoureux, le *Cantique* illustre à l'envi ce que la sexualité humaine a en propre : sa capacité à déboucher sur le monde de la parole. Tant dans le rêve que dans le poème échangé, le désir sexuel « parle » en métaphores, se révélant ainsi irréductible à la nécessité du besoin. En se doublant d'expressions symboliques, le désir des amants devient parole échangée ; il entre dans l'espace des libertés et dans le temps des quêtes humaines. Symétriquement, les métaphores amoureuses, parce qu'elles puisent à même le désir, gardent le langage au plus près de l'imaginaire, de l'affectif et du corps ; la parole en devient motivante

---

1. P. Beauchamp, *L'un et l'autre…*, (cité p. 374, n. 1), p. 517-519.

de manière extrême. Si les amants du *Cantique* sont poètes, c'est pour sauver leur amour – pour le rendre riche de promesses, et pour irriguer celles-ci du désir. En d'autres mots, c'est pour le rendre «fort comme la mort» (8, 6). Le *Cantique,* il ne faut pas l'oublier, se termine par un «impératif métaphorique» : «Sois comparable, toi, à une gazelle ou à un faon d'une biche sur les monts embaumés» (8, 14). Le langage poétique ouvre, de manière prophétique, des chemins nouveaux à la liberté aimante.

L'autre et le même.

Les métaphores tissent entre les amants un monde commun, qui les sauve de leur ipséité. Le langage amoureux les porte plus loin encore, puisque ces deux êtres au départ étrangers l'un à l'autre vont jusqu'à se trouver – via les métaphores – une origine commune. Ce langage de l'origine prend d'abord la forme du rapport à la mère, aux mères respectives de l'un et de l'autre. La bien-aimée l'annonce : elle ira jusqu'à introduire son compagnon dans l'espace maternel – «Je l'ai saisi et je ne le lâcherai pas jusqu'à ce que je l'aie introduit dans la maison de ma mère et dans l'appartement de celle qui m'a conçue» (3, 4). A la fin du poème, elle le réveille au lieu de sa naissance : «Sous le pommier je te réveille ; là où fut enceinte de toi ta mère, là où fut enceinte celle qui t'enfanta» (8, 5). Mais plus radicalement encore s'exprime le souhait, chez l'un et chez l'autre, d'être nés d'une même origine. En 8, 1 elle s'exclame : «Que n'es-tu pour moi comme un frère, qui aurait tété les seins de ma mère !» Leurs gestes de tendresse, dans la rue, passeraient alors pour des gestes de tendresse familiale. Au tournant du chapitre 5, il l'appelle de manière insistante «ma sœur, ô fiancée» (4, 9. 10. 12 ; 5, 1).

L'un des deux termes – «sœur», «fiancée» – est nécessairement métaphorique, si l'amour du couple du *Cantique* n'est pas incestueux. Jalousement surveillée par ses
frères (8, 8-9), la bien-aimée vient d'un autre lignage –
nous sommes bien en contexte d'exogamie; la «fiancée»
est pourtant identifiée métaphoriquement avec la «sœur»,
avec celle qui partage les mêmes origines. Comme le dit
Francis Landy, le vœu de l'amour est aussi que «l'objet
du désir [soit] une part intime de nous-mêmes[1]». L'autre
aimé m'est d'une part irréductiblement autre; toutefois, il
ne m'est pas totalement hétérogène; en lui, en elle, je
communie à une commune origine.

L'énigme poétique que propose le *Cantique* apparaît
dès lors comme celle d'un discours – le discours amoureux
de l'homme et de la femme – conjoignant le même et
l'autre, altérité et unité. Au commencement, il y a la différence des sexes, telle qu'elle vient au langage. *Hinnâk,*
«Te voici», dit-il (*Cant.* 1, 15); *Hinnékâ,* «Te voici», dit-
elle (1, 16): dans l'écart qui sépare la finale de ces deux
mots – mots par lesquels les amants pointent l'un vers
l'autre – se formule l'énigme. «Toutes les choses, ainsi
que l'écrit Ben Sira, vont par deux, en vis-à-vis» (*Sir.*
42, 24). Mais l'énigme se prolonge en ceci que les deux
aspirent à ne faire qu'un: «Sa gauche sous ma tête, et
sa droite m'enlace!» (2, 6; 8, 3). En ses proverbes, la
sagesse d'Israël met ce «chemin» de l'union au sommet
de l'étonnement: «Il y a trois choses qui me dépassent,
quatre que je ne connais pas: le chemin de l'aigle dans
le ciel, le chemin du serpent sur le rocher, le chemin
du navire au cœur de la mer et le chemin de l'homme
dans la jeune femme» (*Prov.* 30, 18-19).

---

1. F. LANDY, «The Song of Songs», dans *The Literary Guide to the
Bible,* édit. R. ALTER et F. KERMODE, Cambridge, Harvard University
Press, 1987, p. 313.

Le *Cantique* nous fait méditer sans fin sur l'étonnante
parabole qu'il nous donne, nous présentant un miroir de
ce que nous sommes : hommes et femmes, à l'image de
Dieu. Car en cette énigme s'en répète une autre : celle
de la différence qui va de Dieu à l'homme et de l'homme
à Dieu, où l'un n'est pas comme l'autre : «Tu t'imagines
que je suis comme toi?» (*Ps.* 50, 21), mais où l'un reçoit
de l'autre la promesse de l'union : «Car YHWH mettra
son plaisir en toi et ta terre sera épousée» (*Is.* 62, 4).

II. Fragments du dialogue mystique

Au terme de ce parcours dans la poétique du *Cantique,*
la question doit être posée à nouveau : en multipliant ses
lectures allégoriques, la tradition d'interprétation juive et
chrétienne a-t-elle abusé d'un texte qui parle de tout autre
chose? En substituant le dialogue mystique au dialogue
érotique, a-t-elle méconnu la proposition du *Cantique?* Ou
bien a-t-elle, à sa manière, exaucé l'offre du texte poétique? De manière plus précise, on se demandera : dans
ses lectures allégoriques, la tradition interprétante a-t-elle
été guidée essentiellement par des facteurs externes – ainsi
la symbolique de l'amour conjugal développée par les prophètes de l'alliance? Ou bien a-t-elle trouvé *dans* le *Cantique* la clé d'une relecture mystique?

Le fait est que le discours de la tradition a eu, à l'égard
du *Cantique,* le réflexe le plus légitime. C'est ce qu'a
montré avec force Anne-Marie Pelletier dans son étude,
*Lectures du Cantique des Cantiques. De l'énigme du sens
aux figures du lecteur*[1]. La tradition interprétante a

---

1. A.-M. Pelletier, *Lectures du Cantique des Cantiques. De l'énigme
du sens aux figures du lecteur* (*Analecta biblica* 121), Roma, Pont. Istituto
Biblico, 1989.

répondu à l'offre du *Cantique* en acceptant de se prendre
au pur jeu dialogique, en «embrayant» les signifiants du
poème, à commencer par le *Je* et le *Tu* qui s'y disent.
Ce faisant, le discours de la tradition a trouvé dans le
Cantique ce qu'il n'aurait pas pu trouver ailleurs, et
notamment dans les autres métaphores scripturaires
exprimant la relation de Dieu et de son peuple.

Ces différentes métaphores – celle du vigneron et de
sa vigne, du roi et de ses sujets, du père et du fils, de
la mère et de l'enfant, du maître et du serviteur, de
l'homme et de ses animaux domestiques, du potier et de
l'argile – ont leur pertinence propre, mais elles se révèlent
déficientes sur un point, qui est celui de la parole
échangée, du face à face dialogué. Point de parole entre
l'homme et la bête, la vigne et le vigneron, entre le
potier et la glaise qu'il façonne. Si la parole a sa place
dans la relation du père et du fils, de la mère et de
l'enfant, du maître et du serviteur, du roi et de ses sujets,
cette parole n'est pas le lieu d'une réciprocité. Dans le
Cantique, la tradition interprétante a trouvé le paradigme
de la parole échangée.

Parce qu'il est ce dialogue où la distinction des personnes s'enrichit de celle des genres, le *Cantique* a pu
prêter au discours de la tradition la morphologie, la
syntaxe, le rythme et la symbolique du dialogue avec
l'autre. Il y a bien sûr, entre le *Cantique* et ses transpositions allégoriques, une compatibilité de surface quant
aux genres; Dieu ou le Christ s'énoncent au masculin,
tandis qu'Israël, l'Église, l'âme ou la Vierge s'énoncent au
féminin. Mais l'affinité est plus profonde. La différence
sexuelle, qui s'entend à chaque verset du *Cantique*,
constitue dans l'expérience humaine le chiffre le plus précieux de l'ouverture à l'autre, et dès lors de l'ouverture
à l'altérité du divin. La différence des sexes est ce qui
empêche chacun de se totaliser comme «homme» – au

sens générique –, et qui, inscrivant en chacun un manque fondamental, le fait ainsi porteur du vœu de connaître l'autre et d'être connu par lui – ou par elle. Est-ce étonnant dès lors si le désir de l'autre et l'expérience mystique du Tout-Autre mettent en jeu comme une langue commune? En exprimant le souhait du seul à seul, en racontant l'attente et la remémoration, en disant les paroles de salutation et celles de l'adieu, le discours amoureux articule ce qui est aussi la logique et le *tempo* de la vie mystique. Ici comme là, il s'agit de dialoguer avec un autre, imprévisible en sa fidélité.

Le *Cantique* fournit par ailleurs le paradigme de la parole devenue réciproque dans une création commune. La création *ex nihilo,* celle que raconte la *Genèse,* est le lieu d'une asymétrie fondamentale, l'homme y étant suspendu au verbe créateur de Dieu. Le *Cantique* permet de penser le rapport de l'homme et de Dieu dans leur moment de création commune, dans leur poétique commune, c'est-à-dire dans l'alliance. Cette poétique commune fait fond sur une création préalable; par le jeu des métaphores, elle fait toutefois œuvre de re-création dans le «milieu» du langage. Le *Cantique* est le chant d'un «plus», d'un surcroît. Les amants du *Cantique* sont en extase devant ce «plus», ce surcroît de bonté dispensé par l'amour et l'érotique qu'il comporte. Si le superlatif est employé à diverses reprises, à propos de l'amante notamment, «la plus belle des femmes» (cf. *Cant.* 1, 8; 5, 9; 6, 1), le *Cantique* est aussi bâti sur un comparatif, sur lequel s'ouvre le poème : «Tes caresses, lui dit-elle, sont meilleures que le vin» (1, 2; cf. 1, 4; 4, 10). La bonté des choses, que l'excellence du vin vient symboliser, se trouve dépassée par la révélation de l'éros amoureux – cette bonté supplémentaire que l'on découvre au-delà de l'enfance. «Seul parmi tous les livres de la Bible, écrit Rosenzweig, le *Cantique* débute par un

comparatif – 'meilleur que le vin'... Ce 'meilleur' renoue
le fil exactement là où le 'très bon' qui achève la Création
l'avait laissé[1]. » Ce surcroît, cet excès de bonté est en
quelque sorte approprié au « plus », à l'excès que représente la révélation de Dieu, au-delà de la création. La
création n'obligeait pas à ce surcroît d'intimité et de bonté
que le *Cantique* permet de chanter comme « meilleures
que le vin ».

Cependant, pas plus que le langage de l'éros amoureux,
le langage mystique ne peut congédier la création. Les
métaphores de l'union s'élaborent ici comme là sur la
base de « ce qui tombe sous les sens ». L'expérience des
parfums, des couleurs, des lignes du paysage, de la grâce
des végétaux ou des animaux sont des expériences qu'on
ne congédie pas dans l'expérience de Dieu. Il y aura
toujours un surplus des métaphores, et des métaphores
terrestres, par rapport au langage rationalisant de la théologie, même mystique. L'union avec Dieu peut se dire
de la manière la plus concise qui soit : « Je suis à mon
bien-aimé et mon bien-aimé est à moi » (*Cant.* 2, 16;
6, 3); mais elle va plus loin en explorant, encore et toujours, les métaphores de l'union. Celles-ci ont en propre
de combler et de mouvoir la liberté aimante, en lui
donnant les figures de son repos et de sa quête. A qui
a lu le *Cantique,* Dieu rend visite en bondissant au-
dessus des collines, en l'épiant à travers le treillis.

Je conclurai en revenant à l'étonnement du départ :
pourquoi ma bible s'ouvrait-elle en son milieu, c'est-à-
dire dans les pages du *Cantique des Cantiques?* Même
si le *Cantique* n'est pas toujours au centre matériel de
nos bibles, il en est le centre symbolique, au sens où
l'énigme qu'il propose est aussi l'énigme de l'Écriture tout
entière. Le *Cantique* fonctionne, pourrait-on dire, comme

1. F. ROSENZWEIG, *L'étoile...* (cité p. 371, n. 1), p. 238.

une «mise en abyme» du dialogue qui soutient de part
en part l'Écriture sainte. Le dialogue amoureux du *Cantique* est celui, bien sûr, de l'homme et de la femme,
mais en dessinant le drame et le bonheur de la parole
échangée, il se propose aussi comme le miroir de l'Écriture tout entière, parole échangée entre Dieu et l'homme,
de l'époux à l'épouse, de l'épouse à l'époux.

J.-P. SONNET, S.J.

INDEX SCRIPTURAIRE

Les chiffres en gras renvoient aux sermons et les chiffres en maigre qui les suivent aux paragraphes. Les italiques signalent une simple allusion scripturaire. Le chiffre [2] en exposant indique la présence, dans le paragraphe correspondant, de deux citations ou allusions au même verset. Les mentions « Patr. » et « Lit. » valent pour l'ensemble des citations ou allusions à la référence indiquée.

76, 11	**37,** 7 ≠	106, 43	**50,** 7 ≠
77, 17	**42,** 3 ≠	109, 3	**45,** 9 ≠
77, 25	**35,** 4 ≠. 5 ≠	110, 10	**36,** 4; **37,** 1. 1 ≠. 6. *6*
77, 49	**41,** 3 ≠	112, 5	**42,** 10 ≠
77, 65	**44,** 8	112, 5-6	**42,** 9
78, 4	**47,** 4 ≠	113, 1	**39,** 1. 9 ≠
79, 6	**44,** 1 ≠	114, 7	**35,** 1
80, 17	**33,** 3	115, 11	**38,** *3*
83, 7	**42,** *6*	117, 24	**45,** 10
83, 11	**33,** 4 ≠	118, 54	**33,** 7
85, 2	**46,** 6	118, 71	**34,** 2 ≠. 3. 4 ≠
85, 5	**38,** 1	118, 75	**36,** 5 ≠
85, 13	**35,** 7	118, 77	**43,** 4
85, 17	**34,** 1 ≠	118, 91	**49,** 5
87, 4	**48,** 7 ≠	118, 93	**43,** 3 ≠
87, 10	**46,** 6 ≠	118, 101	**38,** 1
88, 1	**39,** 2	118, 103	**45,** *1*
88, 15	**33,** 1	118, 104	**46,** 5
89, 10	**35,** 1	118, 125	**45,** 2
90, 3	**35,** 1	118, 130	**39,** 3
90, 5	**33,** 14	118, 136	**35,** 3 ≠
90, 6	**33,** 9; 12². 13. 15. 16 ≠	118, 139	**44,** 8
90, 5-6	**33,** 11	118, 144	**48,** 6 ≠
90, 15	**36,** 6 ≠	118, 156	**43,** 4 ≠
92, 1	**33,** 6 (Lit.); **39,** 2 ≠	118, 175	**48,** *2*
92, 5	**46,** 3 ≠	119, 7	**48,** 2 ≠
93, 17	**39,** 2 ≠; **48,** 7 ≠	121, 1	**37,** 3 ≠
95, 12	**48,** 5	125, 5	**37,** 2 ≠. 4
98, 6	**42,** *4*	125, 6	**37,** 2 ≠. 4
98, 8	**42,** 4	126, 2	**33,** 7 ≠
102, 14	**38,** 2 ≠	127, 4	**35,** *9*
103, 15	**44,** 1 ≠	130, 1	**45,** 4 ≠
103, 25	**39,** 9	136, 1	**33,** 2 (Lit.)
104, 4	**35,** 1 ≠	137, 6	**42,** 9 ≠
105, 20	**35,** 4 ≠	138, 6	**38,** 5 ≠
		138, 16	**49,** 7. 7 ≠
		138, 21	**50,** 7

Nahum

2, 11	**33**, 2

Habaquq

3, 2	**42**, 4
3, 11	**33**, 6 ≠

Aggée

1, 1	**43**, 5

Malachie

1, 6	**45**, 6 ≠
4, 2	**33**, 5; **45**, 9

Zacharie

1, 1	**43**, 5

Matthieu

1, 16	**43**, 5 ≠
2, 18	**42**, 5
3, 15	**42**, 9 ≠; **47**, 7 ≠
3, 16	**42**, 8; **45**, 5
4, 8-9	**33**, 12
5, 6	**33**, 7 ≠
5, 8	**38**, 3 (Patr.); **41**, 2
5, 44	**48**, 2 ≠
6, 6	**40**, 4 ≠
6, 17	**34**, 3 ≠
6, 25	**38**, 2
6, 28	**48**, 2 ≠
6, 30	**48**, 2 ≠
6, 32	**38**, 2 ≠
7, 12	**44**, 7; **50**, 3 ≠
8, 8	**46**, 6
8, 10	**46**, 6
8, 26	**38**, 2 ≠

10, 16	**45**, 5
10, 22	**46**, 8 ≠
11, 29	**42**, 7; **49**, 8 ≠
11, 30	**43**, 1 ≠
12, 31	**38**, 1
12, 34	**42**, 1
12, 40	**45**, 9 ≠
12, 44	**46**, 9 ≠
12, 45	**33**, 15
12, 45	**35**, 7 ≠
13, 22	**46**, 2
14, 24-26	**33**, 13
14, 25	**33**, 13 ≠
15, 2	**46**, 5 ≠
15, 16	**35**, 6 ≠
17, 4	**46**, 1
18, 12	**33**, 2
19, 19	**44**, 4; **50**, 7 ≠
20, 8	**50**, 5
20, 16	**50**, 5
21, 13	**49**, 3 ≠
22, 13	**35**, 7 ≠
22, 39	**50**, 3 ≠
23, 2	**42**, 2 ≠
23, 2-3	**42**, 2 (RB)
23, 3	**36**, 1
23, 15	**33**, 8 ≠
25, 5	**36**, 7
25, 33	**35**, 2; **44**, 7
26, 24	**35**, 7 (Lit.)
26, 37	**40**, 4
26, 41	**33**, 11
27, 34	**44**, 1 ≠
28, 20	**33**, 6 ≠

Marc

3, 25	**36**, 5
6, 48-49	**33**, 13
6, 50	**33**, 13

II Corinthiens

TABLE DES MATIÈRES

impossibles. – II. Trois sortes d'affection : selon la chair, selon la raison et selon la sagesse. L'ordre inversé de la charité active. – III. L'ordre de la charité affective, qui savoure toutes choses selon ce qu'elles sont.

SOURCES CHRÉTIENNES

Fondateurs : † *H. de Lubac, s.j.*
† *J. Daniélou, s.j.*
† *C. Mondésert, s.j.*
Directeur : J.-N. Guinot

Dans la liste qui suit, dite «liste alphabétique», tous les ouvrages sont rangés par nom d'auteur ancien, les numéros précisant pour chacun l'ordre de parution depuis le début de la collection. Pour une information plus complète, on peut se procurer deux autres listes au secrétariat de «Sources Chrétiennes» – 29, rue du Plat, 69002 Lyon (France) – Tél. : 04 72 77 73 50 :

1. la «liste numérique», qui présente les volumes et leurs auteurs actuels d'après les dates de publication; elle indique les réimpressions et les ouvrages momentanément épuisés ou dont la réédition est préparée.
2. la «liste thématique», qui présente les volumes d'après les centres d'intérêt et les genres littéraires : exégèse, dogme, histoire, correspondance, apologétique, etc.

LISTE ALPHABÉTIQUE (1-452)

SOUS PRESSE

Grégoire de Nysse, **Discours catéchétique.** R. Winling.
Isidore de Péluse, **Lettres.** Tome II. P. Évieux.
Marc le Moine, **Traités.** Tome II. G.-M. de Durand (†).
Tertullien, **Contre Marcion.** Tome IV. R. Braun.

PROCHAINES PUBLICATIONS

Les Apophtegmes des Pères. Tome II. J.-C. Guy (†).
Bernard de Clairvaux, **La Conversion.** J. Miethke.
Bernard de Clairvaux, **Lettres.** Tome II. M. Duchet-Suchaux, H. Rochais.
Bernard de Clairvaux, **Le Précepte et la Dispense.** F. Callerot.
Cyprien de Carthage, **A Démétrianus.** J.-C. Fredouille.
Livre d'heures ancien du Sinaï. M. Ajjoub.
Syméon le Studite, **Discours ascétique.** H. Alfeyev, L. Neyrand.

RÉIMPRESSIONS RÉALISÉES EN 1999

RÉIMPRESSIONS PRÉVUES EN 2000

Également aux Éditions du Cerf:

LES ŒUVRES DE PHILON D'ALEXANDRIE
publiées sous la direction de
R. ARNALDEZ, C. MONDÉSERT, J. POUILLOUX.
Texte original et traduction française

1. **Introduction générale, De opificio mundi.** R. Arnaldez.
2. **Legum allegoriae.** C. Mondésert.
3. **De cherubim.** J. Gorez.
4. **De sacrificiis Abelis et Caini.** A. Méasson.
5. **Quod deterius potiori insidiari soleat.** I. Feuer.
6. **De posteritate Caini.** R. Arnaldez.
7-8. **De gigantibus. Quod Deus sit immutabilis.** A. Mosès.
9. **De agricultura.** J. Pouilloux.
10. **De plantatione.** J. Pouilloux.
11-12. **De ebrietate. De sobrietate.** J. Gorez.
13. **De confusione linguarum.** J.-G. Kahn.
14. **De migratione Abrahami.** J. Cazeaux.
15. **Quis rerum divinarum heres sit.** M. Harl.
16. **De congressu eruditionis gratia.** M. Alexandre.
17. **De fuga et inventione.** E. Starobinski-Safran.
18. **De mutatione nominum.** R. Arnaldez.
19. **De somniis.** P. Savinel.
20. **De Abrahamo.** J. Gorez.
21. **De Iosepho.** J. Laporte.
22. **De vita Mosis.** R. Arnaldez, C. Mondésert, J. Pouilloux, P. Savinel.
23. **De Decalogo.** V. Nikiprowetzky.
24. **De specialibus legibus.** Livres I-II. S. Daniel.
25. **De specialibus legibus.** Livres III-IV. A. Mosès.
26. **De virtutibus.** R. Arnaldez, A.-M. Vérilhac, M.-R. Servel, P. Delobre.
27. **De praemiis et poenis. De exsecrationibus.** A. Beckaert.
28. **Quod omnis probus liber sit.** M. Petit.
29. **De vita contemplativa.** F. Daumas et P. Miquel.
30. **De aeternitate mundi.** R. Arnaldez et J. Pouilloux.
31. **In Flaccum.** A. Pelletier.
32. **Legatio ad Caium.** A. Pelletier.
33. **Quaestiones in Genesim et in Exodum. Fragmenta graeca.** F. Petit.
34 A. **Quaestiones in Genesim,** I-II (e vers. armen.). Ch. Mercier.
34 B. **Quaestiones in Genesim,** III-IV (e vers. armen.). Ch. Mercier et F. Petit.
34 C. **Quaestiones in Exodum,** I-II (e vers. armen.). A. Terian.
35. **De Providentia,** I-II. M. Hadas-Lebel.
36. **Alexander** *vel* **De animalibus** (e vers. armen.). A. Terian.

Photocomposition laser Abbaye de Melleray C.C.S.O.M. 44520 La Meilleraye-de-Bretagne

Cet ouvrage a été reproduit et achevé d'imprimer
en juin 2000 par l'Imprimerie Floch 53100 – Mayenne.
Dépôt légal : juin 2000. N° d'imprimeur : 48922. N° d'éditeur : 11304.
Imprimé en France